D1027490

Profil perdu

HUGUES PAGAN

Profil perdu

Collection fondée par François Guérif

RIVAGES

Retrouvez l'ensemble des parutions
des Éditions Payot & Rivages sur

payot-rivages. fr

Ouvrage publié sous la direction de François Guérif

... Dommage qu'il faille qu'on triche
Avec tous nos chagrins...

Véronique SANSON
« Je me suis tellement manquée »

1

– Connais pas Dee-Dee, ricana Bugsy. Connais personne, Ducon. Tu devrais le savoir, depuis le temps.

Ducon était inspecteur principal au groupe stupéfiants. Il ne s'appelait pas Ducon, mais Meunier. Personne ne l'avait jamais appelé Ducon, jamais dans l'exercice de ses fonctions. Bugsy non plus ne s'appelait pas Bugsy, et pourtant tout le monde l'appelait Bugsy, dans l'exercice de ses fonctions. Ducon était flic. Bugsy dealait. À chacun sa merde.

Par la fenêtre du bureau, on voyait de grandes calendes de pluie balayer le parking. Elles se déplaçaient d'ouest en est avec une férocité mal contenue. On sentait qu'elles venaient de loin, et qu'elles n'étaient pas près d'arriver au bout de leur voyage, de l'autre côté des choses. Elles étaient froides et sans mémoire. C'était le soir, déjà les néons s'étaient allumés, de même que l'éclairage public et le lendemain était férié. Au loin, sur la rocade, les voitures roulaient au pas dans les grands éclaboussements sanglants de leurs feux de stop. C'était le soir, c'était le dernier jour de l'année et le lendemain serait le premier de l'année suivante. On sentait dans l'Usine comme un ralentissement, une baisse de tension, une sorte d'abandon tacite, on sentait bien qu'on allait fermer et que tout redeviendrait bientôt silencieux, sombre et désert et livré à la nuit.

Tout sauf la salle de commandement au deuxième, les bureaux de permanence du rez-de-chaussée et les geôles au sous-sol.

Meunier examina ses grandes mains posées à plat de part et d'autre de la machine à écrire, un engin sans âge et qui finirait par se suicider lui-même de vieillesse, un jour ou l'autre. Le magasin technique serait bien contraint d'en fournir une autre en remplacement, certainement à peu près aussi lasse et désuète. Les bécanes neuves sont affectées aux tauliers, ce qui est pour elles un gage de longévité. Un taulier a rarement assez de doigts pour se servir d'une machine à écrire lui-même, c'est pourquoi on les flanque généralement de secrétaires, tout aussi décoratives, pétillantes et inaccessibles que de vraies machines à écrire électriques sorties d'usine.

Meunier n'en concevait aucune amertume.

C'était un être solide, placide et incapable de la plus petite forme de ressentiment.

Il avait un peu plus de la trentaine, un sublime profil de pâtre grec et des traits que la perfection rendait presque inexpressifs. Meunier ne passait pas pour une intelligence hors du commun et s'en dispensait aisément.

Avec une absence de chaleur véritable, sans la trace du moindre entrain, il reporta le regard de ses yeux très bleus, à l'expression presque candide, sur le calendrier du ministère de l'Intérieur punaisé au mur derrière Bugsy. 31 décembre 1979. Meunier n'aimait pas les fêtes – les fêtes obligatoires. Il consulta la grosse pendule électrique au-dessus de la porte. Dix-huit heures cinquante. Fin de service à trente. Vingt minutes déjà qu'il jouait les prolongations, sans bien en percevoir la nécessité.

Quant à Bugsy, il n'avait aucun goût pour les prolongations. C'était un garçon pratique et seulement axé sur les méthodes de survie en milieu hostile. Il agita le derrière sur sa chaise et ricana de nouveau sans que cela fût proprement indispensable. Peut-être était-ce sa seule forme d'expression, ou bien la seule qu'il trouvât adéquate à sa situation de gardé à vue. Il avait déjà un pied dehors et il le savait. Il dit d'un ton sourd de vieux cheval de manège, rendu vicieux et roué par le commerce incessant des hommes :

– Vous pouvez rien me mettre sur le dos.

Il bougea la tête. C'était une vilaine grosse tête toute boursouflée placée tout au bout d'un long cou maigre et sinueux.

– Dee-Dee, répéta Meunier, sans que son regard portât sur quelque chose de particulier. Bugsy garda le silence. Le temps jouait en sa faveur. Le flic le savait. C'était un dialogue pauvre et passablement sans issue. Meunier en avait conscience, de même que du fait que l'année finissait et que la suivante lui ressemblerait sans doute trait pour trait. Il avait également conscience de la taille de ses mains, de l'allonge de ses bras et de la puissance de leur force de frappe, qu'il entretenait régulièrement en faisant de la salle au sous-sol. Il avait aussi conscience de la pathétique minceur des cloisons, à peu près aussi maigres que les espoirs d'un chômeur en fin de droits.

Il savait que Bugsy se foutait de sa gueule et qu'une simple gauche à caractère négligent et presque convivial avait toutes les chances de faire basculer le score en faveur de la police. Le tout était de ne pas laisser de traces. Il savait aussi que le parquet local manifestait une sensibilité de cousette pour tout ce qui pouvait passer de près ou de loin pour des violences policières, à moins qu'il fût assez malin, sot ou malhonnête pour se couvrir en faisant tenir une procédure d'outrage-rébellion au détriment de la victime. Meunier laissait ce genre d'héroïsme aux tuniques bleues.

Il se considérait à juste titre comme un honnête homme et un bon citoyen, et, dans une certaine mesure, comme un flic potable. Bugsy se foutait de sa gueule en jouant la pendule. Dont acte. Les choses auraient pu en rester là, mais Meunier se borna à répéter, comme si ce fût un dernier recours :

– Dee-Dee.

– Bon Dieu, se plaignit Bugsy en se trémoussant d'une fesse sur l'autre, putain, vous êtes bouché. Pas de Dee-Dee. Jamais vu de Dee-Dee. D'abord, qui c'est, Dee-Dee ?

Il sourit par en dessous en se donnant un air faraud.

– Tu as une sale tête quand tu souris, observa subitement le flic, les mains derrière la nuque. En plus, quand tu rigoles, tu pues de la bouche.

C'était une simple petite manœuvre de déstabilisation, tentée sans vraie intention de blesser. Bugsy monta aussitôt au créneau.

— Je souris pas. J'ai pas besoin de sourire pour avoir une sale gueule. Pourquoi vous croyez qu'on m'appelle Bugsy ? Bugsy, ça veut dire la punaise, le cafard, des trucs et des machins pas ragoûtants.

— Pas seulement, éluda le flic avec une sorte de brusque gêne. Bugsy, ça veut dire insecte. Y a pas de mot spécifique pour dire punaise en anglais.

— Foutaise, grinça Bugsy. Je suis rien qu'une sous-merde, faut pas vous bordurer. Rien qu'un résidu de bidet. Ma mère, dès qu'elle a vu ma tronche, elle m'a filé à l'Assistance. Pas le lendemain ou le jour d'après. Non, tout de suite, direct maintenant. C'était ça ou la poubelle. Même elle, elle a pas voulu une seconde d'une merde pareille. Pourtant, c'était quand même bien elle qui venait de me faire. (Il remua doucement la tête. On aurait dit qu'il n'en revenait toujours pas. Il avait les yeux braqués dans le vague. Puis il parut refaire surface et remua de nouveau la tête avec gravité.) Remarquez, quand on voit ce que ça a donné, on peut pas lui donner tort.

— Tu es seul ? Tu as des frangins ? Des frangines ?

— Personne. Enfin je crois, j'en sais rien. (Il réfléchit en se massant les poignets et conclut à mi-voix.) Vu le résultat, je suis pas sûr qu'elle a eu envie de recommencer. Et si je pue de la gueule, c'est juste que j'ai plus que des chicots. (Il les exhiba en remontant une babouine avec l'index en crochet.) Les chicots, c'est à cause de l'acide.

— Je croyais que tu te camais plus, remarqua le flic, sans la moindre trace d'agressivité.

Sur la rocade, les voitures avançaient toujours mètre par mètre, à touche-touche, en un long et épais serpent lumineux qui s'écoulait avec lenteur en sinuant dans la pluie.

— Je me came plus. La came c'était quand j'étais mineur.

12

– Les vols avec violence aussi. Les bagnoles chourées, les vols avec effraction. Les extorsions de fonds sous la menace. C'était aussi quand t'étais mineur. Tu ne fais plus rien, maintenant. Ça fait cinq ans que tu as pris ta retraite, pour ainsi dire. Moi aussi. Le parquet aussi. Le monde entier a pris sa retraite. L'emmerde, c'est qu'on n'a pas été prévenu. Tu ne deales pas. Tu ne deales plus. Le monde a enfin retrouvé la grande paix des cimetières. Dommage que personne ne le sache.

– Amen, proféra Bugsy en joignant les mains, les yeux au ciel.

Ducon réfléchit :

– Tu as une trique[1]* au cul.

– Dix mois, reconnut tout de suite l'autre, les épaules baissées.

Meunier soupira. Il ramassa ses notes et les parcourut en fronçant les sourcils. Le flic éprouvait de plus en plus de difficulté à se relire. Minnie prétendait que son écriture ressemblait à présent à un électroencéphalogramme pris de folie. Minnie savait des tas de mots de plus de trois syllabes, de ces mots dont n'ont pas les moyens ni l'usage pratique tous ceux qui exercent des tâches rudimentaires dans une langue limitée, les policiers par exemple. Elle n'était pas sûre qu'il les comprît tous, mais grâce à elle il en connaissait au moins l'existence. Ainsi en va-t-il de tous les paradis, même les plus perdus. Ils ne sont pas tout de suite accessibles, ni du reste immédiatement utiles à quoi que ce soit, mais il suffit de savoir au moins qu'ils existent.

La dernière fois qu'il était passé au tourniquet*, Bugsy avait ramassé trente mois, dont dix avec sursis pour couvrir la préventive. Il avait été laissé libre à l'audience. Dix mois de sursis avec mise à l'épreuve.

---

1. Tous les mots ou expressions suivis d'un astérisque sont expliqués dans le glossaire en fin d'ouvrage, p. 411.

Le flic en inféra sans grand risque de se tromper que le cloporte n'avait pas eu droit à un vrai bavard*. Les vrais bavards sont chers, trop chers pour un type comme Bugsy. Il s'était pris qu'un commis d'office qui bossait à l'abattage pour des nèfles et n'avait pas intérêt à se mettre le président du tribunal à dos. La grande loterie du falot* n'avait pas joué en faveur de Bugsy. Meunier ne savait que trop bien ce qu'il fallait penser de la tombola des audiences correctionnelles.

Bugsy ne l'ignorait pas non plus.

Jeux de cons.

Ducon observa, non sans une certaine justesse :

– Avec ton casier, tu pisses debout dans une rue déserte par une nuit sans lune, tu retournes au trou. Direct.

– Direct, confirma Bugsy.

Il remua sur sa chaise, comme un vieux chat pelé qui s'apprête à faire en douce sur le bord de sa caisse. Sur la table de desserte, près de la fenêtre, il y avait le contenu de ses poches, sa ceinture et ses lacets ainsi qu'une montre à quartz qui ne donnait pas l'heure, qui ne donnait aucune heure du tout, une mauvaise copie de Santos Dumont. Les flics appellent ça la fouille du détenu. Pour fouiller un type, on commence par le faire mettre à poil, lever les bras et se tourner, il doit se pencher en avant et pousser en toussant, des fois que le type se serait planqué quelque chose dans le cul. Naturellement, les choses peuvent facilement revêtir un tour humiliant. Beaucoup de flics ne s'en privent pas – un simple tour de chauffe. Ducon n'en faisait pas partie. Il avait le sentiment que s'il le faisait, il ne pourrait plus jamais regarder Minnie dans les yeux.

Dans la fouille, il y avait aussi une cassette de Chris Isaak, un baladeur dont le numéro de série avait été gratté, un porte-clés avec deux clés en métal blanc, du papier à rouler, un coupe-ongles et un peigne où manquaient des dents, mais pas suffisamment pour qu'on pût le considérer comme une arme, un paquet de Marlboro et des allumettes en vrac, six francs et vingt centimes. Pas la moindre pièce d'identité, ni la plus petite trace de dope. Bugsy tendit les doigts à l'aveugle.

– Je peux ?

– Tu peux, l'autorisa le flic.

Bugsy sortit une Marlboro cabossée du paquet. Meunier lui donna du feu, en l'observant fixement. Les couloirs avaient fini de se vider. Le silence s'était fait opaque. Alors, Bugsy comprit avec un spasme de terreur que le flic n'avait pas joué le temps. Il avait seulement attendu qu'il n'y ait plus personne. La peur lui vient, en même temps que le souvenir des coups reçus. Le corps a une mémoire pour ce genre de choses. Les os se souviennent, les muscles se souviennent, chaque os, chaque tendon, la moindre articulation, même longtemps après et qu'on croit avoir tout effacé de sa mémoire, le corps, lui, n'a rien oublié. Ducon le fixait avec placidité. Sans doute le flic réfléchissait-il à la manière de procéder pour infliger le maximum de douleur en provoquant le minimum de marques.

Meunier lui avança le cendrier.

Ça n'engageait à rien.

– Pas de Dee-Dee ?

– Non, murmura Bugsy d'une voix difficilement audible.

Nul ne peut dire ce qu'il ne sait pas. Il écrasa sa cigarette : elle ne pouvait plus lui être de la moindre utilité. Ses doigts tremblaient et il avait la figure de travers. Il avait la bouche pleine d'eau et retenait mal une violente envie d'uriner, il avait peur que ses sphincters ne le lâchent. Bugsy avait froid partout et jusqu'à la racine des cheveux et la nuque en verre. Soudain, le flic bougea. D'un coup de reins, il recula sa chaise de dactylo, plongea la main dans un tiroir entrouvert. Matraque, tuyau d'arrosage. Câble électrique tressé. Le flic ne devait pas être du genre à s'esquinter les doigts – surtout pas une veille de fête. Comme nombre de ses comparses, il allait utiliser des gants de chantier. Les coups, Bugsy s'en foutait plus ou moins, il en avait l'habitude depuis le temps, mais il savait qu'il finirait par pleurer par terre en chien de fusil en se pissant dessus.

Et qu'on se ferait un malin plaisir à le laisser mariner dans sa pisse.

Ducon ne le laissa pas mariner. Il sortit une chemise cartonnée qu'il posa devant lui et l'ouvrit. Un long instant, il conserva le silence. Bugsy finit par lever une face défigurée par une grimace oblique. On y lisait clairement la peur et l'appréhension des coups qui n'allaient plus tarder à tomber. Ducon ne semblait pourtant plus lui accorder la moindre attention, occupé qu'il était à scruter une photo 9 × 13 avec le soin méticuleux et amer qu'on réserve d'ordinaire à l'examen détaillé de son propre avis d'imposition.

La femme (X… pouvant être Dee-Dee) avait été prise à la volée dans une rue piétonne à l'aide d'un téléobjectif de deux cents millimètres depuis une camionnette de planque. La ville pouvait être n'importe quelle cité occidentale raisonnablement prospère. Portrait en pied. X… semblait marcher seule et d'un pas décidé. Elle arborait un sac en bandoulière, le genre de fourre-tout susceptible de contenir un pack de Budweiser, une clé anglaise, trois kilos de résine, l'intégrale de Rilke, un pistolet-mitrailleur Uzi et deux boîtes de cartouches neuf millimètres, ou quatre ou cinq Benetton à col roulé et deux sacs de litière à chat.

C'était la fin du jour et le flic en planque n'avait pas chiadé la prise de vue. Sexe féminin, corpulence mince, la trentaine, de type caucasien. Les cheveux lui tombaient à la taille. Ils étaient sombres, lisses et très fournis. De larges lunettes polarisantes lui dissimulaient les yeux et une partie de la face. La femme portait un long et souple manteau de cuir ouvert sur une mini-robe en laine et ses jambes étaient gainées de sombre. Bottines à talons. Un bon physique de cover-girl ou de pute. Ou les deux. Sa démarche semblait empreinte de désinvolture, qui contrastait avec la blancheur crayeuse de sa face, le pli amer de la bouche et l'implacable dureté des

maxillaires. Sa vêture et l'assurance qu'elle paraissait manifester semblaient trahir une origine ou des fréquentations
sociales élevées.

Semblaient.

Bugsy tendit lentement les doigts vers son paquet de cigarettes sans que Ducon fît quoi que ce soit pour l'empêcher. En
même temps qu'il lui donna du feu, il lui montra la femme. Il
mit plusieurs secondes à comprendre que le bruit de coquilles
d'huître qu'on frotte l'une contre l'autre provenait de la gorge
de Bugsy. C'était sa manière à lui de manifester son hilarité.

— Dee-Dee, grinça le flic, pris à contre-pied. Tu la reconnais ?

Bugsy riait à sa manière. Rien de véritablement gai, ni qui
parvint à secouer ses maigres épaules. Bugsy riait bouche
fermée. Tous les taulards et ceux qui ont les dents gâtées font
de même. Puis il tira sur sa cigarette, les lèvres pincées et se
pencha. Ses yeux étaient devenus froids et spéculatifs.

— Dee-Dee, elle ? Vous vous foutez de ma gueule.

— Pas vraiment, reconnut le flic.

Bugsy approcha la face du cliché et lui adressa un baiser
obscène.

— Dans le cul, papa.

— Dans le cul de qui ?

— Le vôtre. Je sais pas qui c'est Dee-Dee, je sais même
pas si c'est bique ou bouc, mais je vais vous faire un cadeau,
quand même. Cette gonzesse, sur la photo, c'est pas Dee-Dee.
Cette gonzesse, elle a un nom et un prénom. Elle a même un
putain de pedigree. Cette gonzesse, elle est pas à votre taille.
N'allez pas vous foutre dans la merde, ça servirait à rien.

— Pute ? Camée ?

— Elle ?

La peur s'était dissoute, laissant place à une immense lassitude, que Bugsy ressentait à présent jusque dans la moelle
des os. Le coup n'était pas passé loin. Intérieurement, il en
frissonnait encore comme un vieux clébard croûteux. Pour un

peu, il se serait endormi sur place, s'il ne lui fallait pas serrer encore les fesses. Il tira plusieurs bouffées coup sur coup et suggéra avec précipitation :

– Je vous donne quelque chose et vous me laissez sortir.

– Correct, réfléchit Meunier.

– Si vous voulez savoir qui c'est, demandez à Schneider.

Encore un taffe, et il se ravisa, et déclara lentement, d'un ton assourdi comme un tambour voilé.

– À votre place, je demanderais pas à Schneider. Je lui demanderais rien. Même pas l'heure d'hier. Cherchez pas la merde, vous avez rien à y gagner. Personne n'a rien à y gagner. Même pas elle.

Bugsy termina sa cigarette en l'écrasant entre les doigts et fourra le mégot dans sa poche d'un geste de taulard. Fin de partie. Dehors, il pleuvait toujours. Il faisait noir. La circulation sur la rocade commençait à se fluidifier, signe qu'on n'allait pas tarder à commencer à s'alcooliser. Réveillon, cadeaux, beuveries et cotillons. Tout le monde va s'aimer. Tout le monde va se taper dans le dos et s'embrasser. Tout un tas de chouettes copains. Tout le monde va s'aimer, jusqu'au lendemain matin, jusqu'aux cadavres de bouteilles un peu partout le long des plinthes, l'haleine de chacal, les vomis dans l'évier. Jusqu'à ce que tout le monde se remette à se foutre sur la gueule. Ducon rangea la photo et la chemise cartonnée dans son tiroir qu'il ferma à clé. Ducon n'aimait pas beaucoup Schneider. Personne n'aimait Schneider. C'était un policier froid, distant et silencieux et qui dirigeait son groupe criminel d'une main de fer.

Radio Casbah disait qu'il avait été lieutenant parachutiste en Algérie.

Radio Casbah disait qu'il avait refusé devant tout le monde le ruban rouge que le général Challe* s'était mis en tête de lui agrafer lui-même à la boutonnière sur le front des troupes. Qu'il avait quitté la Grande Muette dans des conditions douteuses, au moment où il allait être promu capitaine, l'un des plus jeunes et brillants officiers de l'armée française. Radio Casbah prétendait que Schneider était un homme qui ne dormait jamais, pas plus le jour que la nuit.

Radio Casbah prétendait tellement de choses.

Meunier avait mis fin à la garde à vue et restitué sa fouille au détenu. Bugsy avait signé à toute vitesse, comme s'il avait brusquement le feu au cul. Tout en décrochant son téléphone, le flic l'avait vu traverser le parking en courant à toutes jambes, maigre silhouette filiforme et déjetée se précipitant en hâte à sa perte. Bugsy n'avait même pas pris le temps de remettre ses lacets et il courait à la va-comme-je-te-pousse, mais à toute allure en se tenant la ceinture de pantalon à pleine main. Pendant que la sonnerie retentissait inlassablement à l'autre bout du fil, il l'avait encore aperçu tandis qu'il se ruait à l'intérieur des Abattoirs et disparaissait à sa vue. Le café-bar-brasserie des Abattoirs situé en coin de rue, face au glacis qui entourait l'hôtel de police, constituait la principale cantine et la base arrière d'à peu près tous les flics qui y sévissaient. Dagmar tenait la caisse et servait parfois au bar. Elle servait aussi à tout le monde, du moment que le type lui plaisait.

Quelqu'un avait fini par décrocher au groupe criminel. Schneider n'était pas là. Sorti sur zone. Impossible de dire s'il repasserait ou pas avant sa prise de permanence. Joignable sur son storno*, sinon, il y avait les Abattoirs. Ça arrivait que Schneider y passât en coup de vent après le service. Ou pas. Selon l'expression favorite des flics quand ils n'étaient pas vraiment sûrs de la qualité de leur information, SGDG*, se défargua l'interlocuteur. Meunier raccrocha. Un coup pour rien. X... pouvant être Dee-Dee tomberait un jour ou pas. Tout le monde finit toujours par tomber.

L'Usine était vide, à présent. Il ne restait plus que l'odeur du tabac froid, du balatum et du papier moisi, des vieux meubles, de la peur et l'odeur de poussière contre lesquelles

19

se battaient les femmes de ménage. Meunier trouvait leur combat tout aussi inlassable, obscur et douteux que celui des flics, parce qu'ils combattaient tous un ennemi sans visage et qui se trouvait partout. Un ennemi qui avait pour petit nom le malheur et pour royaume la nuit entière.

Il était tard et pourtant Meunier resta un grand moment debout devant la fenêtre à scruter la nuit, puis il éteignit le plafonnier. Il se rassit, rouvrit son tiroir et sortit la photo qu'il poussa dans la lumière de sa lampe de bureau. X... pouvant être Dee-Dee avait cette expression péniblement absente qu'arborent certaines cover-girls pour des nécessités strictement professionnelles. On ne distinguait pas ses yeux, mais on voyait qu'elle braquait la face sur quelque chose ou sur quelqu'un. Quoi qu'elle regardât et quoi qu'elle vît, la jeune femme ne semblait en tirer aucun motif de satisfaction. Meunier eut la brusque certitude qu'elle ne marchait pas seule. Sur le bord gauche de l'image, il semblait y avoir comme l'extrémité fourrée d'une manche de blouson. Un blouson de pilote de la Deuxième Guerre comme en affectionnent les merdeux. Une manche et l'épaule ornée de l'écusson d'une unité de bombardement US. Meunier sortit une forte loupe carrée et examina le cliché millimètre par millimètre un bon moment, puis le téléphone sonna. Minnie voulait savoir s'il comptait rentrer un jour ou l'autre ou s'il allait falloir qu'elle lui fasse tenir un plateau-repas.

Par acquit de conscience, Meunier passa tout de même aux Abattoirs. Schneider était venu et reparti, flanqué de son porte-flingue habituel. Charles Catala, alias Charlie, alias Le Bique ou Quine d'Acier. La plus grosse bite de la Crime. Dagmar le savait : elle le pompait de temps en temps quand Charlie avait besoin d'un dépannage express. Schneider, elle ne savait pas. C'était le genre de type qu'elle ne savait même pas au juste comment il aurait fallu s'y prendre, pour se le faire. Ce n'était pourtant pas l'envie qui lui en manquait. Elle remarqua en se grattant le bras avec une rage sourde :

– Putain, l'enfoiré, je sais pas ce qu'il a ou ce qu'il n'a pas de plus que les autres, ce fumier, mais question chasseur, s'il veut me mettre une cartouche, c'est où il veut quand il veut. Même pas qu'il soit beau, remarquez, mais c'est un truc qu'une femme sent. Certaines femmes.

Elle se tut un instant, en se passant machinalement les paumes sur la gorge. Elle avait une taille de guêpe et deux seins durs et agressifs taillés en forme d'obus, comme ceux qui ornent les pare-chocs avant de Cadillac 55. La femme couchait, c'était un fait avéré mais Meunier avait du respect pour elle. Il l'avait vue massacrer deux types à mains nues, deux costauds en bleu de chauffe qui s'en étaient pris à la gamine finie à la pisse et qui servait des fois en salle en se plantant les trois quarts du temps. Entre deux confidences, Dagmar confirma au passage qu'elle venait de voir Bugsy. Il était entré en trombe pour se précipiter aux chiottes. Elle se rappela précisément :

– Il est rentré comme une balle. Il avait l'air d'un type qui a le cigare au bord des lèvres. Il est pas resté une minute, juste le temps de poser sa pêche qu'il s'était déjà tiré. Pas même entendu tirer la chasse d'eau. Je ne sais pas avec quoi il a pu se torcher, vu qu'il a même pas demandé de papier cul. Après, un pue-la-sueur m'a dit qu'il venait de voir juste avant Bugsy sortir de chez vous. Je m'en doutais, parce qu'il n'avait pas de lacets à ses shoes. (À la réflexion, elle s'étonna en secouant la tête.) C'est drôle, mais le petit connard n'avait pas même pas l'air d'avoir pris des coups.

– On se perfectionne de jour en jour, lui affirma Meunier, l'air imperturbable. On se modernise sans arrêt. Maintenant on cogne où ça ne se voit pas avec des trucs qui ne marquent pas. Ça arrive même qu'on le fasse sous surveillance médicale. Vous savez quand Schneider risque de repasser ?

– Vous savez quand la merde risque de vous retomber sur la gueule, vous ?

Subitement, elle avait vu Meunier décoller du bar, tourner les talons et sortir sans attendre la monnaie. Dagmar l'avait suivi des yeux aussi longtemps qu'elle l'avait pu. Meunier retournait chez les flics.

2

La mer, quand elle le veut, peut être d'un noir d'ébène aux atours purement maléfiques. Elle peut venir de si loin, depuis si longtemps, que nul ne songerait plus à lui demander son titre de transport. Elle peut être d'une douceur et d'une tendresse presque infinies, bien plus vaste et troublante qu'un pauvre sourire arraché au passage aux lèvres désolées d'une mère inconnue. La mer était sans mémoire. De plus, personne ne savait au juste ce qu'elle voulait. Sa brusque rage était inépuisable, de même que son calme trompeur et sa capacité presque infinie de mensonge. Ce qu'elle savait, elle le taisait. La mer, aucun homme ne la connaissait, mais si elle n'avait pas existé, aucun homme ne serait un homme – un homme digne de ce nom.

Dans le souvenir de Schneider, elle prenait les digues par le travers dans de grandes gerbes d'écume aussi hautes que des maisons à deux étages. La tempête venait plein est, avec une fureur implacable. Les lames s'abattaient et couraient tout du long de la digue avec de sourds coups de boutoir qui grondaient et vibraient comme des canons de tranchée. Tendre ou dure, fervente ou lascive, la mer a toujours un vague arrière-goût de sel et de larmes et parfois son ressac fait-il jusqu'à l'estran et son feston d'algues sèches et de débris comme un incessant sanglot, ravalé à grand-peine.

Peut-être la mer se borne-t-elle à nous raconter de tristes et lentes histoires qui ont l'inconstance de l'espoir et l'indulgence de l'amnésie. Il arrive alors que le ciel et la mer, la mort et la nuit ne fassent qu'un – et les vivants avec.

Schneider se tenait debout à l'extrémité de la digue. La météo avait lancé un avis de tempête. Il ne se trouvait pas face à la mer. Il était au bord du lac artificiel creusé à grands frais sur l'emplacement d'une ancienne décharge comblée à prix d'or par les différentes municipalités successives qui avaient régné sur la ville. Les lumières rouges, en face, brouillées dans les bourrasques, n'étaient que celles de l'incinérateur de déchets. Au bout de la base nautique, on avait tout de même implanté en guise de phare un feu de balise verte de fantaisie, qui donnait uniquement l'été et les jours de fête et sur un chenal ne menant à rien.

Schneider se tenait debout, les poings enfoncés dans ses poches de trench. Dans la voiture de service garée à distance, Charlie Catala, dit Quine d'Acier, prenait son mal en patience en écoutant Chris Isaak sur son baladeur. De loin, les épaules droites, le col relevé et les pans du trench lui battant les mollets, Schneider semblait concentrer toutes ses forces à conserver la position debout face à la tourmente. Catala était le seul flic à être au courant des étranges escapades de son chef, que Schneider se bornait à commander avec une ironie distante :

– *To the Lighthouse*, Charlie[1].

Charlie connaissait le message. Il n'ignorait pas non plus qu'il arrivait que Schneider s'y rendît tout seul par ses propres moyens. Il ignorait seulement que c'était le titre d'un des plus magnifiques ouvrages qu'ait produits la littérature anglaise. De toutes les manières, il avait cessé de longue date d'essayer de comprendre Schneider. Personne de sensé ne pouvait comprendre Schneider. Tout au plus pouvait-on deviner sans trop de risque de se tromper qu'un jour ou l'autre, pour une raison ou pour une autre, l'inspecteur principal Schneider avait cessé d'avoir une existence propre. La plupart du temps, son regard sans vie était pensivement braqué sur un spectacle qu'il était seul à voir.

---

1. Roman de Virginia Woolf, traduit en français sous les titres *La Promenade au phare* ou *Vers le phare*. (*N.d.A.*)

Ce soir-là, Schneider se tenait face au vent, comme il se serait comporté raide et droit, mâchoires serrées, impassible, face à n'importe quel président d'assises. 31 décembre, vingt heures dix. Il y avait dix ans, jour pour jour et presque heure pour heure.

Schneider n'avait rien à se reprocher. Rien de tangible, excepté le fait d'exister.

Il avait été clair sur le coup, comme disent les flics pour exprimer dans leurs mots que la responsabilité des faits commis ne leur incombait pas. Dix ans. En matière criminelle, si l'auteur des faits n'a été ni identifié, ni pris et jugé, la prescription court sur dix ans. Ensuite, la justice répute, dans son infinie sagesse, que le dommage social ne nécessite plus la mise en marche de l'action publique. En d'autres termes, au bout de dix ans, un criminel avait toutes les chances légales de s'en tirer fleur*.

Peu de gens y parviennent.

Ensuite, il ne lui restait plus qu'à vivre avec lui-même et le souvenir des actes qu'il avait commis et tout n'était plus alors question que de force de caractère, de désespoir ou de capacité d'amnésie, voire éventuellement de sens moral, toutes choses éminemment variables et dont la fiabilité n'était rien moins qu'assurée.

Dix ans plus tôt, Schneider se trouvait dans une vaste chambre haute de plafond, aux confins de la ville. Une femme lui parlait. C'était une mince et grande femme très sportive, presque aussi grande que lui. Cette nuit-là aussi on avait annoncé des vents de force dix sur l'échelle de Beaufort qui en compte treize. Les vitres de la chambre tremblaient en permanence, comme si elles eussent été sur le point d'exploser. La femme lui parlait presque à bout touchant. Elle portait des cheveux longs et souples qui lui roulaient en vrac sur les épaules et ses traits étaient déformés, la mâchoire durcie. Schneider ne se rappelait pas les mots. Il se rappelait simplement les intentions.

La femme n'avait rien sur elle, à part une fine chaîne en or jaune autour de la taille et des mules à talons hauts semblables à ceux que portaient les putes de la rue de France, celles qui en avaient les moyens et les chevilles suffisamment solides. Rien d'autre.

Elle était parfaitement bronzée recto verso et totalement imberbe.

Rien d'autre.

Pour quoi faire ?

Nombre de crimes de sang ne sont pour la plupart que de simples erreurs de trajectoire et le Destin ne revêt le plus souvent que le sombre masque ricanant de la bêtise.

Dans le dos de Schneider, quelque part dans la pénombre, Charlie Catala actionna le deux-tons, une seule fois, très simplement, comme à regret.

Schneider avait repris le volant. Pour conduire comme pour tirer au pistolet, il portait des gants en cuir noir, souples et minces comme ceux d'une femme. La radio de bord grésillait en sourdine. Tout en traçant imperturbablement sa route, la voiture souffrait et faisait le dos rond dans les bourrasques, comme un navire de charge par gros temps. Schneider alluma une cigarette.

– Meunier a essayé de vous joindre, se rappela brusquement Catala.

– Urgent ?

– Aucune urgence signalée.

Charles Catala considérait Meunier comme un type propre, bien qu'il eût pour tares principales d'être baptiste et d'avoir épousé une ravissante très jeune femme qui avait fini par devenir juge des enfants au TGI*. La salope. C'était à ses yeux un homme parfaitement fréquentable, même s'il servait sous les ordres du commissaire principal Stern, patron du groupe stupéfiants. Jean-Bernard Stern, alias J&B. Pas plus de la quarantaine, trapu et le visage fripé, avec des yeux très bleus et une chevelure blanche et frisée qui lui donnait de manière trompeuse un air passablement inoffensif. Stern commençait à faire du gras. Un physique de sénateur romain décadent. Catala savait qu'il n'était pas objectif : il n'aimait pas Stern. Il savait qu'il fallait s'en méfier comme de la peste, mais il ne l'aimait pas. Au vrai, il le détestait. Stern n'hésitait pas à se servir de ses prérogatives de flic pour se faire sucer par les détenues. Il se disait aussi qu'il avait le vent en poupe et qu'on commençait à en parler comme du futur chef de la BRI, dans un avenir pas trop éloigné.

Subitement, Catala s'enquit :

– Stern, framac*, d'après vous ?

– Je ne crois pas, réfléchit Schneider. Pas tout à fait le profil. Quoique.

Il eut un rire froid, détimbré.

Catala alluma une Gitane, se carra dans son siège, les pieds dans le vide-poche. Il confia pensivement :

– Meunier m'a percuté à l'abreuvoir, l'autre jour. Comme quoi qu'il en avait plein les couilles de la bande à Stern. (Il jeta un court regard au profil de Schneider.) Pour faire clair : ça lui trouerait pas le derrière de passer chez nous.

– Aucune chance. Tant qu'Alvarez est directeur départemental, aucune chance.

– Et du côté de Manière ?

– Manière est cul et chemise avec Alvarez. (Il grinça brusquement.) La voix de son maître. Manière ne se force même pas à lécher les fesses de son chef. Même obédience, même atelier. On peut parler d'identité de vues ou de simple convergence d'intérêts. Ou encore de complicité objective.

– Comment vous le savez ? s'alarma Catala.

– Ils ne s'en cachent pas. Ce sont eux qui le chantent, à la Cour comme à la ville.

Il y eut un long silence, tandis qu'ils embouquaient en cahotant le chemin défoncé qui menait à la casse de Bubu, dont on commençait à distinguer le halo brouillé et diffus des

27

halogènes dans le lointain, puis Schneider reprit finalement à mi-voix :

– Vous bordurez pas, Charlie, le groupe criminel est en survie. Les grandes manœuvres ont déjà commencé. Demain ou l'autre, au gré des princes qui nous gouvernent, on est mort. Il est question de restructuration drastique. Drastique est le mot qui a été employé ouvertement en ma présence en réunion hebdomadaire. (Il débraya un peu trop rudement, faisant craquer les vitesses. La boîte était vieille et protesta. Elle en avait le droit : elle commençait à donner des signes de faiblesse et n'allait plus tarder à mourir elle aussi de sa belle mort. Seuls les mourants ont tous les droits, parce qu'ils sont déjà occupés à tout autre chose et ne menacent plus personne.) Schneider adressa brusquement un coup d'œil rapide à Catala :

– Puisque c'est vous qui avez mis la question sur le tapis, je dois reconnaître que je ne vous en voudrais pas de sauter en marche. Tirez-vous pendant qu'il en est encore temps.

– Tirez-vous de quoi ? Du groupe criminel ? Pour aller où ?

– Ailleurs. N'importe où. Tirez-vous de l'Usine. Tirez-vous avant que toute cette merde vous ait bouffé jusqu'à l'os. Vous avez encore tout ce qu'il faut pour faire un type bien.

– Et vous ?

D'une voix à la fois triste et distante, mais cependant amusée, Schneider murmura :

– Oh, moi, Charlie, c'est fini. C'est fini et depuis bien longtemps.

En dépit de ses trois cents livres, de sa rapidité d'exécution et du vieux Remington* plein debout contre le bureau, Bubu Wittgenstein ne craignait que deux choses au monde : les crotales en colère, mais on ne pouvait pas dire qu'ils pullulaient dans la région et de toute façon personne n'était obligé de leur marcher sur la queue au passage si d'aventure on en croisait un, les crotales en colère et Schneider. Un crotale s'alimente une dizaine de fois par an. Il passe le reste de son temps à digérer en somnolant au soleil. Schneider s'alimentait peut-être plus souvent, ce qui restait à prouver, mais sa digestion ne s'accompagnait d'aucune forme d'assoupissement. Il ne semblait même pas qu'il dût être en colère pour mordre.

Bubu était issu d'une famille de manouches alsaciens, dont la plupart étaient partis en fumée sous le Troisième Reich. À quatorze ans, il en faisait dix de plus et il avait été ramassé par les gendarmes. Il était passé entre leurs pattes, puis il avait atterri dans les locaux de la Carlingue*. Il avait été plusieurs fois roué de coups, il avait connu l'électricité et la baignoire. Il y avait perdu toutes les dents, mais passé son brevet de civisme et gagné l'estime de ses tortionnaires. M. Lafont l'avait pris sous son aile. Le début d'une belle carrière, qui n'avait été interrompue que par quelques malencontreux et brefs séjours en maison d'arrêt.

Jamais aucun flic n'était parvenu à l'expédier plus haut qu'en Correctionnelle.

C'était cet individu qui redoutait Schneider.

Avec son sens inné de la survie, Bubu savait que ce genre d'adversaire, osseux, rapide et froid, en cas de choc, il fallait le sécher tout de suite, du premier coup, sans lui laisser l'ombre d'une chance parce que lui ne vous en laisserait pas la moindre si vous le manquiez. Deux balles à sanglier, tirées aussi vite que possible, en pleine tête.

Encore fallait-il que Schneider tournât le dos.

Schneider ne regardait nulle part en particulier et ce qui pouvait passer pour un sourire goguenard errait sur ses lèvres. Puis quelque chose d'opaque et qui n'avait pas l'air de le contenter ternit son regard sans vie.

– Rien à me reprocher, affirma Bubu à titre préventif.

– Bonne année, railla Schneider. Rien, pas même une Audi 100 coupé gris métallisé. Boîte manuelle cinq. Vitres teintées. Le moteur est un engin spécialement préparé à Ingolstadt et développe 120 ch. Disparue du parking de la concession, cette nuit vers deux heures du matin. Les clébards n'ont pas moufté. Deux robustes malinois mâle et femelle nourris à la viande rouge. Aucune alarme n'a fonctionné, pas même celle de l'Audi.

– Ces trucs marchent jamais quand il faut, déplora sincèrement Bubu.

– Ces trucs marchent toujours, sauf quand on sait comment les neutraliser. L'Audi sortait d'usine. Tout juste décoconnée. Elle devait être livrée ce matin, juste avant les fêtes, à un fils de dentiste. Valeur marchande, douze plaques. Valeur revente au black ?

– Ça dépend, réfléchit Bubu. Ça dépend si c'est une commande spéciale ou un coup au flan, ça dépend si c'est pour la voiture ou pour les pièces. Rien que le moteur, déjà…

– Combien ? répéta Schneider.

Bubu jeta un coup d'œil machinal au Remington à pompe, mais derrière Schneider, il y avait Charles Catala, avec sa grande bouche mobile et les boucles brunes dans le cou qui lui donnaient des airs de Julien Clerc.

– C'est pas comme ça que ça marche, Schneider, regretta pensivement Bubu. Y a pas vraiment d'argus pour une caisse de choure*. On ne peut pas dire ça fait tant ou tant. Y a trop de paramètres qui entrent en jeu.

– Combien ?

– Je dirais cinq ou six, estima Bubu. Avec les papiers, un peu plus.

– Les papiers, grinça Schneider.

Le sourire avait disparu de ses lèvres. Il s'était évanoui sans laisser de trace. L'Audi 100 coupé avait eu tout le temps de disparaître elle aussi. Ainsi que l'avait écrit Héraclite en son temps, tout passait. À qui entrait dans le fleuve, toujours les mêmes, d'autres et d'autres eaux toujours survenaient. Les femmes et les hommes, le fleuve lui-même, le temps et les voitures de luxe volées, les amours, y compris les plus

30

ordinaires et incertaines, et même les flics aussi, tout passait. C'était à ce prix seulement que le monde et l'espèce survivaient.

Schneider alluma une Camel derrière ses paumes. La fumée lui brûla les poumons et en même temps, la montée de nicotine lui provoqua une sorte d'éphémère bouffée d'allégresse.

– Les papiers aussi ont été volés. Dans le bureau. Aucune serrure fracturée, pas la moindre trace d'hésitation ou de désordre. (Il apprécia en connaisseur.) Belle journée pour la Reine. Combien, avec les papiers ?

– Dix, reconnut Bubu avec un réel souci d'objectivité. Préparée à Ingolstadt, dix plaques. Le moins évident, le commanditaire. S'il est solvable ou pas. S'il est vraiment prêt à les allonger, sinon vous vous retrouvez avec votre merde sur les bras.

La brève bouffée d'allégresse s'était évanouie. Schneider dévisagea son interlocuteur avec froideur.

– Qui c'est, le commanditaire, Bubu ?

L'autre ouvrit et referma la bouche plusieurs fois, puis parut s'offusquer :

– Si je le savais, vous croyez quand même pas que je vous le dirais ?

Schneider eut de nouveau son étrange sourire étale.

– Un jour, Bubu, je te le promets, tu tomberas. Tu tomberas de tellement haut que tu auras tout le temps de comprendre que tu tombes et de te rappeler. Peut-être que je serai là pour te voir tomber et peut-être pas. (Il haussa les épaules.) Mais je sais que ce jour arrivera, parce que c'est écrit.

Bubu secoua la tête.

– Y a longtemps que je suis tombé. J'étais encore môme, mais je me rappelle tout.

– C'est pour ça que je te laisse durer encore un peu.

– Et le jour que vous dites, le jour que ça arrivera, qui est écrit, comme vous dites, je descendrai pas tout seul.

– Tu descendras tout seul, affirma Schneider. Moi aussi. On finit toujours seul.

– On verra bien, quand ça sera le moment, murmura Bubu.

Schneider remarqua l'extrême amertume, la retenue de ton de l'adversaire, mais aussi sa froide et calme détermination. Avant de passer de l'autre côté, Bubu Wittgenstein avait tenu le coup jusqu'au bout face à ses tortionnaires français. Schneider ne doutait pas un seul instant que le manouche fût un homme de parole. Ils étaient seuls, à présent, dans l'Algeco. Dès qu'il avait flairé le tour que prenait la conversation, Charles Catala s'était esquivé sans bruit. Maintenant, il errait devant, sans but apparent. Une casse dans la nuit ne diffère pas sensiblement d'un cimetière. Seule la lumière crue des halogènes illuminait la scène de son implacable nudité. Le vent était subitement tombé. Il avait molli jusqu'à ne plus émettre qu'un mince sifflement discontinu, ironique et distant.

Schneider écrasa sa cigarette sur le plancher, releva les yeux, et, sans transition :

– Tu as ce que je t'ai demandé ?

Bubu brandit un gros pouce écrasé en direction du hangar en face.

Ils sortirent. Catala les rejoignit, les mains enfoncées dans les poches arrière du jean.

Avec des gestes économes et presque tendres, Bubu retira la bâche en commençant par le capot moteur. De ses énormes pattes esquintées à titre de préambule par les gestapistes, il la roula avec soin tout en se reculant de quelques mètres. Le capot avait une taille suffisante pour y faire apponter un bombardier torpilleur de la dernière guerre et la tôle était aussi épaisse que celle d'un pont transbordeur. La calandre comportait des phares pourvus de volets qui lui donnaient l'air de pouvoir rouler en aveugle les yeux fermés. Bubu couvait l'engin avec une sorte de respect presque religieux.

Certaines voitures, comme bien des hommes, se contentent de n'être que de simples objets insipides et d'usage courant. À un moment donné, tout le monde peut se contenter de peu. Devant celle-ci, Bubu éprouvait une émotion et un respect qui n'avaient rien à voir avec le maquillage et le trafic de voitures volées. Il pétrissait la bâche tout en se reculant encore. Il récitait avec une curieuse fierté, d'un ton de respect presque religieux :

– Lincoln Continental 1969, importée neuve en France et immatriculée pour le préfet de la Gironde. Le gonze avait connu personnellement Chaban sous l'Occupation. Onze mille kilomètres au compteur. Quinze couches de peinture noir métallisé. Enjoliveurs, pare-chocs et cache-culbuteurs chromés.

Il ne regardait personne, il n'écoutait rien. Il reprit.

– Le moteur est un *big block* huit cylindres de sept litres de cylindrée. Jamais reconditionné. Vitres teintées, glaces électriques. Boîte automatique, direction assistée. Intérieur cuir.

Catala avait trouvé le moyen d'ouvrir le capot de la Conti et de plonger dessous. On ne voyait plus de lui que les talons de ses santiags, le jean usé qui lui collait aux fesses et l'extrémité du canon de son Police Python en inox. À chacun sa propre manière de se perdre.

– Ça vous va ? s'enquit Bubu.

– Ça colle, murmura Schneider.

– Le plein et les niveaux sont faits. Les papiers dans la boîte à gants.

Il adressa un coup d'œil machinal à Schneider. Le flic avait aux lèvres une Camel qu'il ne songeait plus à allumer. Une image lui était revenue subitement en tête. *Un homme coupait les cheveux d'une femme au moment de la mise en bière, juste avant qu'on referme la bâche. L'homme n'avait laissé à personne le soin de le faire. De longues mèches épaisses qui crissaient sous le ciseau, comme si elles avaient conservé un semblant de vie et se plaignaient de ce qu'on leur faisait encore subir. Les préparateurs avaient bien fait leur boulot, nul ne pouvait soupçonner qu'une bonne partie arrière du crâne avait volé en éclats à l'impact. Un instant, le visage de la morte avait retrouvé une sorte de jeunesse tendre et démunie. On se serait attendu qu'elle jetât ses longues jambes par-dessus bord et qu'en s'ébrouant elle jetât partout un regard franc et étonné, fraîche et dispose après un long sommeil profond, prête à un nouveau départ. Naturellement, il n'en avait rien été. L'homme avait remonté la fermeture à glissière. Le nouveau départ, c'était pour le trou.*

Schneider remercia du front.

Bubu venait de lui donner du feu. Le manouche avait cru deviner quelque chose.

Il ne savait que trop quels démons pouvaient tenailler le cœur de l'homme.

– Combien ? demanda Schneider.

Il parlait comme s'il avait la moitié de la face paralysée.

– Rien du tout, dit Bubu. De toute façon, ça serait trop cher. (Il se reprit, d'un ton rugueux.) Contentez-vous seulement de pas la casser.

Schneider roulait en silence. La voiture avait tendance à se dandiner dans les cahots et à vouloir refuser constamment du cul. Devant, il y avait les feux arrière de Charlie. Schneider chercha une cigarette, l'alluma. Jour de fête. La semaine précédente, Monsieur Tom l'avait appelé sur le téléphone rouge :

– Soirée costumée lundi soir, lieutenant.

– Qu'est-ce qu'on fête ?

– Qu'est-ce que tu veux qu'on fête, mon con, à part le temps qui passe ? Marina a retenu le thème de cette année. Ça va te plaire : Cotton Club. Pas mal, dans le registre connerie, non ? Tu sais ce que j'aime, chez Marina ? Sa capacité de connerie et sa jeunesse. Peut-être parce qu'il y a longtemps qu'on a cessé de l'être, toi et moi. Cons et jeunes. Surtout sa jeunesse. Y aura de la bouffe et de la picole. Cotillons et confettis. Il y aura aussi du cul. Plein de cul. Marina a invité tout un tas de copines à elle. Des gonzesses du Samu, de la femme du monde et des putes, mais rien que du premier choix. Y a longtemps que tu es plus allé au cul, Schneider ? T'inquiète pas : t'auras qu'à te baisser et ramasser.

– J'ai le choix ?

– Je crois pas, non.

– Négociable ou pas négociable ?

– Pas négociable.

Il s'était produit un court silence, puis :

– Faut qu'on se parle, Schneider.

Rien d'autre. Au moment de raccrocher, celui-ci avait entendu à l'autre bout du fil le bruit d'une poignée de graviers jeté au fond d'un baquet en zinc. Schneider s'était machinalement tâté le dos, tout près de la colonne vertébrale, là où le médecin chef avait hésité à lui retirer l'éclat de balle du fusil-mitrailleur qui avait manqué de peu lui sectionner la moelle épinière et y avait finalement renoncé. Schneider portait du fer en lui.

Soirée costumée. Au téléphone, Tom avait eu sa voix lente, sourde et sans réplique, celle dont il se servait en premier et dernier lieu, en ultime et unique enchérisseur aux adjudications municipales. Monsieur Tom avait été un très grand avocat d'assises. Bien des procureurs généraux avaient été contraints de se coucher devant cette voix qui semblait ne sourdre de nulle part, en grande part à cause de l'immobilité des traits du visage, mais pas seulement. C'était une voix lente, lourde et parfaitement audible mais qui semblait toujours faire entendre très clairement à l'ennemi où se trouvaient son intérêt, ainsi que les conditions de sa survie.

Il faut qu'on se parle, Schneider.

Devant, la voiture de Catala avait atteint la nationale. Le jeune flic clignota, donna un coup de deux-tons en guise d'au revoir et prit à gauche en accélérant autant qu'il le pouvait. Charlie rentrait rendre la voiture à l'Usine. Schneider prit à droite en embarquant du cul. Il y avait un téléphone entre les sièges. Il décrocha le combiné, pianota un numéro de mémoire et raccrocha avant même qu'on eût répondu.

Se parler de quoi ? Les deux hommes n'avaient plus rien à se dire.

Et depuis bien longtemps.

L'inspecteur principal Meunier glissa l'enveloppe dans sa poche de poitrine. C'était une enveloppe administrative en carton brun, contenant la photo de la femme X... pouvant être Dee-Dee et une dizaine de clichés anthropométriques. Parmi eux, le portrait face-profil d'un jeune type en blouson flight de 1944. Il remisa son .357 au barillet vide dans le tiroir du haut qu'il ferma à clé. Meunier faisait partie de ces hommes qui ne tirent aucune espèce de fierté du fait qu'ils sont habilités à porter une arme – pas même quelque chose d'aussi redoutable et virilisant qu'un Magnum de quatre pouces. S'il se pouvait qu'il en eût besoin pour survivre un jour, l'arme ne lui servait pas à exister dans sa vie de tous les jours.

Meunier baissa les stores, éteignit la lampe de bureau, sortit et verrouilla derrière lui.

À l'autre bout du couloir, on entendait le bruit qui provenait du bureau de Stern. J&B soi-même l'appelait l'abreuvoir. C'était la rumeur interlope que des hommes équivoques émettent depuis les arrière-salles de bistrot, passé l'heure légale. Le groupe stupéfiants était revenu en douce faire un tour de chauffe entre hommes avant d'aller réveillonner avec Maman – ou avec la roue de secours. Meunier marqua le pas. La porte de Stern était entrouverte. Tous les bureaux de tous les patrons de police se reconnaissent au fait qu'ils disposent de portes capitonnées et que les architectes les situent toujours en un endroit stratégique d'où les allées et venues des esclaves aussi bien que celles des clients peuvent faire l'objet d'une surveillance constante.

Un instant, Meunier songea à passer, plus ou moins en douce, sans s'arrêter.

De l'intérieur, provint un beuglement. Le commissaire principal Jean-Bernard Stern avait pour principe d'adopter un langage viril et direct à l'égard de ses troupes. Il gueula un grand coup, à la manière faussement joviale qui était censée être celle d'un grand patron de police, tout en adressant un grand clin d'œil à la cantonade. Stern tenait à son public :

– Meunier, à ma botte !

Celui-ci s'immobilisa, tourna lentement le visage.

– Au pied, glapit Stern, au pied.

Ça se voyait qu'il avait bu. Les autres autour se gondolaient. Meunier fit trois pas en avant, en se tenant aux aguets, ni tout à fait dehors ni franchement dedans. Il n'était donc pas tout à fait possible de le redresser pour refus d'obéissance. Aux .yeux du reste du groupe stupéfiants, Meunier était une sorte de pédale qui s'habillait Saint Laurent et tournait régulièrement en Alfa GTV de l'année. Du côté de la famille de sa femme, il était l'héritier des trois quarts des carrières Bacquin, là où la mairie projetait d'implanter l'un des plus vastes et beaux quartiers résidentiels de la ville. Du pognon à chier partout, avec Monsieur Tom comme principal intercesseur. Stern leva un verre à demi vide. Il n'en était visiblement pas au premier. Il avait tendance à donner de la gîte, mais il se tenait encore bien. Il s'esclaffa avec magnanimité :

– Un glass, prêcheur ?

– Non, refusa Meunier.

– C'est vrai que vous picolez pas.

– C'est vrai que je ne picole pas, admit Meunier d'un ton beaucoup trop sec.

Il était sur le point de tourner les talons. Les paupières de Stern s'étrécirent. Personne n'aurait jamais songé à lui répondre sur ce ton. Jamais aucun de ses chaouches*. Stern lui aurait volontiers écrasé la gueule à coups de pompe, seulement Meunier n'était pas tout à fait n'importe qui. À preuve :

il n'avait pas besoin de sa paye de flicard pour vivre. Il ne prenait même pas de pognon au passage, ou de came sur les saisies, ce qui le rendait immédiatement suspect aux yeux de tous. Stern changea subitement d'axe et demanda de son ton de chef de service :

— Ça a donné quoi, avec votre larve ?

— Rien, regretta Meunier. Bugsy n'avait rien sur lui.

Stern laissa filtrer un regard de haine entre ses paupières serrées.

— Pauvre con. On vous amène le type sur un plateau, vous aviez plus qu'à l'attendrir un peu pour qu'il s'affale. Même pas beaucoup, deux trois mandales. Quelques claques dans la gueule et il s'allongeait à perte de vue. C'est pas difficile, quand même. (Stern explosa.) C'est quoi, ces conneries ? Vous êtes un flic ou une putain de bonne sœur ?

Meunier s'aperçut que le silence s'était fait autour d'eux.

— Vous êtes flicard, oui ou merde ? rugit Stern. Où c'est que vous avez vu écrit qu'une garde à vue, c'est une partie de plaisir ? Si vous êtes pas foutu de faire correctement votre job, rien ne vous empêche de laisser la place aux autres.

— Bugsy n'avait rien sur lui, répéta Meunier.

— Sur lui, peut-être, mais dedans ?

Meunier marqua le coup.

— Vous êtes allé voir dans son trou du cul ?

— Non, reconnut Meunier.

— Bugsy revenait du ravito*. D'après ce qu'on sait, il était allé faire son marché. Bugsy fait dans le demi-gros. Si ça se trouve, il avait l'ampoule rectale pleine. Maintenant, il y a deux cents grammes de dope de plus qui se baladent quelque part dans la ville. Le soir du réveillon. Vous en avez fait quoi, de votre macaque ?

— Remis en liberté à l'issue de son audition, récita froidement Meunier.

— Pauvre con, grinça Stern. On vous paye pour quoi ? Pour ravitailler le marché ? Une veille de fête ? Vous vous êtes pas demandé pourquoi Bugsy était allé se ravitailler le 31 décembre et pas le 12 ou le 15 du mois d'après ? Vous êtes nul à chier, Meunier. C'est votre connasse de bonne femme qui vous déteint dessus, ou quoi ?

Immédiatement, Meunier avança d'un pas. Il avait les poings serrés et le visage gris de rage. Immédiatement, le costaud qui servait de garde rapprochée à Stern fit mouvement. Il était bien chargé lui aussi, mais il faisait deux cents livres et avait une bonne expérience du combat rapproché. Il servait de force de frappe lors des interviews poussées. Deux cents livres vous brisent facilement les côtes d'un détenu, surtout celles d'un type menotté dans le dos. Dans la rue, tout le monde le redoutait sous le nom de code de Pablo Escobar, en référence à l'autre Pablo Escobar, le vrai. Pablo était la créature et le principal homme de main de Stern.

Pablo Escobar fit mouvement de manière à jouer le rôle de force d'interposition.

– À ta place, j'hésiterais, murmura-t-il.

– Dégage, déclara Meunier.

Il avait Stern bien dans l'axe. Il lui suffisait de faire deux pas en avant. Escobar avait cessé de compter. La gueule de Stern offrait une cible parfaite. Trapu, le visage bouffi par l'alcool, il avait les paupières lourdes et déjà des poches de vieux fêtard sous les yeux. Meunier savait que lui-même se tenait en équilibre précaire sur cette mince ligne de crête où d'une seconde à l'autre tout pouvait basculer, où à tout instant la rage pouvait se déclencher en ravageant tout sur son passage.

C'est votre connasse de bonne femme qui vous déteint dessus, ou quoi ?

Meunier allait lui écraser la tronche, même s'il savait qu'il finirait par succomber sous le nombre. Et subitement, il prit conscience que ce n'était plus de la haine qu'il lisait dans les yeux de Stern. Même pas de la peur. C'était le regard anxieux et désespéré d'un homme en train de se noyer en silence et déjà résigné à sa propre perte.

Meunier desserra les poings, pivota sur les talons et disparut.

Dans son dos, Stern tendit son verre à l'enquêteur de police Pablo Escobar pour qu'il le remplisse. Puis il leva le scotch lentement en ricanant d'une voix graillonnante :

– Ce fils de pute en a plus pour longtemps. À partir de maintenant, il est mort.

À cet instant, Stern ignorait à quel point il était proche de la vérité.

3

De nouveau, le vent avait forci et Schneider pressentait qu'il en serait ainsi toute la nuit et une bonne partie du lendemain, avec de courtes accalmies et de brusques retours de flamme. De grands bancs de nuages blêmes s'effilochaient par instants au ras des arbres à travers la lumière de la ville et fuyaient en hâte se réfugier dans le sombre tumulte de la nuit. La grosse Lincoln se comportait comme un chaland de débarquement qui tâche de tracer sa route en peinant contre les lames qui le prennent par le travers. *Thème de l'année : Cotton Club.* Schneider alluma une Camel avec un sourd sentiment d'irritation. Une Camel de trop. Schneider savait que toute Camel était une Camel de trop. *Cotton Club.* Connerie. Marina avait trente ans, Monsieur Tom avait passé les cinquante depuis un moment. Il marchait sur les soixante. Avec Marina, il se refaisait une jeunesse qui lui coûtait la peau des couilles, il le savait mais il s'en foutait. Tom avait les moyens de se foutre de tout.

Il tenait la ville dans sa main, comme son père l'avait fait avant lui et le père de son père au siècle d'avant. Monsieur Tom présidait la chambre de commerce et d'industrie, il était au Rotary, il donnait à la Croix-Rouge et dirigeait le conseil d'administration du CHU. Il tenait la presse locale sous perfusion et cotisait en tant que lambda aux Républicains Indépendants, tout en faisant les yeux doux au jeune député socialiste du coin. Jamais tous les œufs dans le même panier. Ceux qui ne l'aimaient pas le traitaient de margoulin* sans scrupule. Les autres tenaient Monsieur Tom pour un remarquable capitaine d'industrie et un homme de pouvoir. Il était partout où ça comptait.

L'habitacle sentait le cuir neuf et la cigarette blonde. Le fauteuil du passager faisait au loin près de deux mètres carrés. Schneider enfonça la cassette dans le lecteur au tableau de bord. Le *Wild Man Blues* s'éleva presque tout de suite et presque tout de suite, on entendit sinuer les volutes maléfiques d'une clarinette basse à la contre-mélodie puissante et dure. C'était une rare version enregistrée en 1936 par les Johnny Dodds Black Bottom Stompers. Personnel inconnu. Schneider s'engagea dans la longue allée qui conduisait jusque chez Monsieur Tom, en sinuant à travers une pinède sans âge. Schneider avait brusquement ressenti une curieuse sensation de paix, qui devait peut-être beaucoup à la fatigue. Depuis une semaine, le groupe criminel et son chef filaient nuit et jour une bande qui se préparait à monter au braquage. Ils travaillaient sur renseignement, et Schneider aux amphétamines.

Brusquement, il y eut une série d'appels de phares excédés dans le rétroviseur. Moins d'un mètre derrière son coffre, une Golf seize soupapes tentait de forcer le passage en se jetant de droite et de gauche, avec l'arrogance d'une voiture de circuit. Schneider ralentit et se rangea sur le côté. Au passage de la Golf, en une fraction de seconde, il lui sembla apercevoir, tourné vers lui, le beau visage carré et très en colère d'une jeune femme à la grande bouche sombre, et qui avait l'air de l'insulter. Il eut subitement un bref pincement au cœur, une sorte de spasme d'amertume. Ce genre de femme était bien trop cher pour un baltringue comme lui. Elle était même hors de prix et elle le savait. La Golf ne tarda pas à disparaître au premier tournant, en bombardant le bas-côté droit d'une grosse giclée de graviers. Schneider alluma une cigarette au cul de la précédente. Plus loin, à travers les arbres, on pouvait commencer à apercevoir des lumières. Monsieur Tom avait bien fait les choses : tout le parc à l'avant de la maison était éclairé comme *a giorno* et il y avait même des voituriers affairés à conduire les véhicules au parking, où déjà plus d'une cinquantaine de voitures étaient rangées sous les frondaisons comme pour un concours d'élégance.

Schneider fit avancer la Conti au ralenti. Les pneus chuintaient sur le gravier, dans la lumière blanche des projecteurs. Il fallait une bonne dose d'insolence ou de mépris pour se rendre en Lincoln à un pince-fesses chez Monsieur Tom. Ou une certaine capacité d'ironie. Monsieur Tom avait parfaitement bien fait les choses : un gosse en livrée bordeaux ne tarda pas à apparaître. Il parvenait à ne paraître ni emprunté ni obséquieux. Il se pencha à la portière, Schneider actionna la glace électrique.

— Parking, monsieur ?

— Parking, fiston.

— Continental, n'est-ce pas, monsieur ?

— Oui, fiston.

— Mark IV. On n'en voit plus beaucoup.

— On n'en a jamais vu beaucoup.

Le jeune homme sourit. Son franc visage avenant était criblé de taches de rousseur, comme si on l'eût saupoudré à l'instant même de levure diététique. Il souriait à la vie. Et pourquoi pas ? Juste le genre de type qu'une fille normalement constituée devait avoir tout de suite envie d'aimer. Rien de moche ou d'usagé et sans doute rien de tordu. Schneider ne pouvait rien y trouver à redire. Il y avait un temps pour aimer et un temps pour être aimé. Il y avait un temps pour vivre et un temps pour mourir. Il y avait un temps pour tout. Il sortit de la voiture et prit pour rire une voix de dur :

— Traitez-la comme une vraie duchesse, fiston.

— Pas de lézard, monsieur.

Schneider regarda la Conti s'éloigner avec une lenteur silencieuse dans la fumée bleue de son double échappement. D'autres la regardaient aussi. Ils regardaient la voiture et en même temps le maigre type en trench ceinturé qui fumait et semblait attendre quelque chose ou quelqu'un. À peu de distance, le commercial pressé à la Golf seize soupapes se battait avec son extractible sous le regard excédé d'un autre voiturier. Le poste extractible n'est pas fait pour l'homme, mais l'homme pour l'extractible, réfléchit Schneider. Il ne savait pas trop s'il fallait qu'il reste ou qu'il s'en aille. Il pouvait demander au gosse de ramener la Conti et repartir.

Il pouvait également tout aussi bien rester, du moment qu'il était là.

Sous l'effet du vent, la pinède grondait dans son dos comme un train de marchandises qui s'apprête à entrer en gare, bien décidé à griller la station. Pourtant, là où Schneider se trouvait, il semblait qu'il fît calme plat. Tout policier digne de ce nom n'est qu'un œil froid et fixe sans cesse porté sur ce qui l'entoure. Il s'interdit tout excès d'enthousiasme, comme la moindre nuance de blâme et ne prend jamais parti. Par pur réflexe professionnel, il reporta le regard sur le type qui se colletait avec son extractible. L'homme venait juste de passer la trentaine à la corde. Il avait le physique convenu et l'expression implacablement résolue de tous les jeunes commerciaux promis à un bel avenir dans les domaines du double vitrage, des adoucisseurs d'eau ou du rachat de créance.

À mi-hauteur du perron, sa compagne se tenait étroitement drapée dans sa veste de fourrure et sa colère. Schneider esquissa le brouillon d'un éventuel rapport de police : *Toto a la trouille de se faire voler son Pioneer et se bat pour l'embarquer. Le loufiat, qui est un professionnel, sent bien qu'il a affaire à un parfait con et s'agace. Pendant ce temps, la femme se caille en plein vent et fait la gueule.* C'était compréhensible, dans la mesure où elle ne semblait pas avoir grand-chose sur le dos. Robe noire aux genoux, bas ou collants de couleur sombre. Sous-vêtements ignorés. Des escarpins vernis aux talons juste un peu hauts, mais pas trop. Les chevilles tordues dans le sens de la montée trahissaient elles aussi l'exaspération, ainsi que le manque d'habitude. Sous la lourde crinière que le vent embroussaillait, on ne voyait plus de sa face que la grande bouche sombre, tordue de rage. C'était bien celle qu'il avait aperçue durant une fraction de seconde quand la Golf l'avait dépassé en accélération.

Schneider allait détourner le regard, lorsque subitement, la femme avait fourragé dans ses cheveux et, sans aucun doute possible, avait jeté un brusque regard vers lui. Leurs yeux s'étaient alors rencontrés de plein fouet. Dans la voiture aussi, elle l'avait regardé, il en avait à présent la certitude. La chose n'avait pas duré plus qu'une fraction d'instant, et pourtant, il en était sûr. Et non seulement, à présent, ils s'étaient indiscutablement regardés, mais elle ne le quittait pas des yeux, au point de conserver la main en suspens dans ses cheveux, les lèvres entrouvertes et sur lesquelles toute trace de colère ou de mépris avait disparu, comme si elle venait subitement de découvrir autre chose. Son regard calme et fixe trahissait une sorte de stupeur machinale, presque de souffrance. Son regard n'entendait pas quitter celui de Schneider.

Il ressentit alors cet instant de brusque désespoir, lorsque l'on ne souffre pas encore, mais que l'on sait déjà qu'une balle de fort calibre vient de vous frapper de plein fouet.

Le gosse aux éphélides était revenu en agitant le trousseau qu'il exhibait avec la fierté d'un trophée conquis de haute lutte. Il avait suivi le regard de Schneider et vu la femme du perron que son compagnon embarquait à l'intérieur sans ménagement, le poste extractible d'une main, la femme de l'autre sans qu'on pût y discerner de différence.

Le gosse remarqua, avec toute la nostalgie dont était capable un jeune homme qui n'avait sans doute pas encore vingt ans :

– Belle bête, hein, monsieur ?

Il n'était pas aisé de deviner s'il parlait de la Continental ou de la femme.

Il reporta le regard sur le visage sans vie du policier.

– Rien que du rêve. Elle est à vous ?

– Non, murmura Schneider.

Il avait froid dans les os et les mâchoires soudées. Le gosse lui laissa tomber le trousseau dans la main. Il ne pensait pas à mal en lui souhaitant une bonne soirée. Peu de gens pensent forcément à mal en vous souhaitant une bonne soirée, ou une bonne nuit. Ou une bonne année. Ou quoi que ce soit de bon. La plupart se bornent à s'en foutre. Schneider se rappela la voix de cette femme qui lui avait confié en affectant un tempo de blues indolent, un soir de biture, sur le pont d'un voilier qui faisait route vers les Açores. Des voiles rouges dans le soleil couchant.

– *Tout le monde s'en branle, mon pote, tout le monde s'en branle, qu'on vive ou bien qu'on meure.*

Il y avait des rires, de la musique et un brouhaha somme toute discret. Des rires de femme, des éclats d'homme important. De grands appels confus et des conversations qui ne se répondaient pas. Les grands braillements et les gloussements, les éclats de rire énervés, ce serait pour plus tard, aux petites heures, mais ce serait le lendemain et tout cela n'aurait plus d'importance Schneider avait laissé son trench au vestiaire. Il avait allumé une cigarette. Schneider n'était personne. Il déambulait entre les groupes. Il ne voyait personne. Il savait qu'il était en descente et il avait l'impression de tomber de sommeil, bien qu'il sût qu'il ne pourrait pas dormir avant un bon moment. Il lui semblait marcher sur des tapis de coton. À un moment, il perçut le piano-bar à travers les cloisons. Un type aux dents de lapin y massacrait du ragtime en pure perte. Mauvais comme un cochon, sans le moindre feeling. Toutes les notes y étaient, mais vides et sèches et sans vie. Des notes de comptable, de la musique de bastringue. Cotton Club. Le flic s'était dirigé vers le salon. Les vitres s'étaient remises à trembler sous les bourrasques.

Schneider avait froid et il souffrait. Trop de chocs sourds en trop peu de temps. Il y avait eu le visage de l'inconnue entrevu un centième de seconde. Puis quelques instants plus tard ce regard étonné, suspendu à rien, qui avait semblé pourtant vouloir lui dire quelque chose. Ou pas. Schneider n'était pas homme à se monter la tête. Ava Gardner, dans *La Comtesse aux pieds nus*. La femme était en main et n'avait visiblement pas l'habitude des talons hauts. Il savait qu'il n'avait aucune chance. Il s'était dirigé vers le bar, où il avait absorbé deux Johnny Walker presque coup sur coup, des gestes sans joie et sans plaisir.

D'ordinaire, l'alcool calmait la souffrance.

D'ordinaire, mais pas toujours.

Pour un peu, il aurait eu envie de mordre.

— Bonsoir, Schneider, avait alors égrené une voix vaguement narquoise près de son épaule.

Schneider avait tourné la tête.

— Je vous ai aperçu dès que vous êtes entré, dit Marina. Vous aviez l'air perdu. Vous reprenez un verre ?

Il fit oui de la tête. Il y avait toujours cette souffrance, tapie dans son coin.

— Je ne pensais pas que vous viendriez, dit Marina. Tous ces gens, tout ça. Tout ça ne vous ressemble pas.

— Ne poétisez pas. Rien qu'un baltringue.

— Je ne crois pas.

Elle lui avait pris le bras, un peu au-dessus du coude. Contre le flanc du policier, elle avait senti le pistolet dans son étui. Tom possédait la même arme, un lourd automatique en acier terne, qu'il avait gardé après l'Algérie.

— Je sais qui vous êtes.

Elle l'observait avec une étrange gravité. Elle avait besoin de parler, même pour ne rien dire. Surtout pour ne rien dire. Elle murmura pensivement :

— Vous me prenez pour quoi ? Une salope ? Une pute de haut vol ? Une gagneuse qui a fini par tirer le gros lot ?

– Non, dit Schneider.

– Ça ne vous est jamais venu à l'esprit que tout homme dans sa vie peut avoir droit un jour à un instant de bonheur ? Un homme ou une femme ? (Elle rapprocha le pouce de l'index à se toucher, devant les yeux.) Rien qu'une toute petite part de ciel bleu.

– Non, répéta Schneider.

Elle le scruta :

– Vous ne m'aimez pas, Schneider. Pourquoi ? Parce que vous pensez que je fais les poches de Tom ?

– Non, murmura Schneider avec amertume.

Personne ne pourrait jamais lui faire les poches : Tom en avait trop et la plupart étaient hors de portée du commun des mortels.

– Alors, c'est peut-être que vous n'aimez personne.

– Peut-être, admit le policier.

Marina avait de très beaux yeux au bleu très doux, presque incolore, et qui avaient tendance à se perdre souvent dans le lointain.

– Je sais ce qu'on dit sur lui et moi, mais j'aime Tom et je crois qu'il m'aime. On dit qu'il m'a achetée dans *Elle* ou dans *Penthouse*, ou dans je ne sais quoi, un salon de massage, mais je pense que ce n'est pas vrai. Je ne pense pas que Tom m'ait achetée. (Elle avait eu comme un sanglot sec. Elle n'avait pas l'air d'avoir bu. Marina ne buvait pas. Elle ne se camait pas. Elle ne couchait pas en contrebande. Schneider l'observa par-dessus son verre. Il attendait la suite, mais ce qui vint le prit au dépourvu.) Je voudrais vous présenter quelqu'un. (Elle rit comme on arpège.) Quelqu'une serait plus exact.

– Essayez pas de jouer les mères maquerelles, coupa aussitôt Schneider d'un ton cassant. C'est un rôle qui ne vous va pas. Les conneries de ciel bleu non plus. Où est Tom ?

Elle lui lâcha le bras, sans le quitter des yeux.

– Il vous attend dans son bureau. Où voulez-vous qu'il vous attende, à part dans son bureau ?

Schneider entra sans frapper, referma la porte capitonnée dans son dos. Nul bruit ne provenait de l'extérieur. Monsieur Tom avait fait insonoriser le bureau. Régulièrement, un spécialiste en détection électronique en assurait l'inspection. Il fit signe :

– *Sit down, Schneider.*

Schneider se laissa tomber dans un fauteuil en face de lui. Tom se tenait dans la lumière de sa lampe de bureau. Il était resté bel homme, dans un registre mastoc. Bronzé dans la masse, trop de jonc sur lui, certes, et la chemise blanche trop ouverte sur un torse puissant, et broussailleux, les poignets épais et les mains courtes, mais à soi tout seul l'homme dégageait une impression de puissance, une faculté d'entraînement indéniables. Avant de devenir ce qu'il était devenu, Monsieur Tom avait été l'un des plus brillants et implacables officiers parachutistes de sa génération. On prétendait sous le manteau qu'il usait de méthodes très expéditives à l'égard de l'ennemi, mais nul n'avait jamais pu le prendre sur le fait.

Il n'avait eu aucun mal à se reconvertir au retour à la vie civile.

– Un verre ?

– Non, refusa Schneider en sortant une cigarette. J'ai eu mon compte.

Monsieur Tom sourit :

– Tu as toujours eu l'art subtil de faire chier, lieutenant. *Long time no see.* On peut pas dire que tu as enflé, depuis le temps. Toujours aussi maigre que quand tu droppais le djebel.

– Motif de la convocation ? s'enquit Schneider en refermant le capot du Zippo, qui claqua sèchement.

Une grimace de colère traversa le lourd visage de Monsieur Tom et s'effaça presque aussitôt. Tom avait tenu Schneider sur les fonts baptismaux de l'armée. C'est à lui que le flic devait de ne pas être passé en cour martiale. C'est Monsieur Tom qui était parvenu à étouffer l'affaire. Outre ses

49

indéniables qualités d'officier, il pesait déjà son poids. On comptait déjà un Thomassot en tant que fourrier général dans les armées napoléoniennes.

— On est en compte, toi et moi, rappela-t-il de sa voix sourde.

— Rien du tout, dit Schneider.

— Tu as la mémoire courte, Schneider. Tu veux que je te rappelle ?

— Non, dit Schneider.

— Tu es sûr que tu ne te souviens pas ?

— Non, répéta Schneider.

— Elle se tenait au milieu de la pièce. Elle était à poil comme ça lui arrivait souvent. Bien sûr qu'elle baisait à tout va et bien sûr qu'elle s'en cachait pas. Elle allait même jusqu'à Hambourg ou ailleurs se faire tirer par des biques et des blacks. Ça la prenait tous les deux, trois mois. Et alors ? Elle me revenait à chaque fois, fraîche comme une rose. Elle m'aimait. Le reste du temps, c'était quelqu'un comme les autres, c'était toi et moi, je veux dire… Quelqu'un de normal, qui allait aux réunions de parents d'élèves, qui élevait bien sa fille… Elle faisait gaffe pour couvrir ses conneries, elle s'arrangeait toujours pour aller bombarder loin de sa base…

Schneider fumait en gardant le silence. Il avait les jambes étendues et les chevilles croisées. Monsieur Tom se versa un verre. Il ressassait des choses mortes qui n'avaient plus de raison d'être. Il observa Schneider à travers le whisky.

— Un jour, elle a cessé d'aller à Hambourg. Elle a cessé de se faire mettre de droite et de gauche. Elle a cessé de m'aimer. Elle est revenue. Elle m'a raconté franchement qu'elle venait de rencontrer un type. Un jeune type.

— À quoi ça sert, Tom, coupa Schneider.

Il se leva quand même et alla se servir. Il resta le verre à la main, debout au milieu de la pièce.

— C'est fini, dit-il avec toute la douceur dont il se sentait capable. Elle est partie, et rien ni personne ne pourra jamais la faire revenir.

Monsieur Tom se prit le front dans les mains. Il y avait eu un Thomassot chez Napoléon, un autre plus tard qui avait fait fortune en même temps que les Pereire. Un autre ensuite, le père de Tom lui-même qui, grâce à la spoliation des biens juifs, avait acquis en 1941 l'hôtel particulier que la famille avait habité presque continuellement depuis. Il dit, sans voir :

– Qu'est-ce que ça t'aurait coûté ? Françoise était une femme superbe et elle baisait comme une déesse. En plus, c'était pas quelqu'un de collant et elle avait oublié d'être idiote. Alors ? Ça t'aurait coûté quoi ?

Schneider garda le silence. Il paraissait avoir oublié la cigarette qu'il avait entre les doigts. Coûté quoi ? *Françoise nue qui lui propose la botte. Elle avait bu. Elle s'était mise à boire de plus en plus, à se faire des kilomètres de rail les derniers temps. Jamais elle n'avait bu de toute sa vie. Elle était trop saine, trop vivante, trop sportive pour en avoir besoin. Elle aimait trop la vie. Leurs dernières vacances ensemble, ils les avaient passées la plupart du temps à lézarder nus tous les trois sur le voilier de Tom. En rentrant, quelque chose s'était mis à la bouffer de l'intérieur, quelque chose qu'elle redoutait encore plus que l'alcool. Il n'avait qu'un geste à faire, qu'il avait soi-disant déjà fait plusieurs fois avec bon nombre de femmes. Il ne l'avait pas fait. Elle avait demandé :*

– Pourquoi ? Pourquoi ?

– Parce que je ne t'aime pas.

La mémoire nous joue des tours, elle brode et enjolive, et on ne se rappelle que rarement le texte, ce qu'on a dit ou pas et comment on l'a dit, mais Schneider se souvenait au mot à mot. *Parce que je ne t'aime pas.* Il était sorti sans se retourner en refermant sur lui. La femme n'avait même pas pris la peine de se rhabiller. Elle avait ouvert un tiroir dans son dos. Elle était arrivée à l'extrême bout, mais il ne le savait pas. Dans sa fureur, il n'avait même pas remarqué la gamine qui était entrée pour lui montrer ce qu'elle appelait sa tenue de princesse, une robe de satin rose ornée d'une profusion de perles et qu'elle allait inaugurer au réveillon. Elle venait d'avoir douze ans, et elle avait un large sourire plein de fierté, malgré l'appareil dentaire qu'elle portait et qui revêtait l'apparence d'un instrument de torture. Peut-être que si elle avait remarqué la présence de sa fille, elle se serait comportée de même.

Schneider avait entendu la détonation et ressenti comme un effet de souffle entre les omoplates.

La femme venait de se tirer une balle dans la bouche.

La lente et lourde ogive de .45 lui avait emporté l'arrière du crâne.

Le long du mur, il y avait des giclures de sang, des esquilles d'os, des cheveux et des débris de matière cérébrale qui dégoulinaient lentement. Il y en avait jusque sur le plafond.

Le bébé ne vagissait plus. Il avait fini par s'endormir sur le ventre avec le croupion à l'air et ses petites pattes repliées, les poings fermés avec force sur l'oreiller. Il s'expliquait avec le sommeil tout en fabriquant toutes les protéines nécessaires à sa croissance. Durant huit mois, ils avaient prévu une petite fille diaphane, délicate et frêle à l'image de sa mère. Jusqu'au dernier moment, ils avaient refusé de connaître le sexe de l'enfant à l'avance. Entre eux, ils l'appelaient La Grenouille tout le temps À l'arrivée, ils avaient hérité un robuste poupon monté lourd, costaud et placide, qui passait son temps à vagir pour la bouffe, à se goinfrer et à se rendormir aussitôt. La Grenouille était devenue Petit Crapaud. Minnie l'avait eu sur le tard et elle savait qu'elle n'aurait pas de seconde chance. Elle voyait déjà en lui un grand garçon comme son père, bien bâti, avec les épaules étroites, de longues jambes et les hanches étroites. Probablement aussi doux, fort et décidé, mais certainement pas un flic.

Tout sauf un flic.

Minnie ne connaissait que trop bien les longues nuits d'absence, la peur qui la prenait souvent à l'improviste, la peur qu'un jour il ne rentre pas. Elle connaissait l'angoisse et l'attente. Minnie savait aussi trop bien le genre d'humanité que Meunier côtoyait, le genre de faune qui grouillait de chaque côté de la barrière. Minnie regardait machinalement un film sur le moniteur du salon tout en tisonnant les bûches dans la cheminée. Le vent grondait dans le conduit avec la sourde intensité d'une turbine d'avion au point fixe. C'était du bois de cèdre que Meunier avait débité à la tronçonneuse tout un week-end de juillet, après qu'un orage l'avait abattu en travers de la pelouse. Un instant auparavant, le cèdre se dressait à la place qu'il occupait depuis presque deux cents ans. L'instant d'après, il était au sol dans un fracas qui les avait tirés du lit.

Le lendemain même, Meunier avait enfilé un bas de survêtement et de vieilles baskets informes. Il faisait encore lourd et humide. Torse nu, il s'était mis à ébrancher l'arbre avec une Husqvarna toute neuve et des airs de Rambo. Il y avait laissé deux lames, huit litres de mélange, et presque autant de sueur. Il y avait récolté un nombre considérable de contusions, d'estafilades et d'écorchures. Meunier n'avait aucune idée de l'attrait sexuel qu'il était capable d'exercer sur une femme – ou sur un homme, le cas échéant.

Sans lui laisser le temps de finir, Minnie s'était approchée sur la pointe des pieds, elle lui avait enlacé la taille, et avait posé sa joue contre son dos qu'elle avait picoré de baisers rapides en riant à part soi. Goût salé. Sciure de bois. Senteur de résine. Son pâtre grec, son bûcheron, l'homme qu'elle aimait et dont elle était fière – fière même de certains regards qu'elle surprenait à son passage. Elle était fière de marcher à son bras. Le bûcheron s'était retourné et l'avait soulevée sans grand effort. Il l'avait emportée dans ses bras. Il avait ouvert la porte d'un coup de pied de comédie. Minnie n'avait cessé de lui donner tout un tas de petits coups de langue vifs et avides sur les tétons. L'amour peut parfois revêtir le tour d'une bouleversante alchimie, dès lors qu'on décide de ne plus le considérer comme une simple discipline gymnique. Meunier l'avait laissée tomber en vrac sur le lit. Le reste de l'après-midi avait été consacré à l'alchimie. Minnie était intimement certaine que c'était ce jour-là qu'ils avaient fabriqué le petit crapaud qui s'expliquait avec le sommeil dans son berceau.

Minnie regardait *Taxi Driver*. Elle comprenait tout, De Niro, le taxi, la dérive dans la ville. Les rues du malheur. Minnie était juge des enfants. Elle savait donc tout, mais ce soir, elle n'avait pas envie de savoir. Elle coupa le son, laissant seulement l'image. Du coin de l'œil, elle vit son homme étendu sur le divan. Minnie appelait Meunier son homme, ou l'homme, ou hombre, tout simplement. Elle retourna tisonner le feu. Sur le divan, Meunier examinait une liasse de clichés anthropométriques. Lui était flic. Elle était juge. Elle pouvait comprendre. Elle vint s'asseoir sur l'accoudoir du divan. Meunier lui tendit les clichés.

Elle les scruta comme elle l'eût fait de pièces à conviction.

Rien que des valeurs sûres. Bugsy, bien entendu, avec ses plaques sur la peau, les cheveux qui tombaient déjà, et ses mauvaises dents. Méthamphétamine et cocaïne. Meunier lui relata comment il s'était fait bordurer en relâchant le cloporte. Il ne lui avait pas caché la bonbonne dans l'anus, le fait de ne pas l'avoir fouillé convenablement, ce qui s'apparentait à une erreur professionnelle. Ou à une faute. Minnie ne fit aucun commentaire. D'autres aussi figuraient dans le trombinoscope, toute la fine fleur de la voyoucratie, de la délinquance et du banditisme local, à peu près tous du même acabit. Aucune chance que l'un d'eux ne fût encore récupérable. Minnie était encore jeune, mais elle était juge et en savait déjà presque autant sur le compte de l'humanité qu'un chien de prostituée. Puis elle était tombée sur le face-profil de Francky. Francky, c'était autre chose. Francky portait un flight de la Deuxième

Guerre mondiale. Il avait la figure gonflée de coups, mais il n'avait ni baissé ni détourné le regard face à l'objectif. Il n'avait pas cillé sous l'éclat du flash. Le jeune homme fixait l'objectif avec la froide et sourde détermination, la morgue tranquille, avec laquelle certains plongent les yeux dans le canon d'une arme à feu braquée en plein front. Elle dit :

– J'ai essayé de le sortir. Schneider a essayé de le sortir. Il y en a eu deux ou trois dans cette ville de merde, qui ont essayé de le sortir. Ne me demande pas pourquoi, je n'en sais rien. Il y a sans doute un lien. Je ne sais pas.

Elle savait, mais c'était le soir du Nouvel An, et elle voulait chasser toute trace de tristesse et d'amertume de son esprit. Elle croisa les yeux désespérés de De Niro. Elle fixa les flammes qui se tordaient en tous sens en grondant.

– Personne ne sauvera Francky, murmura-t-elle. Il tombera et il retombera. Vol à main armée. Braquage. Homicide volontaire. Parce qu'il aura craché sur un trottoir.

La dernière photo n'était pas un cliché anthropométrique. C'était celle de la femme en noir. Minnie eut une sorte de frisson.

– Tu la veux pourquoi ?

– Trafic de stupéfiants. Vingt à trente livres de cocaïne.

– Fiabilité des sources ?

– Ignorée.

Ils gardèrent le silence. Le bébé tressaillit dans son sommeil et se rendormit. Une bûche éclata avec une sèche détonation de petit calibre. Minnie ne quittait pas les flammes des yeux.

– Un zombie. Tu cherches un zombie.

– Zombie ? C'est-à-dire ?

– Cette fille est morte.

Meunier la contempla avec surprise. Minnie demanda sans le regarder :

– Tu as parlé d'elle à Schneider ?

– Essayé de le joindre. 31 décembre. Injoignable.

– Schneider ? Injoignable ? C'est pour rire ?

Elle fixait les flammes sans les voir. Elle fixait De Niro sans le voir. Schneider aussi tournait dans la ville, nuit après nuit. Nuit après nuit, il chassait ses démons. Elle n'était jamais parvenue à décider ce qu'elle pensait de lui, ce qui n'avait au fond guère d'importance. Le chef du groupe criminel était le seul flic de la bande qui lui témoignât du respect, aussi bien en qualité de juge qu'en tant que femme.

Pour autant, Schneider la mettait mal à l'aise.

Monsieur Tom avait lui aussi les yeux dans le vague. Ils étaient braqués sur quelque chose d'invisible dans la pénombre. La lampe de bureau donnait à ses traits lourds une sorte de patine triste.

– Elle serait encore vivante. Elle serait encore quelque part dans le monde. À exister.

Il fixa Schneider dans les yeux.

– À l'autopsie, les analyses l'ont flashée à trois grammes quarante. Ses veines étaient bourrées de cocaïne et normalement, elle n'aurait plus dû tenir debout.

– Elle tenait toujours debout.

– Ça t'aurait coûté quoi, de la baiser ?

– Motif de la convocation ? demanda Schneider, la face immobile.

Il sentait monter la colère. Il avait froid et la rage commençait à s'insinuer dans ses coudes. Dans le dos et les épaules Dans chaque phalange. Schneider connaissait avec précision le parcours de la rage, surtout celle qu'il devait au Crystal* qu'une hôtesse d'Air France lui rapportait de New York tous les deux mois. Une rage qui lui faisait grincer les dents et serrer les poings à s'en paralyser tout le haut du torse et la nuque.

– Convocation ?

– Faut qu'on se parle, tu te rappelles ? Non négociable, tu te rappelles ?

– Oui, fit Monsieur Tom.

Peu à peu, il sembla revenir à lui.

– Oui. Tu te rappelles Anne.

Schneider se rappelait : Anne, c'était la gamine de douze ans, avec les longs cheveux épais qu'elle tenait de sa mère, son appareil dentaire et sa tenue de princesse, une robe de satin rose ornée de perles et que le sang avait éclaboussée. Dégâts collatéraux.

– Après ça, la gosse est restée sans parler pendant trois ans, se rappela Monsieur Tom. (Il avait conservé sa voix sourde et froide d'avocat d'assises.) Elle avait cessé de s'alimenter. Ensuite, elle a eu l'air de revenir. Elle a fait son droit à toute vitesse. Elle ne parlait plus de rien. On a cru que c'était fini.

Silence.

Puis Schneider sortit ses cigarettes et Monsieur Tom tendit des doigts aveugles.

– Un soir comme les autres, dans une rue comme les autres, elle a sorti quelque chose de son sac et elle s'est mise à éventrer une passante à coups de ciseaux de couturière. Sans mobile apparent. Elle ne connaissait pas la femme, la femme ne la connaissait pas. La victime s'en est tirée de justesse.

– Première nouvelle, murmura Schneider en donnant du feu.

– C'est pas le genre de choses qu'on a tendance à ébruiter démesurément, affirma Monsieur Tom en remerciant du front. L'événement avait eu lieu loin de la ville. Pas difficile d'éteindre l'incendie, puisqu'il n'y avait pas eu d'incendie. L'auteur des faits a été déclaré mentalement irresponsable, et de ce fait inaccessible à toute sanction pénale. Sur instructions du procureur de la République, elle a fait l'objet d'une ordonnance de placement. On lui a trouvé un établissement de soin discret. Les Hauts Murs. Les hauts murs avec piscine, squash et atelier théâtre.

Schneider fumait. Monsieur Tom fumait. Tous deux connaissaient ce moment très particulier où, dans tout interrogatoire, et même parfois durant les aveux, se produit cette sorte de break, d'entente tacite durant laquelle on pose provisoirement les armes. Monsieur Tom n'avait à aucun moment cessé de parler de sa fille autrement que sur un mode impersonnel. Il se tenait bien. Pas un seul instant en parlant d'elle de manière aussi neutre et fonctionnelle que possible, la douleur qui le tourmentait sans relâche n'avait été perceptible.

Monsieur Tom était le dernier représentant d'une dynastie qui régnait sur la ville depuis plus de deux siècles. Pour rien au monde, Schneider n'aurait voulu subir ce qu'il endurait.

– *So what ?* demanda-t-il.

À présent, il avait hâte d'en finir.

– Il y a deux mois, les Hauts Murs m'ont appelé. Elle avait disparu. Un jeune type était venu la chercher. Quelqu'un qu'elle aurait connu ici, pendant ses années lycée. Aucune idée du saint-bernard. L'état de la malade était considéré comme stable depuis plusieurs mois. Elle bénéficiait donc d'un statut de semi-liberté. Elle est partie, elle n'est pas revenue.

– *So what ?* répéta Schneider d'une voix sourde.

La gorge le faisait souffrir. Les coudes. Les os de la face. L'endroit du dos aussi, là où la balle de fusil était entrée et ressortie pour aller se perdre au loin, en ricochant sans fin dans la pierraille. Il y avait ainsi des additions qu'on n'en finissait donc jamais de payer.

– J'ai mis un cabinet de police privée sur l'affaire, reconnut Tom. Naturellement, ça n'a rien donné. Ils ont perdu leur trace à la sortie de l'aéroport Bâle-Mulhouse. Plus jamais remontés à la surface.

Schneider s'abstint de commentaires. Tom s'accouda subitement au bureau. Celui qui présidait en premier et dernier ressort aux destinées des conseils d'administration – et autres. C'en était fini des attendus, on parvenait au moment du verdict. Schneider comprit que c'en était fini de rire.

– Elle va revenir en ville, gronda Tom. Je ne sais ni où ni quand, mais je sais qu'elle va revenir. Elle n'a pas d'autre endroit où aller. Trouve-la. Trouve-la avant qu'elle ne refasse d'autres conneries.

Il sortit une grosse enveloppe de son sous-main, la fit glisser en direction de Schneider.

– Tu as tout ce qu'il faut là-dedans. Rapports de filature. Photos, états bancaires. Trouve-la, Schneider.

Schneider se pencha à peine, posa l'index et le majeur sur l'enveloppe.

On pouvait penser qu'il allait s'en saisir. Il la repoussa en direction de Tom.

Il dit, d'une voix rêche et désagréable :

– Pas preneur. Il y a des services de police pour ça. On les appelle les Personnes disparues, tu te rappelles ?

Il écrasa sa cigarette et pivota sur les talons. Il sortit et referma la porte sur lui sans s'être retourné un seul instant.

Meunier enfilait une vieille veste de treillis. Celle qu'il mettait souvent pour ses rondes de nuit. Pratique, imperméable, avec assez de poches pour contenir tout le fourniment du flic. Il se pencha sur le berceau. Petit Crapaud remuait en dormant, en agitant son petit bec. Il se trouvait à présent juste tout près de la surface du sommeil, en passe d'émerger. Meunier consulta sa montre.

– Petit Crapaud bouge, ça va être l'heure.

– Je devine, dit Minnie dans son dos en se massant vigoureusement les seins.

– On dirait presque qu'il a une pendule dans l'estomac.

– Il a une pendule dans l'estomac.

Il se retourna. Minnie, qui était dotée d'ordinaire d'une cage thoracique de serin, dissimulait à présent une opulente poitrine sous d'amples chandails informes. Parfois, Meunier doutait presque que cette chose impressionnante lui appartînt personnellement. Elle avait pu lui être livrée en douce peu après la naissance du bébé.

Minnie remarqua machinalement :

– Tu sors ?

– Pas plus d'une demi-heure, sourit Meunier.

Un sourire tendre et doux qui frappa la jeune femme au bas-ventre

Elle le scruta avec appréhension.

– Tu es chargé*, *hombre* ?

Il écarta ses pans de blouson. Pas la moindre arme apparente ou cachée.

– Armé ? Pour quoi faire ? Une simple vérification. Une demi-heure, trois quarts d'heure. Après je rentre et on réveillonne. Et ensuite, pour fêter la nouvelle année…

– Pour fêter la nouvelle année ?

Il lui avait pris la taille comme pour l'entraîner dans quelque valse étourdissante.

– *Alchimie.*

Il fallait bien qu'un homme parte, pour qu'un jour il ait une chance de revenir.

Schneider descendait les marches en tapotant machinalement la lourde rampe en chêne du plat de la main. Il ne faisait attention à rien, perdu ailleurs. Marina l'attendait en bas. Elle leva les yeux :

– Vous l'avez vu ? Il est comment ?

– Égal à lui-même, déclara Schneider sans se compromettre.

Le policier se battait contre ses fantômes, Tom avec les siens. Ni l'un ni l'autre n'avait la moindre chance de gagner et Marina encore moins qu'eux : elle avait à se battre non pas contre quelque rivale vivante, elle avait à se battre contre une morte. Personne ne peut gagner contre une morte. Marina se plaignit d'une voix sourde :

– Il boit de plus en plus. Ça ne se voit pas parce qu'il tient le choc. Il boit trop.

– Combien ?

60

– Une bouteille. Une à deux par jour. Ça a commencé par une sorte d'alcoolisme mondain. Les cocktails, les réceptions, toutes ces choses qui font partie de la règle du jeu. Maintenant, nous ne recevons presque plus et Tom boit seul dans son bureau. De plus en plus.

Schneider garda le silence.

– Même le pince-fesses de ce soir, c'est du flan. Je ne suis pas sûre qu'il va descendre cinq minutes. Tom a même cessé d'être poli. (Elle dit, d'un ton de pure dérision.) *Cotton Club.*

– Je croyais que c'était votre idée.

– Non, murmura la jeune femme. C'était la sienne. Comme s'il avait voulu dire quelque chose. Tom veut toujours dire quelque chose.

Il gardait toujours le silence, elle leva les yeux et constata :

– Vous partez ?

– Oui, dit Schneider. Je prends la permanence criminelle à une heure.

Elle consulta sa montre. Il restait un peu plus de trois heures. Elle retroussa les lèvres :

– Dites plutôt que vous vous emmerdez.

– Quelque chose dans ce goût-là, sourit Schneider.

À cet instant précis, il ne ressentait pas le besoin de faire mal inutilement.

Le pianiste aux dents de lapin était parti s'artiller au buffet. Pause syndicale. Il n'y avait rien à y redire. En passant, Schneider vit que le piano était resté ouvert. On ne laisse pas le clavier d'un Steinway & Sons blanc ouvert, ne serait-ce que cinq minutes. On recouvre les touches d'un feutre pourpre et on referme. C'est ce que Schneider avait eu instinctivement l'intention de faire avant de sortir de la pièce. Puis, en s'approchant, quelque chose s'était emparé peu à peu de lui, de sa nuque, de ses omoplates, puis de ses mains. Quelque chose de doux et de presque langoureux, et pourtant de parfaitement inexorable. Il s'était assis. Il avait une cigarette entre les doigts. Il avait approché le cendrier.

Il était resté une grande minute les mains à plat sur les cuisses, le torse un peu penché.

Schneider savait qu'il n'aurait jamais fait un grand concertiste, tout juste un sideman potable. Il avait hésité, puis lentement, pensivement, il avait plaqué un accord, puis deux, puis un court arpège étranglé à la main droite, et le reste était venu tout seul, comme un écheveau lancinant qui se dévide. Le blues, c'est parfois comme un grand train de marchandises au sifflet déchirant, qui gronde en cahotant dans la pluie et dans la nuit. Il semble qu'il ne vienne de nulle part pour aller nulle part.

Schneider jouait lentement, pensivement.

Rien qui fût forcément blessant.

Schneider se rappelait les paroles. Les paroles racontaient sans fioritures combien c'était dur, au crépuscule, combien c'était dur d'être seul, quand le soleil descend. D'être seul et d'aimer quelqu'un, quand ce quelqu'un aime quelqu'un d'autre. La souffrance s'était atténuée, malgré l'amertume du blues. Un blues est amer juste comme peuvent l'être la mer et le ciel au crépuscule, et de tout le reste, comme de nous tous, le blues s'en fout éperdument. Schneider reprit la longue intro du *Blues In the Evening* de Ray Charles. avec un touché à la fois intense et subtil, imperceptiblement ralenti et très capable de susciter une rage de dents.

Les notes avaient quelque chose de très digne et de très direct, elles étaient remplies aussi d'une grande retenue et d'une tristesse palpable. Schneider n'avait pas bu au point de perdre tout contrôle de lui-même. Assis au piano, il n'y avait plus qu'un maigre type en complet gris des années quarante, un traîne-lattes qui n'avait pas l'air de manger tous les jours à sa faim. Le complet était défraîchi, de même que la chemise à la coupe militaire et la cravate filiforme, mais le tout semblait provenir de chez un bon faiseur. Ou des portants d'un bon costumier.

Le traîne-lattes aux yeux creux était penché sur le clavier, la tête inclinée sur l'épaule gauche comme s'il tendait l'oreille à ce que le piano racontait. Il avait cessé d'être là. Il n'avait pas besoin de regarder les touches, le clavier lui appartenait désormais en entier, de même que les deux tiers du monde habité.

La femme à la bouche en colère était entrée sans qu'il s'en rendît compte. Elle était venue s'accouder au piano, comme en apnée. Beaucoup trop de poitrine, certainement. Elle tenait une fleur de gardénia entre les doigts. Elle l'avait portée dans l'échancrure de sa robe, entre les seins, et l'agrafe avait cédé. Elle avait eu juste le temps de la ramasser au vol. Sa bouche n'était plus en colère. Son visage, subitement, paraissait engourdi. Elle regardait avec fascination les grandes mains sur le clavier, leur souple aisance, leur précision, et elles semblaient n'appartenir à personne. Elle sentait ces mains sur sa peau, elle ne parvenait pas à tout démêler et peut-être ne le voulait-elle pas. La musique, le traîne-lattes en complet gris, ces grandes mains maigres. Elle imagina un instant qu'elles se posaient sur sa taille. Les reins lui brûlaient. Elle savait ce que cela signifiait. Ces tressaillements presque douloureux qui accompagnaient chez elle la montée de l'orgasme. Elle n'aurait pas voulu que cela finît. Pas avant qu'elle-même n'en eût terminé.

Penchée en avant, elle avait frotté les genoux l'un contre l'autre, comme pour combattre une démangeaison. Le crissement des bas avait suffi pour que Schneider revienne à lui. Il avait relevé la tête. Aussitôt, elle avait encaissé de plein fouet le regard de ses yeux gris. Il n'avait pas encore tout à fait repris conscience. Elle rit à contretemps et s'étonna d'une voix un peu trouble :

– Vous êtes capable de faire des trucs comme ça, vous, Schneider ?

– Ça et bien d'autres choses. Comment savez-vous mon nom ?

– Marina.

– Vous connaissez Marina ?

– Oui. Vous savez, on est une petite ville, ici, tout le monde se connaît plus ou moins.

– Évidemment, fit Schneider.

Subitement, il cessa de jouer. Il cessa aussi de fuir le regard de la femme. Subitement il y eut trop de silence. Tous les deux savaient que ce qu'ils disaient n'était que pure diversion. Le reste, le bois dur, ce pour quoi on vit ou on meurt et parfois les deux, avait commencé à bouger dans la nuit, sans que l'un ou l'autre n'y puisse rien.

La question n'était plus oui ou non, mais où et quand.

Schneider savait qu'il avait tout à y perdre. Il ne pouvait cependant pas la quitter des yeux. Il alluma une Camel. Subitement, la femme fut toute proche. La robe avait un peu glissé sur son épaule dénudée. Schneider faillit tendre les doigts. Elle lui prit la cigarette, en tira deux rapides bouffées et la lui remit à la bouche, avec un peu de son rouge à lèvres un peu gras. Il se leva lentement. Elle ne recula pas d'un millimètre. Elle portait Fath de Fath, et pourtant il émanait d'elle une senteur de tourbière en plein été, quelque chose de capiteux et de violent.

Et, subitement, de la fleur fanée, elle lui frôla la joue.

– Tapez pas trop fort, murmura Schneider avec désarroi.

Elle refit le même geste, plus lentement. De plus près. Presque à se trouver contre lui.

Elle le dévisagea, la tête un peu penchée.

– Ça vous est déjà arrivé d'aller au zoo de la Colombière ?

Il y était déjà allé. Et avait détesté ça. Il avait dû rester deux jours de suite en planque, en plein été près des cages, dans le cadre d'une affaire de braquage qui n'avait abouti à rien. Rien ne pue autant qu'un zoo en plein été. Un zoo qui n'avait de zoo que le nom. La jeune femme murmura – on aurait dit qu'elle se parlait à l'intérieur, ses yeux ardoise d'une curieuse et insondable opacité, subitement.

– Il y a un loup gris. Un loup de Sibérie. Il tourne seul dans sa cage de dix ou quinze mètres carrés. Je ne l'ai jamais vu autrement que seul depuis des années.

Schneider bougea la tête.

La jeune femme ne se trompait pas : la cage faisait dix-huit mètres carrés. Elle était exactement rectangulaire. L'enceinte grillagée avait été construite à l'image de celle d'un camp de prisonniers. Elle faisait une hauteur de trois mètres cinquante, avec du barbelé au sommet et des piques de fer disposées vers l'intérieur de manière à ce qu'il fût strictement impossible de s'évader. À force, depuis des années, à force de tourner en rond le long du grillage, l'animal avait fini par tracer une espèce de piste en terre nue, dure et tassée. Une sorte de parcours obligé. Il savait sans doute qu'il avait pris perpétuité, ça ne l'empêchait pourtant pas de chercher la sortie, jour après jour, du même pas. L'animal avait les yeux clairs, d'un bleu presque livide, aussi affamés que désespérés.

Elle observa :

– Vous ne le savez pas, Schneider. Vous ne le savez pas, mais vous avez le même regard que lui.

– Tapez pas trop fort, supplia-t-il. Ça ne donnerait rien de bon.

Elle posa la paume de la main contre son cou.

Schneider ressentit une sourde brûlure.

– Schneider.

Une brûlure qui remontait à l'Âge des Ténèbres.

Il frissonna. On se croit très fort. On se pense indemne. On ne l'est jamais.

– *Schneider, emmenez-moi.*

4

Minnie avait donné le sein, les deux seins, au Petit Crapaud. Puis elle l'avait porté à l'épaule jusqu'au *burp* final qui n'avait guère tardé. Ensuite, elle lui avait donné le bain et l'avait changé. Elle ne manquait jamais d'être impressionnée par l'ampleur de son coffre et la vigueur de ses bras grassouillets qu'il agitait en tous sens. Un gros bébé potelé et placide. Parfois, il dardait sur elle un regard bleu foncé, silencieux et sagace, qui semblait provenir de la pièce d'à-côté. Minnie avait l'impression qu'il en savait déjà plus long qu'on ne pensait. Elle l'avait installé sur le divan et calé avec des coussins. Petit Crapaud considérait le monde alentour avec un regard de type un peu pompette.

Minnie avait rechargé le feu. Le vent grondait toujours dans le conduit de cheminée et les bûches claquaient et crépitaient. Elle était allée dans la cuisine. Elle avait transféré l'oie qui avait fini de cuire, du four dans le micro-ondes. Le minuteur indiquait qu'il n'allait plus tarder à être minuit. Bonne année, bonne santé. Elle s'était fabriqué un martini gin et l'avait bu pensivement en prêtant l'oreille à Petit Crapaud. Meunier et elle buvaient seulement une ou deux fois par an, et seulement pour de très grandes occasions : au diable les varices, ce genre de folies se payaient le lendemain par une dizaine de kilomètres de course de plus, dans les collines autour du lac. Elle revint dans le salon, verre en main.

Petit Crapaud dormait à poings fermés.

Pour des raisons que Minnie ne démêlait pas bien, elle alla remettre *Taxi Driver*.

Pas de son, uniquement les images.

Minnie sentit que le martini commençait à faire de l'effet, pas seulement dans l'estomac, mais à cause de la chaleur qui était en train de monter un peu plus bas, un peu au-dessus de l'endroit où les jambes prennent naissance et que Meunier appelait son Triangle des Bermudes. Son Triangle des Bermudes *personnel.*

Sur un point, Meunier ne lui avait pas menti : elle remarqua sur le manteau de cheminée, à l'endroit où il les laissait d'ordinaire, son porte-cartes et ses menottes, sa bombe de défense, de même que son portefeuille et le foutoir de ses poches – tout ce dont il se débarrassait tout de suite en rentrant, avant même de l'embrasser pour, disait-il, *redevenir un civilisé.*

Elle consulta sa montre. Meunier était parti depuis plus de quarante-cinq minutes. Comme tout bon flic, il pratiquait des horaires de dentiste. Minnie s'en amusa vaguement. Il avait parlé d'une simple vérification et n'était même plus en service. Elle posa son verre sur la table basse, se passa les mains sur les flancs. Uniquement sur les flancs. Ailleurs, c'eût été trop risqué. Ou trop prématuré. De même qu'un second martini.

Elle reporta les yeux sur l'écran silencieux.

Piètre palliatif.

Alors, elle alla recoucher le bébé, qui dormait comme une masse. Elle tira sur la ficelle de la boîte à musique au-dessus du berceau. La mélodie grêle et cristalline était celle d'*Un jour mon prince viendra.*

Il était minuit moins six.

Le temps parfois s'étire comme un élastique qu'on tend devant sa figure, et ne tarde jamais à vous revenir en pleine gueule.

Le dos tourné, en préservant le micro du vent avec la paume, Schneider téléphonait depuis une cabine, le long de laquelle la Conti était stationnée. Le moteur tournait sans bruit. À son époque, la longue berline avait été l'une des voitures les plus puissantes, les mieux fabriquées et les mieux finies du monde. La jeune femme dans la voiture allumait une

Dunhill avec un briquet Dupont aux flancs laqués d'un bleu profond, assortis à la couleur de ses yeux. D'un bleu profond, presque opaque, tant ils étaient sombres et pensifs.

Charles Catala avait son ton de voix habituel, mais le fond sonore trahissait un rythme de lambada. Il y avait des cris, des rires et une ambiance d'allégresse qui n'avait rien d'inattendu ou de répréhensible un soir de réveillon. Schneider avait cessé de rire, ça n'était pas une raison pour le reprocher aux autres. Pour autant qu'il pouvait en juger, Charlie ne semblait pas très alcoolisé. Normalement alcoolisé pour un soir de permanence. Schneider demanda :

— No news ?

— Rien du tout, fit Charles Catala. Relax, Schneider, on est juste le 1er janvier. Dans six minutes.

Schneider en jugea immédiatement que son jeune lieutenant était un tout petit peu plus alcoolisé qu'il ne l'avait estimé initialement. À l'autre bout du fil, il y eut un brusque charivari, une femme, elle bien bourrée, s'enquit :

— C'est Schneider ? Si c'est Schneider, dis-lui que je le bise.

— Dagmar vous bise, Schneider, répercuta le jeune homme.

— Seulement que je le bise, hein ? fit la femme à tue-tête.

— Seulement qu'elle vous bise, ricana Charles.

Machinalement, Schneider s'était tourné. Il distinguait la silhouette de la jeune femme dans la voiture. Il n'en voyait que le haut des épaules et la tête qu'elle tenait renversée, la nuque sur le large repose-tête. La cigarette brasilla lorsqu'elle la porta à ses lèvres. Un instant, ses pommettes hautes et ses yeux creux lui firent penser à quelque princesse inca. Jamais de sa vie, du plus profond de sa mémoire, Schneider n'avait rencontré de princesse inca. Il annonça :

— Je prends la veille dans la Conti.

— Aperçu.

— Vous me copiez* sur l'indicatif Mataf 83.

68

La voiture était dotée d'un poste de CB d'une portée de plus de soixante kilomètres, bien plus étendue que celle de n'importe quelle voiture de police.

– Aperçu, répéta Charles Catala.

Il ajouta, après un temps, avec une ironie à couper au couteau :

– Joyeux Noël, Schneider.

En sortant de la cabine, Schneider sentit le vent le gifler dans la figure. On pouvait le prendre pour une offense personnelle. Il monta dans la voiture. L'habitacle sentait la cigarette blonde, le cuir neuf et cette étrange odeur de tourbière, faible et pourtant parfaitement identifiable. La jeune femme le regardait droit dans les yeux, avec une dureté presque pénible.

Avant d'enclencher le levier de la boîte automatique, Schneider se pencha sur la boîte à gants devant elle, avec un geste d'excuse. Il l'ouvrit et démasqua le poste qu'il cala sur la fréquence du citoyen. Mataf 83. Il régla le son au plus bas et referma. Ce faisant, le dos de la main avait manqué le genou gauche de la jeune femme de quelques millimètres. Tout au plus, l'avait-il frôlé.

– Vous vous servez souvent de ce truc du vide-poches pour emballer vos conquêtes ? demanda-t-elle, les sourcils serrés.

Schneider affecta d'en rire. La robe de la jeune femme était remontée plus qu'à mi-cuisse. Elle n'était pas très grande, mais elle avait des jambes de sportive, dures et musclées. Les genoux comme de jolis galets polis et très doux. Elle se savait très attirante et désirable. Tout se compliquait au niveau du torse. Elle avait une poitrine trop grosse pour elle. Elle ne savait pas comment faire pour la camoufler. Mission impossible. Marina disait : la plus fabuleuse laiterie de la ville, et elle s'y connaissait. Monsieur Tom avait acheté à sa femme le principal magasin de lingerie féminine de la ville. C'est là que la jeune femme se ravitaillait régulièrement. Elle n'avait pas quitté Schneider des yeux.

La voiture roulait sans bruit. On entendait seulement la radio chuinter tout bas dans la boîte à gants.

– C'est peut-être ça, le luxe, remarqua la jeune femme. Rouler en silence, la nuit, dans une ville. Sans bruit, sans cahot. Comme dans un rêve. Avec un homme qu'on aime.

– Vous avez un prénom ? demanda brusquement Schneider.

– Tout le monde a un prénom, Schneider.

Elle regarda les longues mains gantées posées la paume à plat sur le haut du volant. Elle rit avec une sorte de trouble, comme quelqu'un qui avait hâte de tomber le masque.

– Tout le monde m'appelle Cheroquee. Pour tout le monde, je suis Cheroquee.

– Cheroquee, murmura Schneider à mi-voix.

– Vous n'aimez pas ?

Il aimait. Il aimait tout en elle. Même et surtout ce qui en elle lui demeurerait à jamais mystérieux. Elle tira une dernière bouffée, baissa à demi la vitre électrique et jeta sa cigarette par-dessus bord. Il y eut derrière la voiture un court brasillement, puis une explosion d'étincelles que Schneider contrôla machinalement dans le rétroviseur. Avec une sorte de négligence étudiée, elle lui effleura l'épaule, pianota du bout des doigts.

– Vous êtes pressé ? On ne pourrait pas s'arrêter quelque part ?

– Vous m'avez demandé de vous ramener.

Elle remarqua avec justesse :

– Si c'était seulement pour me ramener, ça fait déjà un moment qu'on serait arrivés.

– Croiseur touché, reconnut Schneider avec un sourire qui n'allait pas très loin.

Il sortit une cigarette de sa poche de poitrine. Elle l'alluma avec son Dupont. De près, sa lourde chevelure sentait la quinine et la résine de cèdre. Elle semblait à la fois dense, caressante et souple. Cheroquee avait déposé le gardénia fané sur le haut du tableau de bord.

– Touché, mais pas coulé. Une fille vous demande de la ramener, ça veut dire quoi, dans votre esprit ?

– Qu'elle veut rentrer chez elle. Ou retourner à sa voiture. Qu'elle ne veut pas prendre un taxi. (Il protesta.) De toute façon, vous n'êtes pas une fille.

Elle se rengorgea en serrant les bras devant elle, avec un brusque rire de gamine, comme si elle n'avait cessé de l'être que peu de temps auparavant. Elle remua le torse avec conviction.

– Pas une fille, et ça ? C'est quoi, ça ? Ils ont fait le désespoir de mon adolescence. (Elle s'observa, menton baissé.) À cause d'eux, il a fallu que je porte des soutifs blindés pour continuer à jouer au tennis. Une sorte de difformité naturelle. (Elle rit à part soi.) Vous ne pouvez pas imaginer le nombre de fois où il a fallu que je mette des paires de claques à des mecs pour qu'ils enlèvent les mains.

– J'imagine volontiers, reconnut Schneider.

Il rit à son tour. Il était donc capable de rire.

Elle appliqua la nuque au dossier, fit rouler lentement la tête, lui sourit.

Un sourire doux, comme intimidé, mais plein de hardiesse en même temps.

– Essayez de nous trouver un coin sympa où s'arrêter, Schneider. Pour l'instant, j'ai l'impression de me taper une ronde de flics.

Pour tromper sa peur, Minnie avait ramassé un bouquin que Meunier n'avait pas fini de lire et qu'il avait laissé sur la table de chevet. C'était un ouvrage de Stephen King et la nouvelle qu'il lisait s'intitulait *Le Goût de vivre*. Il avait certainement eu le temps de la finir avant d'entamer la suivante, puisqu'il y avait un signet à la page 193 (*Le Camion d'oncle Otto*), un signet fait d'un titre universel de paiement EDF. Meunier ne s'en servait jamais pour acquitter ses factures. Meunier avait horreur des pages cornées, aussi bien celles d'un annuaire, d'un catalogue d'arts ménagers que d'un livre tout court. Minnie disait souvent en riant que c'était pour son *homme* l'acte qui s'approchait le plus du crime contre l'humanité. Il était arrivé que pour rire, Meunier fasse semblant de lui balancer le bouquin à travers la figure.

Minnie lisait lentement, ligne par ligne, mot par mot, comme elle lisait les rapports de police qu'on lui transmettait. *Le Goût de vivre* décrivait à la première personne un cas d'auto-anthropophagie : celui d'un homme, chirurgien de son état et trafiquant d'héroïne à l'occasion, un personnage que l'auteur avait fait échouer exprès sur une île déserte de la taille d'un terrain de basket. Le héros n'avait rien à attendre de quiconque. Il ne lui restait donc plus qu'à se consommer lui-même et à la fin, il ne restait plus au narrateur que ses mains à manger.

Minnie frissonna.

Meunier adorait Stephen King, elle était plus réservée à son égard.

Elle frissonna. Elle eut subitement froid.

Pas seulement à cause du feu qui avait baissé dans la cheminée. Les flammes étaient plus lentes, plus langoureuses, plus appliquées, mais semblaient chauffer avec beaucoup moins d'ardeur. Même les flammes un jour se fatiguent. Elles finissent même par s'éteindre. Subitement, Minnie se leva d'un bond. D'un pas rapide, décidé, elle se rendit au téléphone mural, dans l'entrée. Elle n'était pas femme à tergiverser. En se levant, elle avait laissé tomber le livre. De mémoire, elle pianota le numéro du commissariat central. Dans le haut-parleur d'ambiance une voix féminine attentive et qui semblait cultivée lui confirma qu'elle se trouvait bien en relation avec la police et l'invita à garder l'écoute. Un correspondant n'allait pas tarder à lui répondre.

Minnie garda l'écoute et le message repassa en boucle quatre fois de suite. On avait mis le central sur répondeur automatique. Soir de réveillon. Minnie raccrocha, les doigts glacés. Elle fit le numéro direct des Stupéfiants où le téléphone sonna dans le vide. Elle obtint les urgences du centre hospitalier où l'interne de garde lui apprit que personne n'avait été admis depuis sa prise de service, soit vingt heures, sauf un « pichet »* en état d'ivresse qui avait fracassé une devanture de magasin à coups de chaise de bistrot et qu'il avait fallu sédater sur-le-champ. Minnie avait remercié et raccroché.

Elle refit sans plus de succès le numéro du commissariat central, puis elle se rappela le nom et le numéro d'un brigadier de la BAC avec lequel elle travaillait parfois. Elle apprit que les trois équipages de police secours de service se trouvaient bien au chaud en train de fêter ça dans la salle de repos. Le coup de feu, ça commencerait plus tard, vers les trois heures et demie du matin, avec les premières sorties de boîtes, les bagarres et les conduites en état d'ivresse. Le commissaire central avait d'ailleurs donné des consignes de particulière modération à l'égard des contrevenants. On ne met pas une ville à feu et à sang un 1er janvier.

En d'autres termes, la ville était momentanément livrée à elle-même.

Minnie raccrocha avec la peur qui la faisait trépigner d'une jambe sur l'autre.

Elle sentait, elle savait, que quelque chose de très grave était en train de se produire. Allait se produire. Ou bien s'était déjà produit. Elle eut alors l'idée d'appeler Schneider. Le chef du groupe criminel passait sa vie à tourner, jour et nuit. Lui seul pouvait la renseigner. Elle avait son numéro en mémoire, car ils étaient souvent en contact professionnel. Elle eut l'idée, mais ne le fit pas.

Elle resta avec la peur glacée qui n'en finissait pas de monter en elle. Une peur à en hurler.

La grosse Lincoln était garée sur le parking désert, non loin du phare. Le moteur n'avait pas cessé de tourner à cause de la climatisation. L'habitacle étanche ne laissait passer ni le moindre bruit ni le plus infime courant d'air, seulement, de temps à autre, la voiture donnait de l'épaule et se dandinait contre le vent qui venait de travers. On n'entendait que le faible fredonnement de la radio de bord. La montre égrenait les minutes. Il serait bientôt question de secondes. Cheroquee tourna la tête :

— Comment ça se fait que vous jouez du piano ?

— Ça se fait en se faisant, éluda Schneider avec une certaine gêne.

Elle resta pensive, puis remarqua :

— Je vous ai entendu, depuis la pièce à côté. On aurait dit une plainte. Je me suis approchée. Je vous ai écouté, je vous ai regardé.

— N'enjolivez rien, murmura le policier. Ça servirait juste à compliquer les choses.

Elle braqua son regard sombre.

— Rien de compliqué. Vous jouiez, on aurait dit un homme qui souffre d'hémorragie interne.

Schneider ricana :

— Que savez-vous des hémorragies internes ?

Elle répliqua avec dureté :

— C'est mon boulot, Schneider. Une partie de mon boulot. Je travaille aux urgences.

Schneider accusa le coup. Il ne l'avait jamais vue.

— Vous croyiez quoi ? Une petite conne qui se la joue ? Une fille à papa qui vit sur le dos de son jules ? Une sauteuse qui n'attache pas ? J'ai fait le concours, à la sortie de l'École d'infirmières, j'ai pris gériatrie, puis le pavillon des cancéreux. Il y avait des gosses de six ou sept ans avec la boule à zéro et qui avaient l'air de sortir de Birkenau. J'ai pas tenu le choc.

— Personne ne tient jamais le choc, murmura Schneider.

— Personne ? Même pas vous ? se moqua la jeune femme. Tout le monde dit que vous êtes un dur. Un vrai dur.

Sans quitter le pare-brise des yeux, il murmura :

– N'écoutez pas ces conneries. Je ne suis personne.

Elle posa la main sur son poignet. Drôle de conversation, pour un jour de l'an. Elle savait qu'il ne mentait pas – qu'il était incapable de mentir. Elle savait que ce n'était pas ce qu'elle voulait dire. Ce qu'elle aurait voulu pouvoir dire était infiniment plus simple et direct. *Prenez-moi, Schneider, prenez-moi. Enlevez-moi tout et prenez-moi.* Elle ne pouvait pas le dire, elle aurait eu trop peur de passer pour une grue à ses yeux. Et pourtant, ça ne l'aurait pas dérangée, direct, sur la banquette arrière. Elle en était presque à grincer des dents. Au lieu de quoi, elle refit diversion. Et puis, il y avait la large colonne de transmission entre les sièges, le levier de la boîte automatique et le frein à main qui auraient rendu toute approche directe acrobatique et ridicule.

Elle adopta donc une attitude médiane. Elle lui demanda une de ses cigarettes, soi-disant pour changer. Schneider lui donna du feu. Le capot de son Zippo faisait le bruit d'une culasse qu'on arme. Elle garda les doigts autour des siens tout le temps que la cigarette prenne et ne les lâcha pas tout de suite. Schneider en alluma une entre ses paumes, comme s'il se trouvait en plein vent. Il entrouvrit la glace électrique et aussitôt la pluie glacée gifla l'intérieur. Il se borna à la remonter en entrebâillant seulement de quelques millimètres. La tête renversée sur le dossier, Cheroquee demanda d'une voix assoupie en grimaçant :

– Vous vous en tapez combien ?

La cigarette avait un goût métallique, infect et brutal.

– Entre trente et quarante.

– Vous savez ce qui vous attend, observa-t-elle d'un ton égal.

– Ce qui nous attend tous, remarqua Schneider.

Ils le savaient : ce n'était pas de ça qu'ils voulaient parler. Ils savaient tous les deux qu'ils déraillaient complètement. Jeux de cons. Ce qu'ils avaient à se dire tenait de l'Âge des

Ténèbres. Brusquement, la voix de la femme se remplit de rage sourde et d'amertume.

– Et moi, Schneider ? Qu'est-ce qui m'attend ?

Il scrutait l'obscurité devant. Les lumières couleur rubis de l'usine d'incinération. Elle avait envie de le gifler. Peut-être qu'en le giflant, les choses pourraient dégénérer. Qu'il finirait par la toucher. Samu, urgences, flics, ils étaient du même monde, pas des gens à se payer de mots, seulement elle ne voulait pas se tromper. Elle ne voulait pas tout casser. Schneider était enfermé dans une cage de verre où il était seul. Brusquement, elle éprouva le besoin de blesser.

– Vous savez ce que Marina dit de vous ?

– Non, dit Schneider.

– Elle dit que vous êtes un sacré bon coup. Pas un coup facile, mais un bon coup.

– Marina n'en sait rien, murmura Schneider.

Il ne parlait jamais fort, bien qu'il regardât toujours en face. Il avait la voix râpeuse et un peu assourdie d'un bluesman qui n'a pas réussi. Grâce à son expérience professionnelle, Cheroquee savait percevoir la souffrance dans la voix d'un homme. Elle sourit à part soi :

– Je ne voulais pas vous blesser.

– Je ne suis pas blessé.

Doucement, comme à son insu, elle murmura :

– Menteur.

Elle écrasa minutieusement sa cigarette dans le cendrier.

– Vous êtes un drôle de type, Schneider. Autant que vous sachiez la vérité : Marina n'arrêtait pas de me parler de vous. Quand je vous ai vu descendre de votre tank, avec votre vieux trench et votre air de fatigue, j'ai aussitôt su que c'était vous. Tout de suite. Quand je vous ai entendu jouer…

Elle hocha la tête. Elle lui retira la cigarette des lèvres, l'écrasa sans qu'il fît le moindre geste pour l'en empêcher. En même temps, elle lui déclara clairement en plein visage, avec une sorte de nostalgie.

– C'était comme si vous me faisiez l'amour.

Comme il ne disait toujours rien, elle lui saisit le poignet droit, crocha dans la peau avec les ongles. Elle avait de la poigne et c'était calculé pour faire mal. Elle dit, presque avec haine :

– *Ça vous dégoûterait tant que ça, de m'embrasser ?*

Les flics ne savent pas tout, même si c'est leur rêve secret. Bugsy était un être bien plus compliqué qu'il n'y paraissait. L'erreur était de le prendre seulement pour un cloporte. Il avait une double vie et la camouflait avec soin. Comme bien des gens, il avait une mère et il habitait chez elle, une vieille bâtisse avec une maison mitoyenne identique, vestiges de quelque ancienne cité ouvrière dans une impasse qui n'aboutissait plus qu'à des terrains vagues. La mère fermait sa bouche en se bornant à toucher les dividendes. C'est qu'elle n'avait pas une grosse retraite. Si Meunier avait poussé l'avantage, Bugsy se serait sans doute allongé et les flics seraient tombés sur une véritable caverne d'Ali Baba.

Bugsy était un dealer avec une clientèle bien implantée, des habitués qui allaient des putes à des gens très convenables et qui avaient pignon sur rue. Des étudiants, une attachée d'administration promise à un bel avenir et qui se défonçait presque en permanence. Sa came n'était jamais coupée ni trafiquée. C'était un commerçant prévenant, efficace et toujours prêt à rendre service. Certaines pratiques le trouvaient seulement un peu obséquieux, voire sournois. Un simple dealer de proximité, auquel on n'attachait pas plus d'importance qu'au papier peint d'une chambre de passe.

Bugsy avait pourtant un vice caché. Au hasard des livraisons, il transportait en permanence un Nikon-moteur dans un sac Lufthansa. Il sortait aussi la nuit photographier les putes qui sévissaient dans les contre-allées de la Colombière – et pour certaines dans une ruelle discrète, à deux pas de l'hôtel de police. Il arrivait que des flicards de la BSN* viennent se faire sucer en douce.

Bugsy n'en manquait rien.

En planque, il était capable d'une patience infinie.

Le Nikon était équipé d'un télé Auto Nikkor de 200 millimètres à présélection automatique. L'objectif avait pour double avantage d'être raisonnablement lumineux et facilement maniable à cause de sa relative compacité. Le boîtier était chargé d'une bobine très haute sensibilité. Bugsy les donnait à développer en douce à un photographe qui collectionnait surtout les photos de putes. Donnant, donnant.

Dans un passé ancien, Bugsy avait échangé le Nikon contre deux doses et une pipe à genoux. Mâle ou femelle, il ne se rappelait pas, vu l'urgence. Bugsy était en planque dans la pénombre. Il attendait une cliente, une prof en Ford Fiesta. Le rendez-vous était pour *vers* minuit, dans la seule station 24/24 de la ville. La piste était éclairée *a giorno*. Par pur désœuvrement, Bugsy avait sorti et armé son Nikon. Il balaya les pompes. Des fois, il y avait des femmes seules qui venaient se servir, des femmes qui se penchaient pour remplir le réservoir. Des fois, une jupe volait, et Bugsy avait un instant une vue imprenable sur une croupe dressée.

Personne.

Le gardien de nuit devait roupiller dans sa cabine blindée. Dans une cage d'acier, les deux schnauzers géants dormaient aussi, le poil hérissé par les bourrasques.

Il allait être minuit.

Bugsy était insensible au vent comme à la pluie. Il attendait.

Subitement, il perçut au loin la sourde et lente pulsation d'un moteur de Harley.

Bugsy détestait le son des motos japonaises. On aurait dit des moustiques exaspérés.

Un moteur de Harley battait comme un gros cœur tranquille, en paix avec lui-même comme avec le monde.

Bugsy vit la moto s'engager sur la piste. Le type portait un casque intégral et un flight. Machinalement, Bugsy pressa sur le déclencheur. Le moteur prenait jusqu'à quatre images par seconde. La bobine lui donnait une autonomie d'un peu moins de dix secondes. Il lâcha une première et courte rafale. Le motard de dos, relevant sa visière de casque, se dirigeait vers le clavier escamotable. Un blouson flight avec, dans le dos, Mickey Mouse chevauchant une bombe. Bugsy consulta sa montre : il était minuit moins deux.

Au même moment, il vit une Alfa GTV rouge s'avancer sur la piste. Voiture de gonzesse. Bugsy lâcha une nouvelle et brève rafale. Un grand type qu'il ne reconnut pas tout de suite sortit de l'Alfa, un grand type qui eut l'air d'adresser familièrement la parole au motard. Il se dit peut-être quelque chose entre eux, puis le motard porta la main à la poche droite. Bugsy vit l'arme avant même que le type ait ouvert le feu. Comme tétanisé, il pressa le déclencheur.

Au même instant, il entendit les claquements en rafale de l'obturateur près de son oreille, et il entendit aussi les sèches détonations en cascade d'un gros automatique. Le type à l'Alfa était en train de se faire flinguer. On le voyait reculer sous les impacts. En même temps, Bugsy entendit les chiens qui s'étaient mis à hurler à la mort, en mordant les mailles d'acier de leur cage comme des enragés.

En même temps, il perçut le chorus des klaxons qui vociféraient dans toute la ville en l'honneur de la nouvelle année.

La seconde d'après, Bugsy avait détalé dans la nuit.

Ils se tenaient serrés de tout leur long, agrippés l'un à l'autre comme des naufragés. Cheroquee avait retiré ses chaussures et enjambé l'obstacle du tunnel de direction. Leurs mains se parcouraient avec une avidité, presque désespérée. Tout contre sa bouche, Cheroquee proférait des mots sans suite que ni l'un ni l'autre n'écoutait. Elle avait la main sur le bas-ventre de Schneider. Cheroquee n'avait rien d'une mijaurée. Elle savait ce que c'était qu'un homme – et un sexe d'homme. Elle en voyait tous les jours dans son boulot. Elle savait qu'un homme pouvait mentir, un sexe jamais. À travers le tissu du pantalon, elle le serrait à pleine main avec une vigueur insoupçonnée. Schneider n'avait rien d'un menteur et c'était vraiment un dur. Il s'en fallait d'un rien que la situation ne dégénère.

Au loin, par la vitre légèrement entrebâillée, ils entendirent l'interminable vacarme assourdi de la ville. Il venait d'être minuit. Bonne année, bonne santé. Ils s'en foutaient tous les deux. Ils avaient seulement clairement conscience que d'un instant à l'autre, à présent, tout allait basculer. Tout devenait trop violent, presque incoercible. Ils étaient tous deux des adultes, et des adultes en bonne santé. Ils savaient tous deux qu'il allait falloir en finir. Tout de suite. Plus qu'une question de secondes avant l'irréparable.

C'est à cet instant qu'une voix retentit dans l'habitacle. Celle de Charles Catala, qui lançait à tout va :

– Autorité, autorité.

Aussitôt, Schneider s'était plus ou moins dépatouillé de la jeune femme. Elle avait la robe presque remontée jusqu'au-dessus de la taille et une brusque expression de souffrance mêlée de colère lui avait traversé le visage. *Sauvée par le gong. Sauvée ?* Schneider avait saisi le combiné dans la boîte à gants.

– Autorité, j'écoute.

– *Autorité : Delta-Charlie-Delta* sur zone.*

5

Le commissaire principal Stern couvait la scène de son trouble regard de viveur, les yeux mi-clos. Il parvenait à y voir clair, mais seulement les paupières serrées. Il voyait le commissaire divisionnaire Alvarez, directeur départemental des polices urbaines, se tenir à distance de la GTV à laquelle de toute façon nul ne devait toucher avant le passage des gens de l'Identité judiciaire. Alvarez portait des lunettes aux verres jaunes et un complet blanc parfaitement incongrus. Le commissaire principal Manière, chef de la Sûreté, promenait partout sa belle moustache noire impeccable et ses yeux bleus, de son élégante démarche de bellâtre désœuvré, avec le poste portable tenu par la lanière au bout des doigts.

La fine fleur de la police locale, le haut de la gamme.

Autrement, c'était le foutoir habituel d'une scène où un crime venait d'avoir lieu. Le ballet des flics en tenue qui s'activaient à mettre des barrières en place pour délimiter le territoire de chasse. Des fourgons rangés n'importe comment et des gyrophares qu'on avait oublié d'éteindre et qui palpitaient dans le vide, pour rien.

Meunier avait été évacué dans un véhicule qui avançait au pas, peu avant l'arrivée des flics. Son état était jugé critique. Le commissaire principal Stern contemplait la scène avec une expression de dégoût qu'il ne songeait même pas à dissimuler. Quelle idée avait eue ce pédé de Meunier d'aller se faire artiller comme un con, bordel ? Intérieurement il ne décolérait pas. Sauf dans les films, un taulier n'en a rien à foutre de perdre un effectif, sauf si cela pouvait contribuer d'une façon ou d'une autre à son plan de carrière.

Dans son esprit subitement rendu lucide par le vent et le froid, Stern ne voyait pas en quoi la mort de Meunier pouvait lui rendre service. Le plan de carrière qu'on avait prévu pour Stern supposait sa prise de galon dans une ville de moyenne importance, comme Marseille ou Lille, ou Lyon, puis, après un délai raisonnable, un retour en numéro deux à la BRI. C'était le deal qu'il avait passé à Paris fin octobre avec la direction de la Police judiciaire..

Depuis, le train s'était mis en marche. Stern savait qu'il avait des amis. Il savait aussi qu'il n'avait pas que des amis. La moindre connerie pouvait tout faire capoter. Par exemple, la perte d'un effectif dans des conditions douteuses. Stern était loin d'être un con, il savait que la seule échappatoire était de noircir Meunier.

Quand on connaissait le policier, c'était pratiquement mission impossible. Meunier était loin d'être un flic exceptionnel, il s'en fallait même de beaucoup, mais sa fiabilité, sa ponctualité, son sérieux, son honnêteté étaient sans faille. Stern le détestait, mais il savait qu'il serait difficile de lui accrocher une casserole au cul.

Sac à merde.

L'autre sac à merde, c'est lorsque Stern vit le procureur Gauthier descendre de sa vieille Simca d'un noir terne. Tout le monde s'était arrangé pour qu'il fût prévenu en dernier lieu. Gauthier avait à peine la quarantaine, il était grand et mince. Le visage anguleux, la mâchoire dure, il ressemblait un peu à Buddy Holly avec ses minces lunettes en corne et ses cravates haricot vert. Il semblait qu'une fois pour toutes, il se fût installé dans les années cinquante, avec la ferme intention de ne jamais en changer. Gauthier était sorti major de l'école, avait pris tout de suite le parquet. Tout de suite, il s'était inscrit au syndicat de la magistrature, organisation classée à l'extrême gauche.

Aux yeux de Stern, un proc' rouge, c'était encore plus dégueulasse qu'un juge rouge. Stern était tout de même obligé d'en passer par lui, de même qu'Alvarez et Manière. Tous trois haïssaient infiniment plus la magistrature que les malfrats, parce qu'il était plus facile de passer des deals, parce qu'ils avaient plus d'intérêts communs, qu'on s'entendait plus aisément avec les voyous qu'avec les juges.

Le comble, ce fut l'arrivée de la Continental dont la longue antenne oscillait sur son embase au milieu du pavillon et lorsque Schneider en sortit, avec son vieux trench et son costard chiffonné. Schneider avait ce regard gris et vitreux qu'il promenait avec distance sur toute chose. Cette espèce de mépris avec lequel il s'adressait à lui, la plupart du temps par obligation de service. Pour Stern, qui avait eu vent des exploits de Schneider en Algérie, le chef du groupe criminel était une bête malfaisante et dangereuse. Bâtard de SS.

Il le vit se diriger vers Gauthier et les deux hommes se serrer la main. Rien que des fils de pute, prêts à comploter dans son dos. Il préféra retourner dans sa voiture de service. La promenade l'avait décuité. Pablo Escobar se tenait dans le siège du conducteur, ses gros poings posés sur le volant, des poings qui faisaient penser à des cantaloups et dans lesquels le mince volant de bakélite semblait être celui d'une voiture d'enfant, et même une batte de base-ball un jouet inoffensif.

Sans tourner la tête, Stern dit :

– Il faut stopper l'enculé qui a fait ça.

Il ajouta, d'un ton sans réplique :

– Il faut que ça soit nous et pas les autres qui le crèvent*.

Pablo Escobar alluma le moteur. Dans son esprit rudimentaire, il s'agissait de point d'honneur, d'esprit de corps. Un collègue qui se fait effacer, quel que soit le collègue, même une couille molle comme Meunier, on monte au baroud. Direct. Dans celui, beaucoup plus évolué, de Stern, il s'agissait de la meilleure parade à court terme pour neutraliser un éventuel accroc dans le plan de carrière.

Enfoiré de Meunier. C'était à croire qu'il avait fait exprès pour l'emmerder.

La voiture s'ébranla, sans que personne n'y prît garde.

Il y avait une bouteille de J&B dans la boîte à gants.

Heureusement.

Gauthier fixait Schneider avec une extrême attention. Les yeux gris n'avaient aucune expression. La voix de Schneider, en revanche, était sourde et altérée :

– Cinq coups de feu, presque coup sur coup. À ce qu'on sait, une balle aurait presque arraché deux doigts à la main droite.

Schneider fumait, la bouche immobile, mâchoires bloquées.

– Deux autres balles en pleine poitrine. Le tout à moins de deux mètres.

Il ajouta :

– À ce qu'on sait, les deux dernières auraient été tirées dans les parties.

– Dans les parties ?

Il y eut un court silence et même le vent se tut un instant. Schneider souffrait du dos. Il avait les paupières à vif. Aussitôt qu'il avait été prévenu, il avait shooté Cheroquee à sa bagnole, une petite Austin vert anglais, rangée en bataille dans une rue du centre. Au moment où il démarrait, elle était revenue sur ses pas en lui faisant signe de descendre la glace. Par la vitre baissée, elle lui avait posé un baiser sur les lèvres et elle était partie en courant. Plus tard, en roulant, il avait absorbé deux comprimés, en les faisant descendre à l'eau minérale. La nuit risquait d'être longue de même que le jour suivant, et aussi peut-être celui d'après.

– On a prévenu la femme ? s'enquit Gauthier.

– La femme de qui ? (Il revint à lui.) Aucune idée.

– Si ce n'est déjà fait, il faudra le faire.

– Je m'en occupe, murmura Schneider.

– Vous avez du témoin ?

– Le pompiste de nuit. Gardé sous cloche. À toutes fins utiles.

– À toutes fins utiles, souligna Gauthier.

Schneider avait les yeux rivés au sol. Les traces de sang. Les compresses, les emballages plastique, les tampons de coton, tout ce que les gens du Samu laissaient souvent derrière eux, dans l'urgence.

– Tout va bien ? Ça va aller ? demanda subitement Gauthier.

– Si vous vous demandez si je suis chargé, c'est non.

Gauthier battit en retraite, mais c'était exactement ce qu'il se demandait.

Il fixa le policier un instant, comme pour se faire une opinion puis décida d'un ton abrupt et sans réplique :

– Groupe criminel saisi, Schneider. C'est vous qui prenez.

– *Aperçu*, murmura Schneider pour toute réponse.

Gauthier eut l'impression que le policier venait de claquer imperceptiblement les talons. Une simple impression sans doute. Il se borna à hocher la tête.

– Bonsoir, Schneider.

– Mes respects, monsieur le procureur, fit Schneider.

Il lui semblait que sa face se paralysait peu à peu.

Gauthier tourna les talons, puis revint sur ses pas :

– Ah, au fait… *Bonne année, Schneider…*

Le visage du policier resta de marbre. Il regardait la 205 de l'Identité judiciaire arriver à toute allure. Sur le pavillon, frêle lueur bleue palpitante, le gyrophare semblait se battre à lui seul contre le vent sombre et la nuit.

Il venait d'être quatre heures du matin. Schneider avait pris une douche, alternativement brûlante et glacée dans le sous-sol de l'hôtel de police. Il s'était rasé soigneusement et avait changé de sous-vêtements. Il avait troqué son déguisement de traîne-lattes (Steinway & Sons) contre sa tenue habituelle, un jean, une chemise de coupe militaire à même la peau et des boots. Il était redevenu Schneider, avec sa vieille veste de treillis. Rien de follement sexy.

Quatre heures. Il avait terminé les constatations à la station-service, ainsi que dans la GTV de Meunier. Il avait fait conduire le véhicule dans le garage souterrain de la police.

Par l'intermédiaire de Charles Catala, il s'était enquis de l'état de Meunier. Le flic était toujours sur la table d'opération en chirurgie II et il n'était pas possible de se prononcer. Diagnostic réservé. Il s'était assuré qu'on avait bien prévenu la femme. Le chef de poste lui avait affirmé qu'elle l'avait été presque tout de suite, mais qu'on avait omis d'aviser le groupe criminel qu'elle avait été avisée, tant la chose allait de soi.

C'était tout de même un collègue qui était entre la vie et la mort, en train de se battre aux urgences, non ?

Schneider avait fait relever le plan des lieux. Il avait fait photographier les douilles percutées *in situ*. Chacune était signalée par un carton numéroté. Le type avait procédé à la constitution d'un premier exemplaire de travail à l'aide d'un Polaroïd acheté sur ses propres deniers, de même que la pellicule. Les premières conclusions indiquaient que l'arme éjectait les douilles par la droite et qu'il s'agissait de munition de calibre .45 ACP.

Schneider s'interdisait toute conclusion hâtive, de même qu'il se défendait de toute émotion. Quatre heures. Le gardien de nuit était assis en face de lui. Les deux schnauzers se tenaient couchés à ses pieds et visiblement ne dormaient que d'un œil. Schneider avait la carte d'identité entre les doigts. L'homme se nommait Novak, Louis Novak. Né en 1938 en Pologne. De nationalité française. Schneider avait connu un Novak, sensiblement plus âgé.

– C'était mon père, reconnut Novak.

– C'était ?

– Parti, dit Novak.

Visiblement, il n'était pas disposé à en dire plus. L'homme connaissait Schneider de vue et il savait qui il était. Pas mal de monde en ville connaissait Schneider, surtout les gens qui sévissaient la nuit. À côté de la machine à écrire, il y avait la fiche anthropométrique de Novak. Une sombre litanie de coups à la con, entrecoupée de séjours en prison. L'homme était noir comme un corbeau. Il était pourtant pompiste de nuit.

– Expliquez, dit Schneider.

– Facile : je me suis rangé des voitures. Mon patron était au courant, quand il m'a embauché et pourtant il m'a fait confiance. Il y a déjà plus de cinq ans qu'il me fait confiance.

L'un des deux chiens soupira dans son demi-sommeil.

– Manouche ? s'enquit Schneider.

– Rom. Né de mère inconnue.

Schneider était demeuré impassible. Novak connaissait ce genre de type. Il en avait rencontré dans les Aurès. Ce genre de type à qui on commandait de raser une mechta, à tort ou à raison, et qui le faisaient. À tort ou à raison. De jeunes officiers tout en os et en muscles, des guerriers aguerris, sobres et durs au mal, et sous les ordres desquels il n'avait pas détesté servir. À tort ou à raison. Sur le bureau, un cavalier indiquait « inspecteur principal Claude Schneider ». Un tueur avec un prénom de fille. Chef du groupe criminel. Un tueur chargé de traquer un tueur de flics, un autre tueur qui semblait avoir agi sans mobile apparent.

– Quand je suis rentré du bled, dit l'homme sans raison, je suis revenu avec une moukère sous le bras. On s'est mariés à Orange en 1963.

– Et ? s'enquit Schneider en sortant une cigarette de sa poche de poitrine.

– Elle est partie. Je peux fumer ?

– Vous pouvez, dit Schneider.

Il allait lui tendre son paquet mais Novak sortit des Gitanes de son pantalon de piste. L'homme empestait le mazout à dix pas. Tous deux avaient assez de métier pour savoir qu'il s'agissait d'un round d'observation. Lorsqu'on faisait proprement son boulot, on n'attaquait jamais bille en tête, pas plus un témoin qu'un détenu, ou un simple suspect. Schneider cerclait très haut dans le ciel. Dans la tête, Il avait un air et des paroles lancinantes. C'étaient celles d'une vieille chanson yiddish que sa mère chantait par le passé et que Ray Charles avait reprise sous la forme d'un blues déchirant. *Tell me where can I go ? There's no place I can see. Where to go, where to go ? Every door is closed to me…* Il lui restait peut-être une porte et il faillit décrocher son téléphone, au lieu de quoi, il poursuivit en courant sur l'erre :

— Partie comment ?

— Accident de la circule. Un connard qui doublait en haut de côte, fond la caisse. Elle, elle roulait à soixante en tenant bien sa droite. Choc frontal. Vitesse relative, cent soixante-dix. Elle était enceinte de quatre mois. Elle et le gosse y sont passés.

Il eut un regard pour les chiens à ses pieds.

— Maintenant, je vis avec eux. Ou bien c'est eux qui vivent avec moi.

Schneider sut qu'il était temps d'y aller. Fini de cercler. Il posa sa cigarette au bord du cendrier. Il posa ses grandes mains sur la machine.

— Racontez.

Novak raconta d'un ton neutre et précis, les paumes aux genoux.

— Après vingt-deux heures, je ne sers plus aux pompes. Je ferme les baies de lavage, les baies de graissage. Ça arrive juste qu'on répare une crevaison pour rendre service. Je me boucle dans ma cage, je fais l'état des stocks. Je garde le coffre quand on n'a pas eu le temps de faire le dépôt de nuit à la banque.

— Ça arrive souvent ?

— Presque jamais, reconnut Novak. Je prends de vingt heures à huit heures.

— Vous aviez combien en caisse, cette nuit ?

— Rien du tout, le gérant avait pu passer à la banque avant qu'elle ferme.

— Le type n'en avait donc pas après la caisse.

– Le type n'en avait après rien du tout. Quand un véhicule prend la piste, d'un côté comme de l'autre, ça sonne dans ma cage. Le type est venu. J'ai entendu la sonnerie. J'ai entendu comme un bruit de Harley. J'étais dans un demi-sommeil. Je me suis levé. C'était bien une Harley. Le type a béquillé, il allait se servir de l'essence, avec une carte. Pas moyen de faire autrement. Je veux dire, à cette heure de la nuit, l'automate prend le relais. Pas de lézard. À la limite, j'en avais rien à battre, aussi bien j'aurais pu aller me recoucher, seulement j'avais remarqué que c'était une Electra. Ça court pas les rues, une Harley Electra.

– Non, reconnut Schneider avec un demi-sourire.

Il tapait très vite, des deux mains, les épaules droites. La chemise parfaitement repassée semblait encore reposer sur son cintre. Novak remarqua :

– Une Lincoln Continental Mark IV non plus. La seule que je connais dans le coin, c'est celle de Bubu Wittgenstein. *Matching number.* Il lui a fallu plus de dix ans à la remettre d'équerre. Bubu, il prêterait jamais sa chérie à personne, même pas à son jumeau, même s'il en avait un.

Schneider confia avec flegme, en allumant une cigarette à la précédente.

– C'est celle de Bubu.

– Merde, fit Novak, stupéfait. Vous êtes pourtant pas du genre de type à faire des pipes à un mec. Comment vous avez fait pour lui tirer la Conti ? Vous avez fait quoi ? Vous lui avez mis un canon de riot-gun dans l'oignon ?

– Pas même, reconnut Schneider sans sourire. Ensuite ?

– Ça sonne à nouveau. Je vois la GTV, une GTV rouge qui s'arrête et un grand type qui sort. Beau mec, sa tronche me dit quelque chose, mais quoi… C'est seulement après que j'ai fait le rapprochement… Il s'approche du motard… Ils ont l'air de se dire un truc… L'autre fait trois ou quatre pas en arrière, met la main dans le blouson. Il sort un pétard et il vide le chargeur.

– Comment ?

Novak mima le geste en tenant les deux poings serrés l'un contre l'autre, à bras tendus, l'index mimant le geste d'actionner la queue de détente à toute allure. Ça n'apportait rien, car seul un observateur attentif et prévenu peut diagnostiquer si un type qui tire à deux mains est droitier ou gaucher.

– On est bien d'accord que la victime est l'inspecteur principal Meunier. Vous le reconnaissez bien comme tel.

Les yeux de Schneider ne semblaient plus se porter sur quoi que ce soit.

– Oui, confirma Novak avec force. Vous le connaissiez bien ?

– Pas plus que ça, murmura Schneider. Meunier est touché.

Novak baissa le front, caressa la nuque d'un des deux chiens, puis l'autre.

– Touché ? J'ai eu l'impression que votre type éclatait comme une pastèque. L'enculé devait tirer à la dum-dum. Le temps que je prenne mon pompe, j'ai toujours un fusil à pompe avec moi avec six balles à ailettes dans le magasin, le temps que j'aille à la porte, que je déverrouille la serrure de sécurité, le type est déjà barré au diable.

– Et les chiens ?

– Les chiens ? Vous vouliez que je lâche les chiens sur un type qui tire des bastos à tête creuse ? Il avait vidé le chargeur, mais comment je pouvais savoir, moi, s'il en avait pas un autre dans la poche ?

– Vous ne lâchez pas les chiens, de peur qu'ils se fassent flinguer, mais vous, vous y allez. Le type tire de la dum-dum, il a peut-être encore de la réserve, mais vous y allez. C'est ça.

– C'est ça.

– Pour combien par mois ?

– Pour pas lourd, mais on me paye. Et vous, vous auriez pas fait pareil ?

Schneider garda le silence.

Tout pouvait se passer très simplement. Il appelait Marina, qui lui donnerait certainement le numéro de téléphone de la jeune femme. Ensuite il l'appellerait. Pour lui dire quoi ? Qu'il ne savait plus, qu'il n'avait plus d'endroit où aller, qu'il lui demandait, je vous en prie, dites-moi où aller, devant moi toutes les portes sont fermées. Au lieu de quoi, au prix d'un dur effort sur lui-même qui lui fit venir une grimace sur le visage, il se contint, et, parce qu'on le payait lui aussi pour cela, il demanda d'une voix inutilement cassante :

– Description du tireur ?

Novak écrasa sa cigarette, les yeux fermés comme s'il psalmodiait la même histoire depuis des heures :

– La trentaine, corpulence mince. Un pèse-peu : le guignol a eu du mal à béquiller la Harley. Blue-jean et bottes, genre santiags avec le talon biseauté. Un intégral MAX noir avec un autocollant derrière, un drapeau confédéré. Blouson flight.

– Description du blouson, articula Schneider.

Novak conserva les yeux fermés :

– Pas neuf. Cuir marron épais. Il y a de la fourrure au col et aux manches. Dans le dos, il y a un greffier à cheval sur une bombe. Fritz-Ze-Cat. Un truc dans ce goût-là.

– Fritz-Ze-Cat ou pas Fritz-Ze-Cat ?

Novak ouvrit les yeux en pleins phares.

– Fritz-Ze-Cat.

Schneider se pencha sur l'interphone :

– Charlie, vous venez ?

Le jeune flic fit irruption aussitôt. Il tordit le nez : la pièce empestait le gasoil et le chien mouillé.

– Vous passez une diffusion régionale urgente. Tout est dans la machine.

Schneider se leva presque d'un bond. Il était visiblement saisi d'une violente envie de pisser, urgente elle aussi. Schneider était encore beaucoup trop jeune pour souffrir de la prostate. Charles Catala diagnostiqua aussitôt : *amphétamines*.

Marina avait aperçu la petite Austin vert anglais qui surgissait comme une bombe dans l'allée. Elle était venue se ranger presque au ras du perron dans un crissement de freins rageur. La portière du conducteur avait produit comme un coup de feu étouffé en se refermant. Sans se pencher, elle avait vu Cheroquee se diriger à grandes enjambées vers le perron, dont elle avait escaladé les marches d'un pas rapide et décidé, le front levé comme si elle cherchait à apercevoir quelqu'un à l'étage. Elle avait un sac de voyage à la main. Marina avait soupiré doucement. Elle savait exactement ce que ça signifiait : Cheroquee s'était encore disputée et le motif n'était pas difficile à deviner.

La jeune femme avait disparu sans crier gare en laissant son petit ami comme un con.

Marina avait presque envie de rire.

Brusquement, le vent avait molli. La pinède ne ronronnait plus que comme une grosse chatte assoupie au coin du feu. De l'ouest venaient toujours de grands bancs de nuages qui n'avaient plus l'air de menacer personne.

Bonne année, bonne santé.

Elles étaient amies depuis presque vingt ans. Elles avaient connu des joies et des peines, des jours avec et des jours sans. Elles aimaient les mêmes musiques, les rocks des années soixante, les mêmes comédiens, elles utilisaient la même marque de balles de tennis. Il n'y avait jamais eu la moindre ombre, la moindre jalousie, la plus petite défiance entre elles deux. Elles se tenaient de part et d'autre du comptoir au milieu de la cuisine. Elles avaient le même café dans une chope entre les doigts. Une seule différence : Marina buvait le sien à grands traits, afin de faire passer la migraine à coups de Dafalgan. Tout au long de la nuit, elle avait pris une caisse de compétition. À aucun moment, Tom n'était descendu de son bureau où il s'était bouclé peu après le départ de Schneider. La jeune femme pointa l'index en direction de son propre front :

– Casque en plomb. La locomotive et les Indiens. Même les bisons. C'est toujours le lendemain qu'on regrette.

– Le con, jubilait encore Cheroquee. Moi je ne regrette pas. Quand je suis rentrée, le crétin tambourinait déjà à ma porte depuis un moment. Il a tout de suite commencé à me crier dessus. J'ai voulu rentrer, il m'a bousculée. On a déjà failli une première fois se battre sur le palier. Il a manqué me mettre sur la figure avec son extractible, tellement il était fumasse.

Elle hocha la tête.

– Brusquement, il a essayé de me tripoter. C'est là que j'ai ouvert le feu. Je ne sais pas ce qui s'est passé au juste, mais à un moment le Pioneer a volé dans l'escalier.

Elle savait parfaitement : d'un puissant revers du gauche, son poing avait arraché le poste des doigts de l'adversaire. L'objet avait alors décrit une courte parabole ondoyante et futile avant d'aller s'écraser au sol en jetant des pièces partout dans un rayon d'un bon mètre carré. L'image lui arracha un sourire de contentement.

– Il est descendu porter secours à son Pioneer, mais c'était déjà trop tard. J'en ai profité pour me boucler chez moi. Il est revenu tambouriner à la porte, avec les poings et les pieds. Il gueulait qu'à cause de moi, le portable était mort et qu'il allait m'envoyer la facture. Que je n'étais qu'une putain et qu'il allait me casser la gueule. Je lui ai braillé qu'il pouvait toujours essayer.

Malgré son mal de crâne, Marina rit.

– Au bout d'un moment, il s'est calmé. Je suis restée à guetter derrière la porte, puis j'ai fini par l'entendre descendre. Je l'ai vu sortir et démarrer en crabe. À l'accélération, les pneus ont fumé sur au moins dix mètres. Il a bien dû laisser deux centimètres de gomme par terre. Tu te rends compte, des SP Sport.

Elle rit et déballa franchement :

– On est férié. Je connais l'animal. Chez moi, il va revenir me faire chier toute la journée. Je ne peux pas me le permettre, demain je bosse à six heures. (Elle se rembrunit soudain.) Je pourrais aller chez mon père, mais je ne voudrais pas trop qu'il sache.

– Qu'il sache quoi ?

– Entre Francis et moi, c'est fini.

– Depuis quand ?

– Depuis cette nuit, déclara Cheroquee d'un ton bref.

Elles étaient amies, mais elle ne pouvait tout avouer : depuis qu'elle avait vu Schneider. Depuis l'instant où elle avait vu ses grandes mains sur le piano. Depuis qu'ils s'étaient embrassés dans la voiture. À l'instant même où elle avait aperçu sa silhouette immobile et son regard braqué sur elle, elle avait su instantanément que c'était l'homme de sa vie. Elle ne l'avait jamais vraiment attendu, mais elle savait que c'était lui et qu'il n'y en aurait pas d'autre.

Elles gardèrent le silence, puis Cheroquee sourit en montrant un petit bout de langue.

– Je suis crevée. J'ai froid et j'ai du sable sous les paupières. Je suis une petite animale sympa qui a besoin de beaucoup de sommeil. Je sais qu'ici, il n'osera jamais venir. Tu aurais un coin pour moi, un bout de divan ?

– Tu as une chambre, en haut.

Elles ne tardèrent pas à monter. Subitement, Cheroquee fut à bout de force. Elle ne savait plus trop si elle avait envie de pleurer ou de rire. Elle prit rapidement une douche et se changea. On suivait ses vêtements à la trace. Elle avait les jambes nues et enfilé seulement un long sweat en coton rose délavé que Marina avait l'impression de lui avoir toujours connu. Les deux jeunes femmes n'avaient aucun secret l'une pour l'autre. Elles avaient passé des heures à se rôtir recto verso, nues au bord de la piscine. En remontant la couette sous son menton, Cheroquee rit :

– Au fond, je suis un être simple. (Elle se redressa, bombarda l'oreiller de coups de poing pour bien faire son trou.) J'aime dormir. Je suis rien qu'une bonne grosse chatte. Une grosse chatte qui peut dormir des jours entiers en rond devant le feu, à ronronner. Pour peu qu'on lui foute la paix.

À la porte, Marina gardait le silence.

Puis, en éteignant la lumière, juste au moment de refermer, elle l'avertit comme à regret en trois phrases aussi courtes que possible, d'une voix sourde et crispée, sur un rythme ternaire et lent. Un rythme de valse triste. Elle dit seulement :

– Schneider. À ta place. J'oublierais.

Le jour avait fini par ramper dehors. Schneider avait terminé l'audition de Novak, qu'il avait relue lentement avant de la faire signer au témoin. Deux originaux, cinq carbones. En se tenant devant la fenêtre, une chope de café à la main, il avait suivi du regard la lourde silhouette trapue de Novak en combinaison de piste s'éloigner dans la pluie en direction des Abattoirs, un chien tenu en laisse de chaque côté. Les Abattoirs étaient fermés. La pluie s'était remise à tomber lentement, sans bruit. Elle faisait sur les vitres de fines zébrures parallèles qui ne tarderaient pas à se rejoindre en minuscules ruisseaux qui couleraient eux aussi sans bruit jusqu'en bas. Sur l'appui de fenêtre, il y avait une cafetière électrique qui gazouillait faiblement, mais sans cesse. Charles Catala l'appelait la concierge. En bas, sur le parking flic, il y avait toujours la Conti posée entre deux emplacements. Grande, longue et luisante avec la grosse antenne radio sur son embase, sa présence au vu et au su de tout l'hôtel de police pouvait passer pour de la provocation. Sans se retourner, Schneider commanda :

– Charles, vous prenez un esclave et une voiture et vous ramenez la Conti.

– Aperçu, se borna à enregistrer le jeune homme.

Il était resté derrière la machine à écrire, à se balancer sur la chaise de dactylo, le pied dans un tiroir. Julien Clerc. Un Julien Clerc avec le casque en plomb. Il relisait la déposition du témoin. Il releva le front.

– Dingue, remarqua-t-il. À la question : quand vous avez vu la victime au sol, Novak a répondu, je cite : « Non, je vais pas à la voiture. Dans ma tête, le type de l'Alfa est aussi mort que l'idée de l'égalité des chances, avec ce qu'il vient de se manger. Alors, je vais pisser, je me la secoue et je fais le 17. Vous avez demandé la police, ne quittez pas. Je refais le numéro. Même chose. Alors j'appelle le Samu… » Vous vous rendez compte ?

Schneider ne voyait pas très bien de quoi il fallait qu'il se rendît compte. Aller pisser, peut-être ? Il en revenait. Il fit d'une voix neutre, où n'entrait nul reproche et pas le moindre sarcasme.

– Est-ce que vous avez déjà assisté à un artillage ? Est-ce que vous avez déjà vu un type se faire tirer dessus devant vos yeux ?

– Non, reconnut le jeune homme.

– Je ne vous le souhaite pas.

Ils avaient gardé le silence un instant, puis Schneider avait rappelé :

– La voiture en bas, Charles. Elle est sur un emplacement Police. Il faut l'évacuer avant qu'on ramasse un PV.

Pour sa part, il avait autre chose à faire. Un rendez-vous auquel il ne pouvait pas couper et où il allait à reculons. Où il devait se rendre seul, sans personne pour lui souffler dans la nuque. Dans le tiroir, il ramassa son arme qu'il mit à l'étui, à sa ceinture. Sans un mot, il saisit sa veste de treillis et sortit.

C'était une villa basse, tout en longueur. Une demeure cossue, solidement bâtie en pierre de taille, bien assise, avec des fenêtres à meneaux et une vigne qui sinuait le long de la façade, les gros rameaux sombres dégouttant de pluie. Schneider lui trouvait un air de cottage anglais, sérieux, réservé. C'était sans doute un endroit confortable, agréable à vivre, mais qui offrait un visage austère. Non loin du garage, il y avait le tronc trapu d'un cèdre qu'on avait ébranché. Il était resté étendu tel quel, sans doute faute de matériel lourd pour le brasser.

Schneider avait arrêté sa voiture de service à l'orée de l'allée.

Le moteur tournait toujours au ralenti. Les essuie-glaces battaient par intermittence. Schneider fumait. Il avait mis le chauffage, mais il avait froid. Il connaissait ce genre de froid. Le froid qui règne dans une carlingue d'avion, au moment où on ouvre la porte et qu'il va être temps de se jeter dans le vide. Le moment où l'on guette la lumière verte.

Qui dit qu'il faut y aller.

Dès son premier saut, Schneider avait eu peur. Il avait eu peur tout le temps. Il avait sauté sous le feu ennemi, avec le long fouet des traceuses qui entouraient l'avion, le crépitement sec des impacts sur la carlingue. Une balle traçante monte à votre rencontre, jamais tout à fait droit, avec une sorte de vice qui n'est dû qu'à la balistique. Lorsqu'elle vous a manqué, elle continue et disparaît. La peur ne l'avait jamais quitté, pas un instant. C'était un secret qu'il ne pouvait partager qu'avec lui-même, et encore pas tout le temps.

Une fois dehors, c'était le silence, le vent, la chute et tout allait mieux, jusqu'au bref rappel de la sangle automatique qui ouvrait le parachute. Il n'y avait plus qu'à descendre et se laisser porter par le piège*. Plusieurs fois, il avait alors essuyé des tirs lorsqu'il était en l'air mais n'avait jamais été touché en descente.

Dans la voiture, il avait froid et l'estomac noué.

Il regardait la porte où était encore accrochée une couronne de Noël. Il savait que la lumière allait s'allumer d'un instant à l'autre, alors de lui-même, il coupa le moteur, ouvrit la portière et se jeta dehors en laissant les clés sur le contact.

La femme avait la soixantaine, elle portait des ballerines et un jean, un pull en mohair gris. Elle avait les cheveux gris fer coupés très court. Elle était encore très regardable. Schneider la connaissait de vue sans parvenir à la situer. Il se tenait sur le seuil, sa carte de flic devant lui comme si elle pouvait le protéger en quoi que ce soit.

– Entrez, dit la femme. Ma fille s'occupe du bébé. Elle sera à vous dans un instant.

Schneider était entré. La femme l'avait conduit au salon et elle l'avait laissé. Tout était à peu près comme il se le figurait : confortable et austère. Dans la cheminée, le feu était mort de sa belle mort et exhalait une odeur de cendre humide et de bois froid. Schneider était resté debout, le front pensif, le visage contracté. Puis Minnie était entrée dans son dos, presque sans bruit. La copie conforme de sa mère, avec vingt ans de moins. Elle avait les yeux rougis et les traits crispés, mais elle se tenait bien. Comme s'il se fût trouvé dans le cabinet d'instruction de la femme, il s'était incliné brièvement, en détournant le regard.

– Mes respects, madame la juge.

Il sentait les ondes de souffrance qui émanaient d'elle. Elles avaient un caractère presque physique. La femme eut une sorte de sourire qui n'alla pas jusqu'aux yeux.

– C'est tout ce que vous avez trouvé, comme entrée en matière ?

C'était tout ce qu'il avait trouvé. Un mort, c'est pas grave, on sait qu'il ne vous emmerdera plus. Face à un mort, dans quelque état qu'il fût, Schneider pouvait assurer. Il pensait pouvoir assurer. Face à la souffrance d'autrui, il ne savait que faire. La femme lui fit signe :

– Asseyez-vous.

Schneider obtempéra. Minnie remarqua la vieille veste de treillis. Le pistolet à la hanche. Schneider était un homme perdu. Elle s'assit sur un pouf, en face de lui.

– Vous voulez prendre quelque chose ? Un café ?

Schneider fit signe que non. La jeune femme portait un ample pull-over informe, trois fois trop grand pour elle. Elle inclina légèrement le torse, comme pour se bercer. Elle glissa les mains entre les genoux, qu'elle serra de toutes ses forces. Elle braqua sur lui des yeux très verts, très doux et démunis sans les lunettes sévères qu'elle arborait au tribunal. Elle dit :

– Je suppose que vous voudrez m'entendre en qualité de témoin.

– Oui, dit Schneider après un temps.

Il était venu sans machine à écrire, sans bloc pour enregistrer les déclarations. Il était venu comme un homme qui se rend chez une personne dont un proche est en train de claquer aux urgences. Il était venu aussi pour recueillir ses déclarations.

Minnie était juge, et une bonne juge, aux yeux de tous. Vieille famille de droite, donc fiable par essence. On l'estimait parce qu'elle était mariée avec un flic. Parce qu'on la savait rigide, dure et précise. Sèche comme un coup de trique. Elle dit :

– Nous nous apprêtions à réveillonner. Parce que, malgré ce qui se raconte, nous ne sommes ni mormons, ni baptistes, ni témoins de Jéhovah, ni quoi que ce soit.

Schneider était au courant des racontars qui couraient sur leur compte. Comme tels, il n'en tenait aucun compte.

– Il devait être onze heures, lorsque j'ai vu Meunier enfiler sa veste. Il s'est penché sur notre fils. Je lui ai demandé s'il sortait. Il m'a répondu qu'il s'agissait d'une simple vérification.

Elle n'appelait pas Meunier par son prénom. Elle ne disait pas mon mari. Elle disait seulement Meunier, comme s'il se fût agi d'un prévenu, d'un témoin ou d'un suspect. Machinalement, Schneider sortit une cigarette, la rengaina aussitôt avec une grimace.

– Vous pouvez fumer.

– Non, merci.

– Peu avant, il m'avait relaté une altercation avec son chef de service, le commissaire principal Stern. Stern avait accusé Meunier d'avoir plus ou moins bâclé le travail. Il était question d'un certain Bugsy, qui avait été balancé.

– Bâclé le travail ?

– Meunier n'avait pas effectué la fouille à corps. Bugsy était censé transporter la marchandise dans son ampoule rectale. Meunier n'avait pas poussé l'examen jusque là. (Elle réfléchit.) Il n'avait pas l'étoffe d'un très grand flic…

– Il n'est pas mort, observa Schneider.

Il commençait à avoir vraiment besoin d'une cigarette.

– Pas encore. C'était quelqu'un de franc, de sérieux, de méthodique. C'était aussi un homme extrêmement pudique.

Elle tendit les doigts :

– Donnez-moi une cigarette, Schneider.

Il sortit son paquet, le lui tendit, donna du feu. Elle fixait les cendres mortes.

– Physiquement et moralement pudique. Il était très beau, vous savez. Il n'en tirait aucune gloire ni aucune fierté. (Elle releva les yeux. À présent, ils semblaient vitreux.) Comme s'il se sentait responsable en laissant filer Bugsy, il a dû vouloir le retrouver avant que l'autre n'ait eu le temps d'écouler la marchandise.

– Bugsy est un dealer, observa Schneider. Un dealer est un commerçant comme les autres. Les commerçants ne sont dangereux qu'entre eux. Je ne vois pas Bugsy tirer sur qui que ce soit et certainement pas sur un flic.

– Moi non plus. Meunier part pour une de ces rondes-battues dont il avait l'habitude. Il cherche Bugsy, parce qu'il se reproche de l'avoir laissé filer. Il trouve quelqu'un d'autre ou quelqu'un d'autre le trouve.

Elle se tut. Elle se tenait bien, mais malgré elle, la souffrance la défigurait, lui tirant la peau sur les tempes et lui rentrant la tête dans les épaules comme sous les coups. Schneider finit par allumer sa cigarette. De nouveau, elle avait braqué les yeux sur les cendres du foyer.

– Je lui ai demandé s'il était armé. Il ne l'était pas. Dans son esprit, il y en avait pour une demi-heure, trois quarts d'heure. J'ai même vu après qu'il avait tout laissé sur la cheminée, son portefeuille, ses papiers, les clés de la maison. Comme tous les soirs, qu'il rentrait pour ne pas ressortir de la nuit.

– Son arme.

– Il la laissait au service, dans un tiroir fermé à clé.

– Quoi d'autre ? demanda brusquement Schneider.

Il avait de nouveau son ton de flic. Il était en train de reprendre le dessus.

– Il m'a parlé d'une affaire en cours, se rappela la femme. Peu avant de sortir, il était étendu sur le divan, à peu près là où vous êtes. Il examinait le contenu d'une enveloppe dans laquelle il y avait des clichés anthropométriques, ainsi que les photos de surveillance d'une jeune femme. Bugsy faisait partie du lot, naturellement. La femme était une parfaite inconnue. Du moins pour moi. Elle marchait dans la rue, prise depuis un sous-marin en surveillance.

– Rien d'autre ?

– Rien d'autre.

Elle jeta sa cigarette dans les braises. Schneider fit de même.

– En partant, Meunier a emporté l'enveloppe avec lui. Une enveloppe administrative en papier kraft. Format 9 × 13. Vous ne l'avez pas retrouvée, dans ses affaires ?

Schneider roulait à toute allure, gyrophare allumé, dans les rues désertes. Il tenait le volant d'une main et tentait de l'autre de contacter Charles Catala, le combiné de la radio de bord contre la cuisse droite. *Autorité appelle. Autorité appelle.* Il avait mal dans les os et une boule à l'estomac. Il avait merdé et il le savait. À ses propres yeux, excepté ses réelles compétences professionnelles, sa rigueur obsessionnelle, son acharnement méthodique, il n'était rien ni personne.

Il aurait dû penser tout de suite à envoyer un de ses hommes chercher les affaires de Meunier aux urgences. Elles auraient dû être immédiatement saisies et placées sous scellés. Elles pouvaient comporter des traces et indices (sang, débris d'os et de chair, orifices d'entrée et de sortie) nécessaires à la poursuite de l'enquête. Un rien, un oubli, la moindre négligence, pouvait faire capoter une enquête criminelle. Pour un tueur de flics, c'était la mort qui attendait au bout de la route. Schneider en grinçait des dents. Le moteur hurlait en surrégime. Il n'y était pourtant pour rien. Schneider entendait le claquement des soupapes comme un reproche, mais il s'en foutait. *Autorité appelle.* Schneider n'ignorait pas qu'il mettait le même acharnement méthodique à se détruire.

Un vent braillard s'était levé, chassant la pluie devant lui à grands coups de balai rageur. La ville entière semblait saisie d'une gueule de bois géante. Comme un grand, le vent avait décidé de prendre les choses en main et faisait le ménage. À l'ouest déjà paraissait un étroit pan de ciel bleu livide. Schneider passa la place de la Liberté en glissant des quatre roues. Il ralentit à peine en prenant à droite. Il était à cinq minutes de l'hôtel de police. Subitement, la voix de Charles Catala envahit l'habitacle. Elle non plus n'avait pas l'air très brillante.

– Vous écoute, Autorité.

– J'ai merdé, Charles. On n'a pas les affaires de Meunier.

Pour toute réponse, le jeune homme avait affecté un ton allègre.

On sentait bien que lui ne l'était pas.

– Pas la peine de vous foutre la rate au court-bouillon, Schneider. Les kébours* les ont ramenées. Elles vous attendent, bien au chaud dans votre bureau.

6

Le bureau sentait le sang. Une âcre et puissante odeur de sang, assez comparable à celle d'un sous-bois mouillé après l'orage. Le pantalon de la victime séchait sur le radiateur sous la fenêtre. Son chandail à col roulé et sa veste de treillis, une vieille veste de combat assez comparable à celle de Schneider, étaient suspendus à la poignée de fenêtre. Chaque pièce de vêtement pouvait constituer un élément de preuve, aussi serait-il saisi et placé sous scellés, afin de pouvoir être présenté à l'audience des assises, en temps utile. Schneider savait aussi qu'on en habillerait un mannequin, transpercé de tiges d'acier, afin de matérialiser les trajectoires de balles. Quelle que fût la victime, Schneider avait l'impression de faire les poches des morts. Souvent, on n'emportait pas grand-chose avec soi – et parfois rien.

Dis-moi où je pourrais aller, où aller, où aller ? Dis-moi où je pourrais aller ?

Depuis la veille, Schneider avait la musique dans la tête. Il aurait pu l'interpréter les yeux fermés. Comme bien des chansons venues du fond des âges, elle emportait avec elle une effroyable et fervente nostalgie. La femme qui se faisait appelait Cheroquee, en termes de police la « soi-disant Cheroquee », avait des genoux aussi doux que des galets polis et il avait encore son odeur sur les doigts. Schneider avait le sentiment que seule la femme pouvait répondre à sa question. Il était extrêmement peu probable qu'elle y consentît et peut-être était-ce mieux ainsi.

Pour combattre l'odeur âcre du sang qui séchait, Schneider alluma une cigarette.

Aussitôt, il toussa dans son poing.

Meunier était parti pour ainsi dire les poches vides.

Un coupe-ongles ordinaire, un paquet de mouchoirs en papier.

Les clés de contact étaient restées sur l'Alfa.

Au tout dernier moment, ainsi certains morts font-ils preuve d'un extraordinaire dénuement, d'une intense humilité.

Meunier n'était pas mort : il figurait encore simplement en pole position sur la ligne de départ.

Un coupe-ongles, un paquet de mouchoirs en papier, et une enveloppe administrative en papier kraft empesée de sang. Les photos qu'elle avait contenues étaient étalées comme une donne de poker sur le sous-main de Schneider. Catala fumait aussi, les paupières serrées. Il combattait sur deux fronts, ce qui est toujours incertain et épuisant. Sur le flanc Sud, il se battait contre la gerbe et contre la migraine qui lui broyait les tempes sur le front Nord. Le sang lui martelait les tympans. Un nouveau front venait de s'ouvrir à l'instant.

Parmi les clichés anthropométriques, il y avait celui d'un jeune homme de vingt-cinq ans que les deux policiers connaissaient.

– Francky, hein ? murmura Catala.

– Francky, oui, reconnut Schneider.

Il avait fait remonter sa fiche des archives. Francky était connu, mais non recherché. Ce que les flics appellent une valeur sûre, celui qu'on commence par aller interpeller tout de suite, quels que soient les faits commis, à peu près certain que s'il ne sort pas sur cette affaire, il sortira sur une autre. Sur la photo de face, Francky portait un vieux blouson Flight de l'aviation américaine. Sur l'épaule, il arborait encore l'écusson délavé du 47e groupe de bombardement léger. Savoir où et quand le jeune homme l'avait récupéré était une tout autre paire de manches. Une seule chose était sûre : il l'avait sur les épaules dès la première arrestation. Conduite en état d'ivresse, deux fois. Outrage-rébellion, ce qui ne voulait pas dire grand-chose, compte tenu de la qualité douteuse des agents interpellateurs. Des kébours avides de faire des crânes à bon compte. Plus grave, Francky était tombé deux fois par la suite pour coups et blessures volontaires. Puis une dernière, pour tentative d'homicide volontaire.

Sur la photo qu'il avait entre les doigts, le jeune homme avait l'air farouche d'un jeune voyou buté, fort en gueule et retors. Il avait de faux airs de Reggiani dans *Le Carrefour des enfants perdus*. La différence était que Reggiani jouait la comédie, tandis que Francky ne la jouait pas. Il était réellement perdu. Les coups étaient de vrais coups, le sang du vrai sang.

Le malheur va au malheur, aussi sûrement que tout fleuve va à la mer.

Comme signe particulier, la fiche indiquait qu'il présentait de nombreuses et profondes scarifications sur les deux avant-bras. Il les devait à une obscure altercation avec des manouches d'un camp voisin, un combat à trois contre un à la serpette, dont les causes exactes n'avaient jamais pu être établies avec précision. Deux des agresseurs étaient morts des suites de leurs blessures, le troisième avait survécu par miracle.

Francky aussi.

Par sa mère, il était Gitan de Barcelone.

Schneider avait fait remonter son dossier individuel des archives.

Il s'assit à son bureau, lisant attentivement chaque acte de procédure, qu'il tendait ensuite à Charlie. Le jeune homme en prenait connaissance avec tout autant d'attention. Avant la moindre reconnaissance de terrain, Schneider avait pour règle de s'imprégner de la cible. Francky en faisait une toute choisie. Les deux policiers fumaient cigarette sur cigarette. L'odeur de sang faisait comme une présence obsédante, comme si la victime aussi leur lisait par-dessus l'épaule. La nuit tombait déjà, une nuit qui promettait d'être claire, froide et calme.

— Francky, dit Charles Catala en regardant dehors.

Son reflet dans la vitre avait les yeux creux et les pommettes saillantes, une vilaine bouche amère.

– Putain, je n'arrive pas à le voir en tueur de flics.

– Si tous les tueurs de flics avaient l'air de tueurs de flics, remarqua Schneider, la vie serait plus simple. Pas plus longue. Seulement un peu moins difficile à vivre.

Il avait un ton sourd, la face livide et ressemblait plus que jamais à un loup gris prêt à mordre. Ce qui compliquait tout, c'est que l'un et l'autre connaissaient Francky, et que, d'une certaine façon, tous deux avaient une sorte d'estime pour lui.

Schneider referma le dossier, glissa deux photos dans sa poche de poitrine. Puis il se leva, ramassa son arme, enfonça un chargeur dans la crosse. Le canon dirigé vers le plafond, il monta une cartouche dans la chambre et glissa l'arme dans l'étui de tir rapide sur la hanche droite. On ne laisse pas refroidir une piste. Catala se leva avec plus de nonchalance et moins de détermination. Il savait ce que cela voulait dire : une nuit blanche à courir derrière Francky. Une nouvelle nuit blanche. Schneider décrocha des clés de voiture au tableau.

– Vous ou moi ?

Catala se résigna du geste. Schneider lui expédia les clés, que le jeune homme intercepta au vol. Ils sortirent, Schneider en dernier, éteignant sur eux.

La jeune femme se réveilla à tâtons dans le grand lit, s'étira de manière méthodique et paresseuse. Il faisait tiède, la couette était presque aussi lourde que le corps de l'homme qu'on aime. Le vent se bornait à siffloter dans le conduit de cheminée. Cheroquee tendit le bras et ne rencontra que du drap froid. Elle était seule. Elle avait dû rêver. Elle fit rouler la nuque lentement sur l'oreiller. En se réveillant peu à peu, elle avait souvent le sentiment de se réapproprier son corps. Il avait vécu sa vie durant le sommeil. Maintenant, elle rentrait chez elle et y prenait un simple et vrai plaisir.

Cheroquee devait le reconnaître : elle aimait son corps. Non pas qu'elle le jugeât parfait, elle était loin de se considérer comme un canon de beauté, mais c'était le sien, elle l'habitait depuis toujours et s'y sentait bien – sauf une fois par mois. Elle alluma le chevet, considéra le foutoir alentour. On la suivait réellement à la trace. Blouson et chaussures, foulard, robe, bas et culotte dans l'ordre matérialisaient la trajectoire approximative qui menait de la porte d'entrée à celle de la salle de bains. Elle mettait toujours de l'ordre, et ne laissait jamais rien traîner mais seulement le lendemain matin avant de partir. Marina avait disposé un peignoir éponge et une paire de mules sur une chaise. Cheroquee s'assit au bord du lit, bâilla de toutes ses forces en s'étirant de nouveau puis se leva. Elle embroussailla sa lourde crinière tout en se dirigeant d'un œil vers la salle de bains. Elle avait conscience de l'odeur de tourbe qui émanait d'elle. Elle n'y pouvait rien. Elle avait beau prendre des douches à tout bout de champ, cela n'y changeait rien. C'était encore pire au moment des règles. Déséquilibre hormonal.

Nue devant la grande glace, elle s'observa sans complaisance. Des jambes de sportive assez courtes mais musclées, les attaches fines et de tout petits pieds. Les choses s'aggravaient aux hanches – un peu trop larges –, et surtout avec la poitrine, beaucoup trop lourde et qui lui faisait des petites épaules et le torse gracile. Un jour ou l'autre, elle avait l'intention de se faire opérer. Un jour ou l'autre.

Le fait qu'elle s'épilât complètement le sexe rendait sa nudité plus parfaite tout en lui donnant un attrait presque impubère.

Elle passa longuement sous la douche, se savonna partout, l'eau alternativement brûlante et glacée.

Se lava les cheveux.

Elle ne pouvait s'empêcher de penser à Schneider. À ses mains sur lui.

Lorsqu'elle descendit, Marina l'attendait dans la cuisine. Elle avait fait du café et des toasts. Elle dit tout de suite :

– Il y a un flic qui s'est fait tirer dessus cette nuit.

Cheroquee ressentit comme un coup au bas-ventre et frissonna.

– Non, pas ton type, lâcha Marina du bout des lèvres. Un inspecteur des Stupéfiants. La victime est chez toi, aux urgences, entre la vie et la mort.

– Comment tu as su ?

– Passé à la radio.

– Tu ne l'aimes pas, observa Cheroquee. Schneider, pourquoi tu ne l'aimes pas ?

Marina garda le silence. Il allait être cinq heures. La nuit était déjà tombée.

Beaucoup plus tard, Marina remarqua :

– Tom n'a toujours pas quitté son bureau. Il y passe des nuits entières. Parfois il y travaille et parfois pas. Des jours et des nuits entières.

Elle pensa : une femme peut toujours se battre contre une autre femme avec une chance raisonnable de l'emporter. Personne ne peut jamais se battre contre une morte. Les mots lui brûlaient les lèvres, mais elle continua à garder le silence. Tout en tenant sa chope de café à deux mains, Cheroquee sourit et demanda :

– Est-ce que ça te dérange si je dors encore cette nuit, ici ?

– Bien sûr que non, sourit Marina en retour.

– C'est moi qui te fais rire ? demanda Cheroquee.

– Non, mentit Marina.

La crinière en bataille et la bouche alanguie, la figure encore lourde et gonflée de sommeil, Cheroquee donnait l'impression de sortir du lit après avoir passé la journée à baiser.

Ils avaient commencé par aller voir Novak à la station-service. Celui-ci leur avait offert un Johnny Walker dans des verres en Pyrex. En principe, c'était dans la règle : en service un flic ne boit pas, mais ni Schneider ni Charlie n'en tenaient compte. Personne ne les avait vus tourner ne serait-ce qu'éméchés, mais tous deux savaient qu'il fallait souvent faire mine de sympathiser avec l'ennemi et que l'alcool pouvait s'avérer, en quantité très modérée, un excellent agent de liaison. Schneider savait aussi qu'avant d'ouvrir le feu, il était bon de laisser progresser la cible en terrain découvert. Schneider laissa Novak pousser ses réflexions. Après tout, on était le 1er janvier. Un jour de fête en quelque sorte. Novak était brusquement allé dans le cagibi de la réserve qui lui servait de chambre. On l'avait entendu fourrager un instant. Il était revenu en brandissant un vieux *Match*. Il s'adressa à Schneider

– Quand je vous ai vu, au Central, je me suis dit que votre tronche me disait quelque chose. En plus, un flic avec un prénom de gonzesse. En rentrant, j'ai cherché dans mes archives. Et j'ai trouvé.

En même temps, il feuilletait le magazine avec fébrilité et triompha subitement :

– Tenez. Regardez.

Schneider n'avait pas besoin de regarder. L'article relatait avec plus ou moins d'objectivité une opération qui s'était déroulée en mai 1961 dans le massif de l'Ouarsenis et avait permis le quasi-anéantissement d'une katiba. Sans doute parce qu'il était relativement photogénique avec ses traits émaciés, ses cheveux courts et ses yeux dissimulés derrière des Ray-Ban de pilote, le très jeune lieutenant Claude Schneider figurait pleine page, sur fond de talweg, de half-tracks et d'hélicoptères. Il avait la bouche amère, une expression crispée et l'air parfaitement furieux, poings gantés de noir aux hanches.

Les photographes de la Propagandastaffel raffolaient de ce genre de clichés, propres à faire la première des magazines et à redorer l'image de marque d'une armée qui en avait bien besoin en métropole.

La veste de combat ouverte à même la peau, Schneider portait un ceinturon US avec un .45 automatique dans un étui de tir rapide. Le même qu'il avait encore à la ceinture. Trois jours après la photo, au cours d'une banale opération de ratissage plus au sud, il était tombé sous le feu d'un fusil-mitrailleur embusqué. La plaisanterie lui avait valu quatre mois d'hôpital à Alger. À quelques centimètres près, la rafale lui sectionnait la moelle épinière.

À vingt-deux ans, le très jeune lieutenant Schneider était promis à la petite chaise.

– C'est vous, ça ? fit Catala, penché par-dessus l'épaule. Il lui arracha le magazine des doigts, s'étonna : Putain, une célébrité. Citation à l'ordre de l'armée, Légion d'honneur. Vous aviez quel âge, là-dessus ?

– Laissez tomber, Charles, murmura Schneider d'une voix blanche en lui reprenant *Match* des mains. Il le rendit à Novak. Il lui dit dans les yeux :

– Oubliez, Novak. Les vivants, comme les morts, ont droit à l'oubli.

C'était le même droit et Schneider réclamait la grâce d'être traité comme les autres.

– Non, dit Novak d'un ton sans réplique. Faut jamais rien oublier. Jamais. Ce truc, c'est plus à vous qu'à moi.

D'un geste résolu, il remit le magazine à Schneider. Celui-ci remercia, comme à son habitude, d'une brève inclinaison du torse, roula le journal et le glissa dans l'une de ses vastes poches de veste, dont il sortit plusieurs photos de Francky.

– C'est lui ?

Novak examina chaque cliché l'un après l'autre avec minutie, puis les rendit.

– Affirmatif, mon lieutenant.

– Vous seriez disposé à en témoigner par procès-verbal ?

– Affirmatif, mon lieutenant.

Schneider sortit une convocation bleue qu'il remplit rapidement de son écriture sèche et précise et la remit.

110

– Demain matin, dix heures dans mon bureau, ça vous va ?

– Affirmatif, mon lieutenant.

Il ne restait plus aux deux policiers qu'à terminer leurs verres et à s'en aller. Au moment de sortir, Schneider s'entendit appeler par son grade. Novak levait le verre qu'il venait de remplir. Le geste pouvait passer pour un toast.

– Vous vous rappelez, mon lieutenant, les triquées qu'on leur a mises à ces enculés de bougnoules. Putain, qu'est-ce qu'on leur a mis ! Vous vous rappelez ? Tout ça, pour qu'ils reviennent maintenant nous faire chier chez nous. Vous vous rappelez ?

– Je me rappelle, oui, admit Schneider.

Il savait reconnaître la haine lorsqu'il la rencontrait.

La porte s'était refermée. En allant à la voiture, Schneider dit à son jeune collègue :

– Je compte sur vous, Charles, pour que ce que vous venez d'apprendre demeure strictement confidentiel.

Durant tout le trajet qui les mena ensuite jusqu'au dernier domicile connu de Frankie, Charles Catala demeura sans fumer, muré derrière son volant dans un silence opaque.

Dans l'étroit faisceau lumineux de sa torche-crayon, Schneider vit un portail rouillé à demi entrouvert, une courte allée en ciment puis quelques marches menant à une porte aux carreaux de verre dépoli. Il balaya machinalement le jardinet étroit devant la maison. Un vieux bidon vide de deux cents litres avait servi de barbecue en des temps immémoriaux. Une carcasse de tricycle décharné gisait sur le flanc. Schneider dégagea la patte qui maintenait son automatique à l'étui, assura la prise de la crosse dans sa paume, actionna la pédale de sécurité. *Check.* Autant de gestes habituels, qui tenaient presque du réflexe. Derrière lui, il savait que Charles Catala se tenait en couverture, le torse effacé et le .357 dans le poing le long de la cuisse.

Il se trouvait sur la deuxième marche lorsque deux événements survinrent, qui le prirent au dépourvu. Une violente lumière blanche et crue illumina soudain la scène, tandis qu'une voix de femme, forte et cassée, retentit :

– C'est toi, Francky ?

– Non, fit machinalement Schneider, la main devant les yeux.

La lumière s'éteignit, il y eut le claquement sec d'une gâche électrique.

– Non, c'est pas Francky, répéta Schneider machinalement.

Encore ébloui, il passa la porte. Derrière lui, Catala changeait d'axe, passant de droite à gauche pour continuer à le couvrir. Schneider s'avança, les mains vides, bras le long du corps. Il se trouvait dans une longue cuisine mal éclairée. Il y faisait froid. Une suspension en porcelaine pendait au milieu de la table. Dans sa lumière, il y avait le visage d'une femme aux yeux aveugles et à laquelle on ne pouvait donner d'âge. Elle hocha lentement le front.

– Je me disais aussi. Si c'était mon Francky, je l'aurais reconnu.

Elle releva la tête. Schneider se demanda si elle y voyait ou pas.

– C'est comme ça, une mère, ça reconnaît quand c'est son fils qui rentre.

– Pas toujours, murmura Schneider.

Il avait perdu la main avec Novak et son magazine tiré du fin fond de l'enfer. Il était en train de la perdre de nouveau avec la femme. Un directeur d'enquête dirige l'enquête sans se laisser embarquer de droite et de gauche. Il est là pour faire son boulot, tout comme un baliseur de plage est là pour faire le sien, malgré les obus qui pleuvent à droite et à gauche. Il sortit sa carte et annonça :

– Police judiciaire.

– Comme si je m'étais pas douté ! s'esclaffa la femme. Qui c'est qui peut venir en douce, dix minutes avant l'heure légale, avec une Maglite, à deux, à bien regarder partout avant d'y aller…

Elle fit un signe à Schneider :

– Asseyez-vous.

De la main, elle montra la cafetière sur le fourneau à Charles.

– Gosse, tu nous la ramènes. Y a des verres sur la paillasse.

– Gosse, remarqua Charles en maugréant. Gosse.

– Tu veux que je t'appelle comment ? Tu préfères que je te dise mademoiselle ?

Schneider sortit ses cigarettes. Elle en accepta une. Il donna du feu. Charles servit tout le monde, attira une chaise et s'assit à califourchon, les bras sur le dossier. À l'examen, Schneider jugea que la femme n'avait guère plus de la soixantaine. Elle avait la peau sombre et profondément ridée, les cheveux ramenés en un chignon sévère sur la nuque. Elle avait pu avoir été très belle, dans un passé pas si lointain que cela. Ses mains ne l'étaient pas. Ses doigts étaient comme des serres crochues et déformées. La femme surprit le regard de Schneider, remonta une manche de tricot sur quelques centimètres. Elle avait des attelles à chaque poignet et mouvait les épaules avec une extrême difficulté. Elle avait conservé pourtant dans le regard une étrange douceur évasive.

– Qu'est-ce qu'il a encore fait, mon Francky ?

Schneider avait besoin de reprendre l'avantage. Il coupa au plus court.

– Homicide volontaire.

– Encore, fit la femme d'un ton sans joie. Ça lui aura donc pas servi de leçon, la dernière fois ? Mon Francky avait tiré deux ans de préventive et il a toujours dit qu'il retournerait pas au trou. Jamais.

Elle dévisagea Schneider, avec presque de la haine :

– Vous ne savez pas ce que c'est, le trou. C'est vrai que vous, vous y êtes jamais allé. Vous vous contentez d'envoyer les autres.

Elle donnait l'impression qu'elle ne s'adressait qu'à lui, que le jeune flic à côté, avec ses yeux très bruns et ses boucles noires, sa large bouche au sourire facilement avenant, et son gros .357 chromé à la hanche, ne revêtait aucune espèce de réalité. Elle demanda, en tapotant sa cigarette. C'était le couvercle d'une vieille boîte de cirage qui servait de cendrier. Elle demanda avec appréhension, sans regarder quiconque :

– Homicide de qui, cette fois ?

– Un flic, dit Schneider.

– Mon Francky, tuer un flic.

– Un policier des Stupéfiants.

Elle réfléchit.

– Un flic des Stups, ça ne m'étonne pas. Depuis le temps, je lui avais dit de se tenir à carreau avec la came. Il m'avait promis qu'il y toucherait plus, même avec des pincettes. Vous savez, mon Francky, c'est un homme de parole. La tête près du bonnet, comme on dit, mais un homme de parole.

Un homme de parole qui avait touché à la came avec des pincettes qui tiraient des balles à pointe creuse.

– Tuer un flic, c'est la bascule à Charlot*, se dit-elle à mi-voix.

Schneider se borna à hocher la tête. Puis il demanda :

– Depuis combien de temps, vous n'avez pas vu Francky ?

La femme réfléchit un bon moment, paupières mi-closes.

– Quatre ans. Ça va faire quatre ans en février. Il m'avait dit qu'il allait rentrer chez vous, chez les flics. À l'époque, il avait fait des conneries quand il était mineur, mais il avait pas de casier. Les flics ont pas voulu de lui parce qu'il avait eu un œil esquinté à l'armée.

Elle garda le silence. Schneider écrasa sa cigarette dans le cendrier improvisé, en allumant une autre. La femme observa :

– Vous risquez pas d'aller loin, à pomper comme ça.

Schneider se borna à un rictus dans lequel entrait plus d'amertume que de dédain.

Personne n'avait touché à son verre de café.

– Il était seul, la dernière fois ?

– Seul avec une gosse qui devait avoir à peu près son âge. Sale comme un peigne et qui devait pas se laver le cul bien souvent. Le cul, je veux dire…

– Je vois ce que vous voulez dire, coupa Schneider. Toxe ?

– Raide défoncée, se rappela la femme. Elle arrêtait pas de se gratter le dos de la main. Elle avait des mitaines et la peau en sang. J'ai jamais eu l'impression qu'il y avait quelque chose entre eux. (À la réflexion, elle ajouta.) Je suis sûre que mon Francky a jamais connu le renard. (Elle était formelle.) Une mère sent ce genre de truc.

– Plus de nouvelles ?

– De temps en temps, je reçois un mandat. Jamais un mot derrière ou quoi que ce soit.

– Un mandat de Francky ?

– Qui vous voulez que ce soit qui m'envoie des sous ? Le pape ?

– Vous les avez gardés ?

– Oui. Gosse, la boîte en fer sur le vaisselier.

Charles Catala se leva avec une sorte de résignation, teintée d'agacement. Il remit la boîte à Schneider.

– Saisie et placée sous scellés pour les nécessités de l'enquête, décida le policier après en avoir brièvement inventorié le contenu. Vous savez où est Francky, en ce moment ?

– Non.

– Dernier employeur connu ?

– Aucune idée. Tout ce que je sais, c'est que la dernière fois qu'il est venu, mon Francky m'a dit qu'il travaillait chez un pépiniériste. Il s'occupait de l'entretien des parcs et jardins à la ville, quand ils manquaient de personnel. Mon Francky, avec les arbres, il avait de l'or dans les doigts. Il vous aurait fait pousser du mimosa en plein milieu de la banquise.

Schneider avait tenu un dernier briefing dans son bureau. Il était tard et tout le monde en avait assez. Il y avait là son staff au grand complet. Dumont avait l'air d'un professeur d'histoire-géographie chahuté. Il l'avait été. Décharné, le regard naturellement vitreux, le grand Müller avait l'air d'un sergent récemment démobilisé de la Waffen SS. Il ne l'avait jamais été. Il y avait aussi un bandit corse aux étranges yeux d'un vert jade et fixe, bâti sur le type d'un parpaing de vingt, dont il avait la rugosité et l'absence totale d'humour. Nello avait cependant une voix de stentor et un registre étendu qui allait sans difficulté de l'opérette la plus gracieuse et légère aux pires chansons de corps de garde. Il y avait enfin Courapied, dit Court à Genoux, l'as des filoches en djellaba, à l'inquiétant mutisme.

Charles Catala se tenait quant à lui dos tourné, face à la fenêtre où pendaient encore les effets de Meunier, à présent raides et comme cassants. Il scrutait l'obscurité comme si celle-ci pouvait lui apporter la moindre réponse aux questions qu'il ne se posait pas.

Dumont et Courapied avaient parcouru la ville toute la journée, chacun de son côté. Ils avaient fait les camés et les putes, les fourgues et les clients. Ils avaient fait les rares troquets ouverts. Chacun avait conclu que le soi-disant Bugsy avait comme disparu de la surface de la terre, dès l'instant qu'il avait soulagé son ampoule rectale de la bonbonne qu'elle contenait, dans les chiottes de Dagmar. Nello et Dumont avaient tiré la femme du lit qu'elle occupait à plusieurs et l'avaient prise en sandwich au central. Elle avait failli manger des baffes, mais le seul truc qu'elle avait répété *ad libitum*, c'est que Bugsy était bien venu et reparti, selon ses propres termes « *comme un pet sur une toile cirée* ». Et qu'après, Meunier était passé à son tour et qu'elle l'avait vu repartir brusquement et disparaître dans la pluie en direction des Stups.

Elle n'avait fait aucune difficulté pour reconnaître Francky sur photo. Le jeune homme avait bien disparu un bon bout de temps, mais elle l'avait revu plusieurs fois en ville. Il chevauchait une Harley Davidson qui semblait flambant neuve. Sans mesurer la portée de ses déclarations, Dagmar avait ajouté qu'elle savait même d'où provenait la machine. Bubu Wittgenstein l'avait achetée aux États-Unis. L'engin était dans un état pitoyable lorsqu'il l'avait réceptionné, sorti de container, et Bubu l'avait refait petit à petit, tout en pièces neuves d'importation. Francky et Bubu étaient cousins du côté de la mère, Francky rendait souvent service à la casse, quoi de plus normal que l'autre lui vendît la Harley.

Dagmar s'était même souvenue qu'elle avait vu Francky passer un soir rue de la Liberté. Il avançait au ralenti, cherchant sans doute une place où stationner. Il n'était pas seul, il avait un passager derrière. Un motard du même acabit. Pour Dagmar, Francky figurait tout au plus dans la catégorie des poids welter.

Le dernier clou du cercueil. Pourquoi le type avait agi, Schneider s'en foutait. Il avait consulté sa montre. Il allait être minuit. Schneider en avait conclu qu'ils avaient le tueur, et qu'il fallait à présent le loger et le serrer. La chasse et ses éventuelles péripéties qui pouvaient revêtir un tour inattendu, pathétique et cruel, ou parfois simplement loufoque, Schneider la considérait comme la phase la moins compliquée, la moins intéressante, du jeu. Un criminel identifié n'est plus qu'un homme en sursis, un homme comme un autre, en somme, et promis comme chacun à une fin proche. Ensuite suivraient les auditions, les aveux, le moment des causes et des raisons, des attendus et des considérants, des pourquoi et des parce que, aussi épuisants qu'inextricables. La dimension humaine, que Schneider redoutait par-dessus tout mais à laquelle il savait ne pouvoir échapper. Il avait donc consulté sa montre et sifflé la fin de mi-temps. Il avait proposé à Charlie Catala de le ramener chez lui au passage, mais le jeune homme avait refusé de la tête sans même se retourner.

Schneider avait verrouillé la porte du bureau derrière lui. Se guidant à la faible clarté des lampes de sécurité, il parcourut les couloirs silencieux, descendit au sous-sol. Au passage, il effectua un contrôle de geôles routinier. Elles sentaient la poussière, le confinement et le crésyl. À elles seules, elles avaient l'odeur du désespoir et du malheur, provoqué aussi bien que subi. Schneider avait entrebâillé la porte du local des gardes-détenus. Le fonctionnaire de service dormait tout son saoul, la tête entre les bras sur la table. Schneider avait refermé sans bruit : les cellules étaient vides, ainsi que les deux locaux de dégrisement.

En tant que patron du groupe criminel, on avait fourni un passe général à Schneider, qui pouvait ainsi accéder à tous les locaux, sauf naturellement ceux des étages de la DST et des RG, dont les portes en verre blindé comportaient des serrures contrôlées par digicode.

Dans une autre vie, Schneider avait appris à se mouvoir sans bruit. Dans la pénombre, lui revinrent l'odeur âcre et puissante des lentisques, ainsi que le bruit caractéristique que provoque une balle qui vous a frôlé de près. Elle ne chante ni ne chuinte, c'est comme un bref coup de fouet très sec. Seule vous touche celle qu'on n'entend pas.

Tout hôtel de police comporte une grosse chaudière, nécessaire au chauffage aussi bien qu'occasionnellement à la destruction, licite ou illicite, de came, d'objets ou de documents qui n'avaient pas lieu d'être, à quelque titre que ce soit. Lorsque Schneider pénétra dans la chaufferie, le brûleur grondait. Une main devant la figure, il entrouvrit la trappe de visite, jeta le magazine à l'intérieur et referma sans tarder.

Puis il recula d'un pas. À travers le verre épais du hublot de contrôle, la chaleur était soutenable, mais cependant, elle brûlait la figure. Schneider alluma une cigarette, les paupières serrées. Les quelques secondes durant lesquelles le papier s'enflamma, se consuma et s'entortilla en courtes flammèches multicolores avant de disparaître, aspiré par le conduit, il demeura immobile à fumer dans le vrombissement assourdi de la chaudière.

Schneider savait que la crémation ne suffisait pas à réduire le passé à l'oubli.

Rien ne suffisait à y parvenir tout à fait.

Un serrement de cœur lui rappela le visage de sa mère. Une belle femme au visage carré, la bouche moqueuse et le regard clair. Une femme aisément désirable par tout homme normalement constitué. D'autres flammes l'avaient fait taire à jamais. Fin 1944, elle avait refermé son piano et cessé de chanter pour toujours. Schneider avait contemplé une dernière fois les flammes puissantes de la tuyère et il était sorti en silence, en verrouillant derrière lui.

Comme de coutume, il avait effectué un contrôle en gare SNCF. Il y avait souvent des clochards qui venaient y dormir. Il y en avait de plus en plus. Sur instructions du commissaire central Jean-Jacques Alvarez, sous la pression du maire et à la demande expresse des commerçants locaux, les flics de la BAC et les équipages de police secours leur menaient une guerre sourde, acharnée et impitoyable. Les types étaient embarqués *manu militari* avec ou sans leurs maigres hardes, parfois tabassés et jetés à une quinzaine de kilomètres de la ville, été comme hiver, qu'il neige, qu'il vente ou qu'il gèle à glace. Il était tenu une comptabilité précise de chacune de ces opérations de nettoyage, qui étaient visées et contresignées chaque matin par les services de la police générale. Cette nuit-là, le hall était presque vide. Schneider braqua le mince faisceau de sa torche sur chacun des visages. Pas de Bugsy, pas de Francky. Leur présence était moins que probable, mais Schneider savait qu'un homme en cavale pouvait révéler à chaque instant d'insoupçonnées capacités d'invention.

Personne que connût le chef du groupe criminel. Des pauvres types et quelques femmes en partance pour nulle part et qui s'évanouissaient avec le jour. Quelqu'un ronflait avec solennité quelque part. Schneider demeura quelques secondes immobile, incertain. Puis il s'approcha d'une cabine, pianota un numéro de mémoire.

Le correspondant décrocha en une fraction de seconde.

– Faut qu'on se voie, dit Schneider dans sa paume.

– Maintenant ?

– Maintenant.

– Négociable ou pas négociable ?

– Pas négociable.

Schneider avait raccroché. Le type quelque part ne ronflait plus. Dans le hall glacé et sombre, régnait à présent un vaste silence de cathédrale.

Les coudes sur le maroquin de son bureau, Monsieur Tom tripotait la photo entre ses doigts épais, comme il l'eût fait d'une carte pourrie dans une donne qui ne l'était pas moins. Le genre de carte décisive qu'on hésite jusqu'au dernier moment à jeter sur la table. Vautré dans le fauteuil en face de lui, jambes étendues et chevilles croisées, Schneider fumait tout en ne le quittant pas des yeux. Son attitude suggérait soit la lassitude, soit la plus extrême décontraction, mais la dureté de son expression la démentait. Schneider était en chasse et scrutait sa proie. À un moment ou à un autre, Monsieur Tom finirait par s'avancer en terrain découvert et c'en serait fini de lui. Ce fut lui qui bougea le premier :

– Tu es sûr que c'est Francky ?

– Sûr que quoi ?

– Sûr que c'est lui qui a artillé ton flic ?

– Meunier n'était pas mon flic. Il était principal aux Stups.

Monsieur Tom ne quittait pas la photo des yeux.

– Tu as un témoin ?

– J'ai un témoin.

– Fiable ?

– Aucun témoin n'est jamais fiable à cent pour cent, remarqua Schneider d'un ton de reproche.

– Je peux savoir l'identité de ton témoin ?

– Non, dit Schneider d'un ton sans réplique.

Avant de se reconvertir dans les affaires, Tom avait été un redoutable avocat d'assises. Schneider avait compris que, dans son esprit agile et retors, l'homme avait déjà entrepris d'organiser la défense de Francky et espérait acquérir tout de suite une case d'avance. Tom n'avait pas son pareil pour démolir un témoin et mettre en pièces ses déclarations. Avec un bavard de cette trempe, le jeune homme avait une chance raisonnable d'échapper à la peine capitale. Tom pouvait lui obtenir trente ans, avec une peine de sûreté incompressible de quinze ans. Mais avec ou sans, Francky pouvait tout aussi bien ramasser la mort. Sans regarder, comme absorbé par le jeu qu'il avait en main, Tom demanda :

– Tu as d'autres éléments à charge ?

– Oui, reconnut Schneider.

– Je ne te demanderai pas lesquels.

– Tu me les demanderais, je ne te le dirais pas.

– Évidemment.

Il releva les yeux :

– Je ne vois pas Francky en tueur de flics. Les poings, le couteau, la serpette oui. Quand il a bousillé ces mecs, il a été reconnu qu'il se trouvait en état de légitime défense. Il *était* réellement en état de légitime défense. Ils l'avaient attaqué à trois contre un, sur un parking en sortie de boîte, pour une histoire de filles qu'on n'a jamais bien éclaircie.

– Laissé libre à l'audience, remarqua Schneider d'un ton glacial. (Il alluma une cigarette à la précédente.) Laissé libre après avoir tiré deux ans de préventive. Deux ans sans voir le jour.

– Fais pas chier, Schneider. C'est pas nous qui faisons les lois. Nous, on est juste là pour les faire appliquer.

Les traits de Monsieur Tom s'étaient subitement durcis. Sous le bronzage parfaitement artificiel et l'amabilité de façade, on pouvait distinguer parfois ce que Rilke appelait « les restes d'une colère ancienne ». Monsieur Tom lui aussi avait droppé le djebel. Lui aussi, il avait connu la faim, le froid, la soif et l'âcre odeur du sang, et plus terrible et inoubliable encore, celle de la tripaille et des charniers. Trapu et puissant, il était encore très capable de tuer un homme à main nue.

– Je ne crois pas que tu sois toujours inscrit au barreau, observa Schneider d'un ton qui feignait la paresse.

Monsieur Tom se pencha sur le bureau, posa la photo devant lui. Articulant chaque mot avec une rage très mal contenue, il dit au policier :

– Francky va tomber, je te fais confiance pour ça. Toi ou l'un de tes pareils. Ce que je veux, tu m'entends : ce que je veux, c'est être tenu au courant. Ce que je veux, c'est qu'il soit défendu et pas par un grouillot de seconde zone. Je m'en fous, ce que ça va coûter.

– Joli numéro, apprécia Schneider. C'est tout ?

– C'est tout.

Il était temps de pousser l'avantage, puisque Tom s'était découvert. Un homme en colère et qui a retourné ses cartes est comme un avion qui montre le ventre aux canons d'un autre chasseur. Pas foutu, mais en grand danger. Schneider haussa les épaules.

– Me fais pas perdre mon temps, Tom. Dis-moi juste où il est.

– Francky ?

– Dis-moi où on peut le trouver. Avec moi, il a une chance. Depuis cette nuit, il a une fiche de recherche au cul : individu dangereux, susceptible d'être armé. S'il tombe sur une ronde, sur un barrage de flics ou de pandores, ils commenceront par tirer et ensuite ils feront les sommations d'usage. Tu sais comment ça se passe, Tom. Dis-moi où il est.

– J'en sais rien. Je te jure que je n'en sais rien.

– Ne jure pas, Tom. Jurer ne va pas à un homme comme toi. Dernier domicile connu ?

– Il y a quatre ou cinq ans, il a travaillé ici quelques mois. Il s'occupait des jardins et de la pinède. Il voulait faire une école d'horticulture. Il voulait être poulet. Il voulait la lune et les étoiles. Il habitait le bungalow au fond du parc. Ensuite, pour qu'il ait quelque chose de stable, je l'ai fait entrer aux espaces verts de la ville. Ces enculés n'ont rien à me refuser. Un matin, il est parti et personne ne l'a plus revu. J'ai appris par la suite qu'il avait quitté la ville.

Tom remua doucement les épaules, avec une expression désemparée :

– Il s'était tiré. Il n'était même pas venu récupérer son chèque de fin de mois. Disparu.

– Moto ?

– Oui, il avait une vieille bécane genre Terrot. Il n'arrêtait pas de la bricoler, mais elle le lui rendait mal. Cette salope tombait en panne pour un oui pour un non. Il passait plus de temps à la bichonner qu'à la monter. On peut en dire autant de bien des femmes.

– Quoi d'autre ? demanda sèchement Schneider de son ton de flic.

– Rien d'autre. Tu es allé voir la mère ?

– Affirmatif.

– Elle aussi travaillait à la ville. Elle était femme de ménage, jusqu'au jour où elle n'a plus pu travailler. Arthrite rhumatoïde déformante. Il paraît que ceux qui en souffrent endurent le martyre. Elle survit d'une maigre pension d'invalidité.

– Et de mandats postaux, qui lui sont envoyés régulièrement chaque cinq du mois. Des mandats qui n'ont jamais cessé, même les cinq dernières années, même depuis que Francky a soi-disant disparu. Mes types vont dépouiller tous les talons de mandats, on va trouver les bureaux de poste d'où ils sont émis. On mettra des planques en place. Rien qu'une question de jours avant qu'il ne tombe.

– Tu as mis une surveillance sur la mère ?

– Pas la peine, déclara Schneider en se levant lentement. Avec ce que Francky a sur le dos, jamais il ne reviendrait chez elle, pas même pour prendre une fringue ou quoi que ce soit. Il l'aime trop pour risquer de la mouiller.

123

– Et c'est ce Francky-là, qui a tiré sur un flic.

– Oui, c'est le même qui a tiré cinq fois : une balle dans la main gauche, deux dans le torse et deux dans les couilles.

– Mauvais tireur, mauvais groupement.

– Oui, reconnut Schneider.

À la distance d'où Francky avait tiré, Schneider aurait mis deux balles dans la tête de la cible, deux balles coup sur coup, la seconde pour assurer. La marque de toutes les unités commando au monde. Il ajouta :

– Le type tire des projectiles de calibre .45 ACP, avec des balles à tête creuse.

Ce genre de balle laisse un orifice d'entrée de la taille d'une pièce d'un franc et une portée de rats adultes pourrait passer par l'orifice de sortie. Schneider écrasa sa cigarette.

– Si tu as des nouvelles…

– Va te faire foutre, grinça Monsieur Tom.

De son pas souple et silencieux, faisant seulement le V de la victoire avec deux doigts de la main droite en guise d'au revoir, Schneider marcha avec nonchalance à la porte capitonnée. Au moment où il sortait du bureau, l'autre le rappela. Schneider se retourna sur un pied, dans l'espoir que Monsieur Tom ait eu un brusque remords de conscience, ou que quelque chose lui fût subitement revenu à la mémoire, concernant ce qui les occupait. Tom se borna à déclarer, d'une voix sourde et égale, avec une férocité qu'il ne songeait nullement à masquer :

– Dans les années 40, la baraque a été réquisitionnée. Elle servait de boxon aux officiers allemands de passage. En 44, elle a servi de claque aux officiers alliés de passage. Ainsi vont toutes choses. Ta pouffe est au deuxième, dans la chambre bleue, face à l'escalier. Tu ferais mieux de monter vider l'abcès, l'abcès ou autre chose, avant que ça finisse par vous monter à la tête à tous les deux.

Schneider était monté marche par marche, dans le plus parfait silence. Spontanément, il avait adopté la méthode pour se déplacer, adaptée au saute-dessus*, sauf qu'il n'avait pas la main sur la crosse de son pistolet et qu'il avait emprunté le milieu de l'escalier au lieu de progresser plaqué de l'épaule le long des murs. Il ne se sentait pas en milieu hostile, mais pas rassuré pour autant. Il était resté plusieurs secondes planté sur le palier, l'oreille tendue. Le silence non plus n'est pas toujours de nature rassurante.

Ta pouffe est au deuxième, dans la chambre bleue, face à l'escalier.

La femme n'était pas sa pouffe, simplement comme une douleur lancinante sous les côtes. À l'endroit où il avait déjà été blessé grièvement une fois.

Il avait seulement effleuré le battant.

Il avait eu l'impression d'effleurer seulement le battant.

Aussitôt, il avait entendu sa voix rauque et directe, une voix reconnaissable entre toutes et qu'il avait l'impression d'avoir toujours entendue, de toute éternité. Elle disait d'entrer. Il était entré. Il y avait une petite lampe allumée sur le chevet, une lampe en porcelaine qui ne donnait guère de lumière, mais chaude et tendre. Une lampe de claque. Il n'avait d'abord aperçu qu'une frimousse, une grosse crinière embroussaillée et sa grande bouche qui riait. Puis, en une fraction de seconde, il avait vu la jeune femme nue, dressée sur un coude, lorsqu'elle avait brusquement rejeté la couette. Cheroquee dormait toujours nue. Elle disait :

– Venez, venez, venez… Venez…

En même temps, telle une gamine impatiente, elle tapait de la main sur le drap à côté d'elle, là où elle entendait qu'il vînt.

Alors, il était venu.

7

Pour la première fois depuis qu'il dirigeait le groupe criminel, soit depuis plus de sept ans, Schneider arriva au briefing quotidien avec cinq minutes de retard. Ses traits étaient plus creux et plus durs que de coutume, son regard dissimulé par les lunettes de soleil. Lorsqu'il le vit paraître, Charles Catala ne put s'empêcher de s'étonner à voix haute :

– Merde, qu'est-ce qui vous arrive ? Vous avez pris une porte ?

– Bouclez-la, Charles, grinça Schneider au passage.

Il retira ses Ray-Ban de pilote, contourna le bureau et se laissa tomber dans son fauteuil. Les paupières serrées à cause de la lumière, il se passa plusieurs fois les mains devant la figure. Catala diagnostiqua une chouille* de première. Une ou deux fois par an, Schneider s'en prenait une sévère, et pourquoi pas ? Le reste du temps, il se bornait à être Schneider. Rasé de près, il portait l'une de ses éternelles chemises de coupe militaire aux plis au rasoir. Sur l'appui de fenêtre, la cafetière glougloutait en se rengorgeant à part soi, d'un ton de satisfaction.

Les effets de Meunier avaient été dépendus, pliés avec soin et glissés dans les pochettes à scellés. Le premier arrivé avait ouvert les vitres en grand et la pièce ne sentait plus que le linoléum, la poussière, la résine et la cendre froide. L'odeur de la souffrance et de la misère. Dehors, la pluie avait fait place à une lumière propre et crue, qui se déversait partout et n'épargnait rien ni personne. Sur le parking du supermarché, les employés mettaient en place les longues files de caddies. Les pensionnaires de la maison de retraite locale avaient commencé à investir farouchement les lieux.

126

Peut-être leur férocité venait-elle du souvenir des privations endurées sous l'Occupation. La brasserie des Abattoirs rouvrait. L'univers entier reprenait son cours normal. Un jour nouveau pour une nouvelle année.

Sur le bureau devant Schneider, il y avait les différents actes de procédure classés par ordre dans des sous-chemises de couleur. Les douilles saisies à proximité du corps étaient déjà placées sous scellés. Les photographies prises à la station-service étaient déjà constituées en album de travail. Manière de dire que les autres étaient déjà au boulot depuis un grand moment, lorsque le chef était apparu avec son vilain sourire de travers. Avec ou sans lui, le groupe tournait déjà à plein régime.

Müller était adossé à l'armoire aux scellés, le visage vide et l'expression lointaine. De temps à autre, il tirait sur sa cigarette en la protégeant de la paume. Dumont astiquait méthodiquement ses lunettes avec une lingette qui empestait le vinaigre. L'opération pouvait durer plusieurs minutes. Courapied arborait déjà sa parka informe. Une vieille écharpe kaki faisait plusieurs tours autour de son cou et son bonnet lui venait au ras des sourcils. Il semblait somnoler. Aussi bien, il aurait pu se trouver à l'autre bout du monde, en train de surveiller les yeux mi-clos son troupeau de chèvres depuis le flanc d'un piton rocheux. Nello se tenait solidement assis à califourchon sur une chaise, les pieds bien à plat par terre, les bras croisés sur le dossier et le menton installé sur les bras. Son étrange regard vert jade semblait calme et décidé à tout voir, le pire comme le meilleur.

Comme chaque matin, Catala fit le service. Schneider le remercia à mi-voix, ce qui, en soi, était déjà une sorte de nouvel événement. D'ordinaire, Schneider se bornait à un hochement de tête laconique. Puis celui-ci alluma une cigarette et chacun comprit instantanément que les hostilités étaient rouvertes.

Sans faire mention de son entretien nocturne avec Monsieur Tom, Schneider estima qu'on avait laissé assez de temps à Francky pour qu'il crût la piste déblayée. Schneider n'avait pas foi en la grandeur d'âme du jeune homme. Il ne croyait en la grandeur d'âme de personne, et certainement pas en la sienne pour commencer. Il n'avait pas foi en l'homme. Il avait simplement entrouvert la porte de la nasse. Il commanda à Courapied :

– Vous surveillez la maison de la mère. Personne n'entre ou ne sort sans qu'on le sache.

Courapied hocha silencieusement le front.

– Je n'ai personne pour vous relever, autant vous dire que ça risque de durer un moment. Si c'est Francky lui-même, pas question d'interpellation. Vous avisez immédiatement, le reste nous incombe. Si le visiteur est une figure connue, vous tâchez de la prendre en bobine. C'est tout.

– Aperçu, se contenta d'annoncer Courapied.

Été comme hiver, Courapied portait de vieilles mitaines effrangées. Il ne se passait pas de semaine sans qu'il se fît embarquer par les bleus, sous un prétexte ou un autre. Il attendait placidement qu'on l'eût déballé en geôle pour faire appeler le chef du groupe criminel. Il agita vaguement la main droite derrière lui et sortit.

Schneider avait besoin d'un volontaire chinois pour passer au crible toutes les procédures concernant Francky, à un titre comme un autre, et même en qualité de simple témoin. Il fallait « jouer les approchants », localiser chaque point de chute, identifier chaque relation amie ou ennemie. Chaque débiteur ou créditeur. Faire tous les registres, y compris celui des prisons. Auditionner matons et codétenus.

Tout malfaiteur, tout homme tout court, est une manière d'escargot. Il laisse une trace derrière lui, qu'il le veuille ou non.

Dumont chaussa ses lunettes à monture d'écaille et se proposa. Accepté à l'unanimité.

Au propre comme au figuré, Nello était un homme de contact. Il reçut pour instructions de retourner voir tous les clients de la veille et de les repasser sur le gril. Schneider ratissait large et pratiquait le harcèlement systématique. Müller rafraîchit l'atmosphère en annonçant, les yeux droits sur le vide :

– Danger signalé. La bande à Stern s'est mise en branle. Escobar commence à frotter des oreilles, par-ci par-là.

– Origine de l'information ? s'enquit Schneider avec distance.

– Un contact à moi, éluda Müller. Escobar lui est tombé dessus entre deux bennes à ordures. Quand il est venu me voir, mon canaque saignait du nez et de la bouche.

Müller braqua un regard lointain, comme pensif, sur le visage usé de Schneider :

– Ils cherchent le même type que nous. Ils cherchent aussi un certain Bugsy.

Charles Catala roulait trop vite et trop sec dans la lumière glacée du matin. Plusieurs fois, il dut se frayer un chemin scabreux à coups de deux-tons. Schneider s'était abstenu de tout commentaire. À travers les verres des Ray-Ban, la lumière lui brûlait les yeux. Intérieurement, il tremblait de froid et de ce qui ressemblait à de la colère et n'en était pas. Il lui fallait regarder les choses en face. Il avait subi une véritable commotion. Il savait que dorénavant, il y aurait un avant et un après. Il n'avait rien d'un lapin de six semaines et avait connu d'autres femmes, même si celles-ci se comptaient tout au plus sur les doigts de la main. Ce qui s'était passé la veille n'avait rien de comparable – la veille et durant presque toute la nuit. Il fallait regarder la réalité en face, comme lorsqu'on descend, suspendu aux soupentes d'un parachute et qu'on voit les trous que les traceuses font dans la voile.

Schneider n'était pas homme à se cacher derrière son pouce.

Dès l'instant où il s'était glissé près d'elle, dès l'instant où il avait commencé à entrer lentement en elle, il avait su qu'il était accroché.

Ce sont les cahots sur le chemin qui menait à la casse qui le tirèrent de son assoupissement. La voiture soulevait des gerbes d'eau boueuse qui s'abattaient sur le pare-brise et les flancs. Charles Catala ne manifestait aucune intention de ralentir. Il stoppa la machine au niveau de la presse, les pare-chocs à moins d'un mètre des tibias de Bubu qui était en train de discuter dehors avec Chiquito, l'un de ses acolytes.

Charles Catala s'était emparé du riot-gun et éjectait chaque cartouche l'une après l'autre. Chacune tombait sur le bureau devant Bubu. Charles Catala en compta huit.

— Pas légal, ça, huit.

— Va te faire foutre, mon con.

Charles Catala dispersa les cartouches du bout de l'index, puis les classa par catégorie.

— Huit cartouches, dont deux balles à ailettes, type Sauvestre ou Brenneke. Tu chasses le sanglier, Bubu ? Les autres, double zéro. Chevrotine. Tu chasses quoi, avec de la chevrotine ? Tu chasses le bougnoule, Bubu ?

— Je chasse personne, grinça Bubu. Je chasse que si on me chasse.

Charles Catala arbora un sourire placide, qu'il savait parfaitement exaspérant.

— Qui c'est qui te chasse, en ce moment, mon Bubu ?

— Personne, affirma l'autre.

Il n'avait ni la prétention ni l'espoir d'être cru. Charlie, il s'en foutait. Charlie ne tenait pas la jauge. Bon poulet, mais sans plus. Ce qui l'inquiétait, c'était Schneider, qui se tenait retranché derrière ses putains de lunettes de soleil, adossé à la fenêtre et les chevilles croisées. Schneider qui fumait sans

130

mot dire. Le flic n'avait pas encore ouvert le feu et Bubu tentait d'estimer la direction de tir. À titre préventif, il déclara :

– J'ai appris, pour ton flic.

– C'était pas mon flic, bloqua Schneider. Meunier était principal aux Stupéfiants.

Il se surprit à dire *était*, au lieu de dire *est*. Dans son esprit, Meunier était donc mort. Presque sans bouger, il sortit un cliché face-profil qu'il expédia sur le bureau, devant Bubu.

– Sois sympa, soupira Charles Catala. Enjolive notre journée. Dis-nous juste que tu ne connais pas ce type.

Bubu saisit le cliché, ne le regarda qu'une seconde et tomba dans son fauteuil. Puis il releva une face hébétée :

– Vous pensez quand même pas que c'est lui ?

– Je ne pense rien, dit Schneider d'un ton sec. C'est qui, pour toi ?

– Francky ? C'est le fils de ma sœur. Mon neveu, pour ainsi dire. (Il ressemblait à un type qui perd pied et se noie dans trop peu d'eau.) Francky, c'est un voyou, tout ce que vous voulez, mais jamais il irait buter un flic. Une chicore, je ne dis pas, mais buter un flic. Comment il l'a buté, d'abord ?

Schneider le fixait pensivement. Il alluma une cigarette au cul de la précédente, qu'il écrasa minutieusement dans le cendrier en forme de pneu de camion, devant Bubu. Il réfléchit.

– Cinq balles. Dont deux dans les couilles.

– Jamais. Jamais Francky aurait fait ça.

– Ça quoi ?

– Tirer dans les couilles.

Il était temps pour Schneider d'ouvrir un second front.

– C'est toi qui lui as vendu une Harley Davidson. Une Electra Glide.

– Jamais, dit Bubu en se levant d'un bond. Jamais.

– N'use pas ma patience, prévint Schneider. J'ai un témoin.

– Votre témoin, c'est de la merde. J'ai jamais vendu d'Electra à Francky.

Charlie Catala savait discerner la montée de la rage chez son chef. Le visage de Schneider se faisait comme indolent, il remuait doucement les doigts comme pour les désengourdir. Sa voix devenait sourde et voilée.

– C'est toi qui lui as vendu l'Electra, murmura Schneider.

– Jamais.

Catala reposa doucement le fusil en travers du bureau. Il fit mouvement à droite en couverture. Même un homme de la force et de la corpulence de Bubu ne ferait pas longtemps le poids face à un Schneider déchaîné. D'un instant à l'autre, la situation pouvait dégénérer.

– Jamais, affirma Bubu, intraitable. Je ne lui ai jamais vendu une Electra Glide. Celui qui raconte ça est un putain de menteur. (Il cracha par terre, sur le côté.) D'abord, les Electra Glide, c'est de la merde. Je lui ai vendu une Harley, mais pas une Electra.

Schneider secoua la tête, avec l'air de se réveiller, incrédule, d'un mauvais rêve.

– Tu lui as vendu quoi ?

– Vous me croyez pas ? s'indigna Bubu. J'vais vous montrer.

Il marcha à une armoire colonne, ouvrit un casier et en sortit un album, qu'il tendit à Schneider avec fierté.

– Voilà, c'est celle-là, affirma Bubu. Ça, comme vous voyez, c'est pas une Electra.

Vaguement hébété, Schneider feuilleta l'album. On y voyait la moto, depuis sa sortie de container au Havre. On suivait chaque phase de la restauration, aussi bien châssis, moteur, que suspension et carrosserie. On la voyait en apprêt, puis à la sortie de la cabine de peinture. On voyait les sacoches cuir.

– Y a Harley et Harley. Celle-là, c'est une classique. Moteur Panhead 1949, 74 pouces, récitait impassiblement Bubu. Il était parti pour en parler pendant des heures. Schneider n'y prêtait aucune attention. Il n'en avait que pour les photos. Elles étaient dignes d'un professionnel et d'une netteté parfaite.

On voyait la machine le jour de sa livraison.

On y voyait alors Francky tête nue à son guidon, les deux mains bien à plat, jambes tendues, les talons de botte plantés de chaque côté de la machine. Sur la photo, le jeune homme riait, avec l'air d'un type prêt à conquérir le monde.

Schneider détacha la photo de l'album et récita :

– Saisie afin d'être placée sous scellés, pour les nécessités de l'enquête.

Il dit à Bubu :

– Tu es placé en garde à vue en qualité de témoin à compter de ce jour (consultant sa montre) onze heures vingt. Tourne-toi, bras écartés, les mains à plat contre le mur.

Schneider avait déjà les menottes au poing.

Schneider avait à peine regagné son bureau, qu'il avait été accroché par Dumont. Alvarez Kelly convoquait tous les chefs de groupe dans sa suite du premier étage. Convocation impérative.

– Un point presse, ou quelque chose dans ce goût-là, avait ajouté Müller sans songer à dissimuler son dégoût. Autre chose : une jeune femme vous a appelé. Elle n'a pas laissé de message, mais souhaite que vous la rappeliez.

– Souhaite, avait remarqué Schneider.

Il avait laissé Bubu aux bons soins de Catala afin de procéder à son audition en forme. Si besoin était, Müller pouvait se porter en appui. La présence silencieuse de Müller adossé à la porte n'avait rien de rassurant. On était sans nouvelles de Courapied, qui n'avait même pas jugé bon se munir d'une radio. Nello n'était pas revenu de sa tournée des compteurs. Schneider avait pris le temps d'aller pisser, puis il s'était longuement lavé les mains avant d'absorber deux comprimés qu'il avait fait passer à l'eau du robinet. Dumont était toujours aux archives, plongé dans les dossiers, en compagnie d'un paquet de toasts et d'une bouteille de lait demi-écrémé. Tout roulait, donc.

Appuyé à bras tendu au lavabo, il s'était examiné dans la glace et ce qu'il avait vu n'était pas de nature à susciter l'enthousiasme, ni seulement l'intérêt. Un ancien poids moyen vif et teigneux, un homme maigre aux traits durs qui avait sans doute eu son heure et sa chance comme tout le monde, mais était sur le point à présent d'attaquer la rampe de sortie.

La suite du commissaire central Alvarez Kelly ressemblait à la suite de tous les commissaires centraux, de tous les commissariats de police du monde. Il y avait des vitrines, des coupes et des fanions sportifs, des drapeaux et le portrait du président de la République en cours, des armes de collection et des portraits flatteurs. Il y avait de la moquette, des fauteuils et un canapé en cuir dans un angle. Il y avait un meuble bas, dont l'un des rayons faisait office de bar. Il y avait une grosse radio, qui chuintait doucement en permanence sur l'appui de fenêtre et permettait de suspendre vingt-quatre heures sur vingt-quatre le trafic de toutes les voitures dès leur sortie et jusqu'à leur retour. Alvarez Kelly trônait derrière son bureau en merisier et ses lunettes jaunes aux verres panoramiques. Comme bon nombre de ses semblables, Alvarez devait son galon de commissaire aux services rendus au sein du SAC, ce qui ne l'empêchait pas de se prévaloir également de sa qualité de franc-maçon. Il était cul et chemise avec le maire. Seule comptait pour Schneider l'opinion de Monsieur Tom et celui-ci tenait Alvarez pour un foutriquet, un arriviste et un connard, mais un dangereux connard, prêt à lécher n'importe quel cul, qu'il fût de droite ou de gauche, pour prendre ne serait-ce qu'un bout de galon.

Pour l'instant, le commissaire divisionnaire Alvarez Kelly courait après le ruban de la Légion d'honneur. Pour l'instant, il tenait un verre de whisky des deux mains, à plat sur le maroquin, un peu comme s'il entendait y lire l'avenir. À l'entrée de Schneider, il avait jeté un regard à la pendule, sans pour autant faire le moindre commentaire, puis il lui avait désigné un siège.

Schneider était resté ostensiblement debout. Quiconque le connaissait devinait qu'il bouillait intérieurement. Il avait balayé chacun du regard. Le commissaire Manière était vautré dans son fauteuil dans une posture attentiste. Le chef de la Sûreté arborait un demi-sourire indolent. Il avait commencé en bas, gardien de lapins, il avait bossé comme un malade, il avait réussi aux concours, il était monté à la force du poignet. Il votait sans se cacher aux Républicains indépendants. Il était sûr du charme qui émanait de ses yeux très bleus et de sa moustache qu'il jugeait avantageuse. Il s'estimait représenter une bonne approximation de Burt Reynolds, au physique comme au moral. Burt Reynolds, l'humour en moins.

Il y avait Stern dans un coin, un verre de whisky entre le col et la bouche. Aux yeux de Schneider, Stern n'avait aucune espèce d'existence. Alvarez avait levé les yeux :

— Où en sommes-nous ?

— Vous, avait grincé Schneider, vous je n'en sais rien. Pour ce qui concerne le groupe criminel, suspect identifié.

— On peut savoir qui c'est ? avait grommelé Stern.

Schneider n'avait même pas daigné tourner la tête. Il avait conservé les yeux braqués sur Alvarez. Il avait ajouté avec la sécheresse de ton d'un compte rendu.

— Son interpellation n'est plus qu'une question d'heures.

— Vous avez du biscuit contre lui ?

— Plus qu'il n'en faut, affirma Schneider.

Il sortit ses cigarettes de la poche de poitrine, mais se ravisa aussitôt. D'instinct, il avait presque adopté la tenue du garde-à-vous. Alvarez le scrutait. Il ne pouvait souffrir Schneider, mais il y avait du monde derrière et c'était donc un homme qu'il fallait ménager. Un tant soit peu. Alvarez avait déclaré, avec une certaine raideur :

– La presse est convoquée pour quatorze heures. Je suppose que vous ne souhaitez pas en être.

Schneider avait gardé le silence.

– Qu'est-ce que je dois lui dire ?

Schneider s'était borné à hausser les épaules. *Misrep* terminé.* Rien à y ajouter ou à y retrancher. Un instant, il lui avait semblé apercevoir un bref éclair d'amusement dans le regard du commissaire Manière, mais comment pouvait-on s'attendre au moindre soupçon d'intelligence dans des yeux de coiffeur pour dames ?

Il avait pivoté sur les talons et gagné la porte sans saluer personne.

Dans son bureau, Schneider avait interrompu une conversation intéressante entre Bubu, Charles Catala et Müller. Elle roulait sur le bruit très particulier du moteur Harley. Bubu expliquait que ça venait de la conception même de l'engin, un deux-cylindres avec un seul maneton central, comportant une bielle classique et une bielle à fourche, avec un angle de calage à 45°.

– C'est pour ça, faisait Bubu en marquant le rythme du plat de la main sur le bureau, c'est à cause de ça que le moteur fait un bruit de patate : po-tato-po-tato. C'est ça qu'on appelle bruit de patate.

– Vous saviez que la mère à Francky était la sœur à Bubu ? demanda Müller.

À la tête de Schneider, il avait deviné qu'une diversion rapide s'imposait.

– Non, reconnut celui-ci.

– Ça fait quinze ans qu'on se parle plus, affirma Bubu. Son biturin de mari travaillait à la SNCF. C'est à cause de lui qu'elle a arrêté de vivre en caravane. De toute façon, il y avait un trop grand écart d'âge.

Il ne précisa pas entre qui et qui et nul ne ressentit le besoin de le demander.

136

Schneider se sentait en baisse de régime. Il avait besoin de dormir, mais il savait qu'il ne le pourrait pas. Il n'avait ni faim ni soif, il se sentait seulement vide et creux et c'était comme si ses os étaient du verre et près de se rompre.

– Vous prenez les commandes, dit-il à Catala en consultant la pendule. Je descends une heure. Si on me cherche, je suis dans la salle de repos.

– Aperçu.

Il sortit. Catala se tourna vers Bubu, les doigts sur le clavier de la machine à écrire :

– Donc tu as vendu la Harley, *cette* Harley, à ton neveu Francky. Qu'est-ce que tu lui as vendu d'autre ?

– Un automatique .45, fit la voix de Müller.

Elle semblait ne provenir de nulle part, et certainement pas de sa longue carcasse immobile adossée à la porte. Il précisa :

– Un automatique .45 avec une boîte de cartouches 11,43 à tête creuse. *Semi-hollow point,* de marque Geco.

Bubu les regarda avec calme, l'un après l'autre, puis il se pencha, mit les coudes aux genoux, soupira avec apitoiement et déclara d'un ton monocorde :

– C'est bon, les gars, vous voulez la jouer comme ça. Tu pourras bécaner* tout ce que tu veux, Charlie. À partir de maintenant, j'ai plus rien à vous déclarer.

Schneider fumait, les yeux grands ouverts dans l'obscurité. Il souffrait du dos. Étendu les chevilles croisées, un couvercle de boîte de peinture en guise de cendrier sur la poitrine, il fumait en tentant d'estimer l'étendue des dégâts. Il se rappelait seulement les grands yeux éperdus de la jeune femme tout près des siens, ses cris, la manière qu'elle avait de lui lacérer les omoplates, ses dures et solides jambes qui lui broyaient la taille. On aurait dit que la jeune femme entendait l'engloutir tout entier. Il se rappelait surtout comment elle avait dormi ensuite en tressaillant encore, pelotonnée tout à coup, la bouche contre son cou à balbutier des mots sans suite.

Puis Catala était venu frapper, pour dire que Dagmar attendait dans son bureau pour lui parler.

Schneider s'était laissé tomber dans son fauteuil. Dagmar l'observa, les genoux joints. Ce qui transparaissait sur les traits du policier, c'était une immense lassitude et ses yeux étaient remplis de tristesse. On voyait bien qu'il venait juste de refaire surface. Dagmar avait l'habitude : elle avait perdu de longue date le compte des pauvres types qu'elle avait vus se réveiller à son côté. Schneider se réveillait de nulle part. Il sortit ses cigarettes. Elle sortit les siennes. Elle aussi, tout comme Cheroquee, fumait des Dunhill. Du front, elle fit signe et Schneider l'autorisa du front. Il se pencha pour lui donner du feu. Elle ne put s'empêcher de lui tenir le poignet un instant, juste le temps que sa cigarette s'embrase. Elle sentit la fumée lui brûler les poumons. Schneider l'observait de très loin. Elle déclara, en dissipant la fumée du dos de la main :
– Vous faites une connerie.
Schneider garda le silence. Elle affirma avec force :
– Vous faites une connerie. C'est pas Francky.
– C'est pas Francky, quoi ?
– C'est pas lui qui a buté le grand Meunier.
– Meunier n'est pas mort.
Elle remua les épaules :
– C'est tout comme. Je sais que vous lui courez au cul. Je sais que la bande à Stern lui court au cul. Je sais que c'est à celui qui le chopera le premier. Je sais que vous l'accusez d'avoir tué un flic et que les flics n'aiment pas ça. Mais c'est pas Francky.
Schneider l'observait avec attention. La femme avait enfilé un vieil imperméable sur ses habits de scène. Elle portait de simples ballerines en cuir au lieu de ses talons. Avec ses cheveux de pluie, son visage carré et ses yeux très larges et écartés, il y avait quelque chose en elle de Catherine Sauvage. La ferveur, peut-être, et comme un air de dignité

blessée. Dagmar avait peut-être ou certainement sucé les trois quarts de l'hôtel de police, mais ça n'avait rien à voir. Elle se pencha, tapota sa cigarette au bord du cendrier.

— Je sais ce que vous pensez.

— Je ne pense rien, murmura Schneider.

Il ne pensait rien. Il se bornait à rechercher, à trouver, à collecter des pièces qui finissaient toujours par s'assembler. Deux plus deux n'ont jamais fait cinq. La vie n'est pas faite de mystères : seulement d'énigmes, que l'on finit toujours par résoudre un jour ou l'autre. Ou pas. Une énigme non résolue reste une énigme. Seule la mort est un mystère.

Elle insista d'un ton sourd, les traits crispés.

— Je connais cette ville, Schneider. J'y suis née pendant la guerre. Ma mère avait couché avec un Boche. Ils l'ont tondue à la Libération. Je me suis retrouvée à l'Assistance. Quand j'ai eu douze ans, on m'a placée chez des bourges pour faire la bonniche. Quand j'en ai eu marre de prendre des coups de pied au cul et des baquets d'eau glacée sur la tronche, dès que j'ai eu assez de nichons pour ça, je me suis faite pute. Derrière la gare, rue de l'Arquebuse. Vous pouvez regarder aux Mœurs, il doit encore y avoir ma fiche.

Elle sourit à part soi :

— Croyez pas que c'était la galère. J'ai jamais voulu de mac. J'étais jeune, je gagnais bien ma vie. Et le client qui essayait de me manquer de respect, il prenait mon poing dans la gueule.

Elle montra le poing. Dagmar avait des grandes mains dures et osseuses, des mains de travailleuse de force et un poing très capable de fracasser la mâchoire d'un type. Elle avait la peau des doigts et des poignets abîmée, rougie et blême en même temps, comme celle des lavandières, de toutes celles qui bossent à genoux dans l'eau froide et le savon de Marseille à longueur de temps. Elle se rappela avec un soupçon de tristesse :

– Le nombre de craques qu'on a pu me raconter. Le nombre de conneries que les clients ont pu me confier. Une pute, c'est pas juste écarter les compas. Il y a autre chose. Je faisais des couchers, jamais des passes à la va-vite. Vous pouvez pas imaginer le nombre de types qui parlent aux putes. Même des trucs gênants pour leur bonne femme ou pour eux, ou même pour leurs affaires. Ils s'en branlent : dire des trucs devant une pute, dans leur esprit c'était juste comme s'ils causaient à la glace de l'armoire en se rhabillant.

Schneider alluma une cigarette au cul de la précédente. Il adopta un ton cassant.

– Ceci pour dire quoi ?

– Une pute, ça en sait long sur les hommes, plus qu'un curé ou un flic, parce que nous on les voit à poil. C'est pas Francky qui a tiré.

Schneider l'observa un court instant.

– C'est pas Francky qui a tiré. D'accord. Vous êtes donc disposée à affirmer sous la foi du serment qu'au moment où Meunier était en train de se faire artiller, Francky était au pieu avec vous et que vous avez passé la nuit à fêter l'année nouvelle en de folles étreintes. Vous et moi savons que c'est pas vrai, mais vous êtes disposée à l'affirmer noir sur blanc.

En même temps, il faisait mine d'attirer la machine à écrire devant lui.

Elle secoua la tête avec détermination.

– Ça s'appelle un faux témoignage. Si vous tombez sur un juge susceptible, vous prenez un outrage à magistrat. C'est un délit qui vaut jusqu'à deux ans ferme. Avec votre pedigree, vous êtes sûre de vous faire poivrer un maximum. Les magistrats n'aiment pas les putes, même les putes reconverties dans la limonade.

Dagmar remarqua que Schneider lui disait vous, comme s'il s'adressait à n'importe quel autre être humain. Il précisa :

– Vous êtes donc disposée à mentir.

– Si ça peut sauver Francky, oui.

Avec gêne, elle ralluma une Dunhill. Le soir commençait à tomber. Il y a un instant du soir dont la mélancolie est clairement perceptible, même pour une pute. Ou pour un flic. Schneider regarda dehors. Il regretta.

– Vous ne feriez pas une bonne menteuse. Mentir ne s'apprend pas en cinq minutes. Ça demande toute une vie. Et on ne sauve jamais personne.

Il reporta les yeux sur elle :

– Je ne retiendrai pas votre témoignage.

Dans son esprit, la question était close. Dagmar commençait d'ailleurs à se lever, en écrasant sa cigarette en hâte. Elle dit cependant :

– Le soir qu'il s'est fait buter, Meunier courait après Bugsy. Depuis, Bugsy s'est fait la malle, mais des types au comptoir discutaient qu'ils l'avaient vu et que Bugsy leur avait dit qu'il était assis sur un tas d'or.

– Un tas d'or ?

– Un tas d'or.

Schneider lui avait juste indiqué la porte du menton.

– Soyez sympa, refermez la porte derrière vous en sortant.

Il allait être cinq heures. Il allait faire nuit. Il avait pressé la touche de l'interphone. La voix indolente de Müller s'était fait entendre presque aussitôt.

– La Mule, j'écoute.

– Est-ce que quelqu'un s'est renseigné sur l'état de santé de Meunier. ?

– Attendez, je demande.

Schneider l'avait entendu s'enquérir à la ronde. Il avait entendu aussi que personne ne s'en était occupé. Müller avait rapporté avec neutralité :

– Personne s'en est occupé. Vous voulez que j'appelle ?

– Non, dit Schneider. Laissez tomber, je m'en charge.

Il avait commencé à composer le numéro des urgences, puis avait abandonné à mi-chemin. Il avait regardé dehors. De l'autre côté de la vitre, une face blême aux orbites creuses le contemplait fixement depuis le fond de l'obscurité. Schneider avait mis plusieurs secondes à comprendre que c'était lui qui le fixait. Il avait alors pris son pistolet dans le tiroir, l'avait glissé à l'étui en faisant monter machinalement une cartouche dans la chambre de tir, et s'était levé pour prendre les clés de voiture au tableau, ainsi qu'un poste portable sur la base de rechargement. Et il était sorti.

— Très inhabituel qu'un gradé se déplace au chevet d'une victime, remarqua le médecin chef d'un ton acerbe. D'habitude, vous envoyez un de vos types, ou vous vous contentez d'un coup de fil. C'est parce que le blessé est l'un de vos hommes.

— En partie, oui, reconnut Schneider.

Il ressentit un sourd malaise. Le médecin devait avoir à peu près son âge. Il était venu à sa rencontre dans le couloir avec un air de vif mécontentement. Il était sec comme un coup de trique. Pas le genre d'homme à qui en conter. Instantanément, Schneider avait eu la conviction que l'homme l'avait radiographié des pieds à la tête et que le diagnostic n'était pas fameux. Il sortit machinalement ses cigarettes et se ravisa.

— Je ne peux rien vous dire, déclara le médecin. Je peux seulement vous dire que, pour employer les nouvelles terminologies de l'OMS, le pronostic vital est engagé. Le client est sous assistance. Il a perdu beaucoup de sang. Plusieurs organes vitaux ont été touchés, car les balles ont explosé à l'impact, causant des dégâts secondaires importants. Votre flic peut aussi bien mourir d'un instant à l'autre, que survivre.

Schneider secoua la tête.

— D'ores et déjà, s'il s'en tire je peux vous dire qu'il n'aura plus de couilles. La science a fait énormément de progrès, ces derniers temps, mais la greffe de testicules n'est pas à l'ordre du jour. Sans compter que les donneurs ne courent pas les rues.

Schneider avait une autre question à poser, mais lui non plus ne s'en sentait pas les couilles. Le médecin avait des yeux très bleus derrière ses petites lunettes d'acier. Il y avait dans son maintien le reste d'une sorte de raideur militaire. Il remarqua brusquement :

– Vous avez dropé le djebel.

– C'était dans une autre vie, remarqua Schneider.

– Votre visage ne m'est pas inconnu. Schneider, dites-vous.

– Schneider, oui, coupa Schneider d'un ton sec.

– Je suppose qu'il va vous falloir un rapport médical détaillé, avec nature et position des blessures, etc. Compte tenu de l'état de la victime, je m'oppose à ce que vous procédiez à l'examen du corps, si jamais l'idée vous en avait traversé l'esprit. L'examen détaillé du corps suppose que la victime soit réduite à l'état de cadavre. Il va vous falloir attendre.

Schneider comprit que l'entretien était terminé, alors il se lança brusquement dans le vide. Le médecin fronça les sourcils, hésita un court instant et saisit son *pager*.

– Je vais voir si elle est disponible.

Il lui indiqua une série de sièges en plastique fixés au mur du couloir.

– Vous pouvez attendre ici.

Elle l'avait aperçu de loin, assis, le buste penché et les coudes aux genoux. Il regardait par terre à ses pieds. Il lui avait donné l'impression d'être capable d'attendre la moitié de l'éternité. Elle avait pressé le pas, le blouson sur les épaules. Il avait le storno entre les doigts et semblait étrangement seul et démuni. Un homme seul qui avait baissé les armes. Il avait senti son odeur avant même de remarquer sa présence. Elle se tenait debout devant lui à moins d'un mètre, bras croisés, en blouse blanche et avec des sabots, un demi-sourire aux lèvres. Schneider s'était levé en sursaut et avait manqué trébucher. Elle l'avait retenu par le coude en riant, comme troublée :

— Restez avec nous, on va faire des crêpes.

— Je me demandais, commença Schneider avec gêne.

— Vous vous demandiez quoi ?

— Si vous auriez un moment, ce soir.

Avec elle, il avançait au jugé, sans trop savoir. Elle le tenait toujours par le coude. Il hésita. Elle était belle à en pleurer.

— Je veux dire.

— Je vois ce que vous voulez dire.

Elle avait consulté la montre fixée à sa poche, puis comparé l'heure à celle qu'elle portait au poignet.

— Vingt heures trente, à la Concorde, ça vous va ?

La nuit était tombée. Une nuit froide et claire. Courapied s'était enfoui sous des haillons, les pieds et les jambes enveloppés de vieux journaux. Il en avait glissé aussi une bonne épaisseur sous sa parka et enfoncé son bonnet jusqu'aux sourcils. Courapied avait pour lui qu'il ne buvait pas ni ne fumait. Il était peu sensible au froid et savait se rendre très semblable à un paquet de hardes jeté entre deux containers à poubelles. Il était capable d'une immobilité de pierre. Il ne somnolait que d'un œil et jamais bien longtemps.

Par pur désœuvrement, il se mit à compter les étoiles qui brillaient très au-dessus des toits. Il abandonna rapidement. Au loin, une mobylette passa en pétaradant. Puis il y eut des voix qui se congratulaient, des claquements de portières. Un moteur démarra, puis un second et on se quitta avec un bref coup de klaxon. Un instant, Courapied revint sur l'étrange personnalité de son chef. Il avait une confiance à peu près illimitée en lui et ses jugements. Pourtant, quelque chose le gênait en Schneider. Il se racontait des choses pas très claires sur lui et l'Algérie, des choses à propos de torture et de corvées de bois. On n'en parlait qu'à mots couverts, en faisant attention autour de soi. Et puis, Schneider était cul et chemise

144

avec Monsieur Tom, ce qui, en soi, le rendait déjà infréquentable.

Il était notoire que, dans son hôtel particulier de La Pinède, Monsieur Tom organisait régulièrement les plus fracassantes partouzes de la région, de l'Hexagone et peut-être même du monde entier. La rumeur ne recule jamais devant l'emphase. La dernière en date avait eu lieu pour le réveillon du 1er janvier et Schneider s'y était rendu. Toute l'Usine le savait puisque Schneider y était allé avec la propre Lincoln de Bubu. Il se racontait même, mais avec une extrême prudence, que Schneider y aurait *levé une poule.*

Courapied remua lentement les orteils, l'un après l'autre et un pied après l'autre. Puis, de même, il bougea chaque doigt, puis les épaules. À trois pas, il pouvait cependant paraître parfaitement immobile. Il expirait dans son col pour éviter d'émettre de la vapeur d'eau. Jamais il n'avait reçu le moindre cours, ni suivi la moindre formation de chouf*. À force de pratique et de réflexion, il avait acquis soi-même sa propre technique physique et respiratoire. Il s'était appris à *survivre à l'économie en milieu hostile.*

Courapied en était secrètement fier. Il se considérait comme un perfectionniste – à sa façon. Un faible bruit attira son attention. Un bruit qu'il connaissait parfaitement : le bruit d'un homme qui tâche de se mouvoir sans bruit. Une silhouette filiforme se déplaçait en rasant les murs. Un long moment, l'inconnu demeura immobile à guetter sans même bouger le visage. Puis Courapied le vit bouger brusquement, pousser le portail et pénétrer dans le jardinet. À cet instant, une lumière crue et éblouissante éclaira la scène avant de s'éteindre presque aussitôt. Le visiteur avait déjà disparu à l'intérieur.

Dans le bref flash lumineux, Courapied avait eu le temps de distinguer l'objet que l'homme avait sorti de son blouson. C'était un paquet enveloppé de papier kraft, de la taille et de l'épaisseur de deux livres de poche l'un sur l'autre.

145

Courapied avait consulté sa montre, à l'intérieur du poignet gauche.

Il était dix-neuf heures vingt. Courapied s'était mis à chercher dans sa tête qui pouvait être l'inconnu. Un type à l'allure de manouche, avec un jean crasseux et de vieilles santiags. Presque aussitôt, une voix de femme s'était mise à vociférer à tue-tête avec une redoutable véhémence et un souffle inépuisable dans une langue que Courapied ne connaissait pas.

Le crétin aux santiags était en train de se faire passer un saxo* de première.

Marina avait vu la petite Austin vert anglais arriver en trombe et se ranger en bataille au ras de la vitrine. À sa façon de conduire pleine de rudesse, ou pouvait penser que Cheroquee ne devait payer ni son essence, ni ses plaquettes de frein, ni les pneus de la voiture. Elle avait fait irruption dans la boutique avec une telle impétuosité que Marina lui avait fait signe machinalement du pouce, sans relever la tête de ses comptes.

— Les oua-oua, première porte à gauche après les cabines.

— Pas besoin, avait coupé Cheroquee.

— À te voir entrer comme une balle, j'avais cru.

Cheroquee avait déposé un grand sac plastique sur le comptoir. Il y avait aussi une boîte à chaussures. Elle avait tout déballé en déclarant :

— Il me faut ce qui va avec, dessous.

Marina l'avait considérée de loin, avec amusement.

— Tu te reconvertis ? Tu abandonnes les sacs à parachute et les culottes Petit Bateau ?

— Dépêche, je vais être à la bourre.

Marina l'avait accompagnée de portant en portant. La plupart des dessous que la jeune femme avait choisis étaient trop bien pour aller bosser sous le pont de l'Arquebuse, trop sexy même pour draguer au bar du Novotel. À travers le rideau de la cabine d'essayage, Marina n'avait pu empêcher de lancer une pique au passage :

146

– C'est ton nouveau jules, qui te met dans des états pareils ?

Cheroquee sortit de la cabine. Marina en eut le souffle coupé. C'était une autre femme qui venait d'apparaître devant ses yeux. Elle avait la figure chiffonnée et les cheveux en bataille, mais c'était une femme plus lourde et plus pleine, plus remplie de force et d'appétit de vivre. Souriant avec une sorte de gêne, vacillante, trépignant presque sur des talons aiguilles démesurés, Cheroquee donnait seulement l'impression d'avoir plus que jamais une violente envie de pisser.

Schneider avait vu au dernier moment les quatre ou cinq éclats lumineux qui marquaient l'emplacement de tir de l'adversaire. Le tireur se tenait embusqué à l'abri d'un bosquet de lentisque dont Schneider pouvait percevoir la senteur âpre et forte. L'homme devait attendre depuis des heures que Schneider sorte de son trou. Schneider avait bondi et aussitôt quatre ou cinq craquements secs avaient crépité dans le petit matin bleu.

Car c'était un petit matin bleu où ne luisaient plus qu'une étoile et un filet de lune mince comme une rognure d'ongle, accroché tout au fond du ciel. Les craquements étaient ceux, très caractéristiques, d'une courte rafale de fusil-mitrailleur Bar. Le djounoud* en face tirait en mode semi-automatique, en économisant ses munitions. Deux balles avaient piaulé à proximité immédiate de Schneider, la troisième l'avait touché en plein ventre. Le choc avait transformé le bond en un mouvement désarticulé, ce qui explique que la quatrième balle n'avait fait que lui labourer la hanche droite, causant une blessure sans gravité. Durant un instant, Schneider était resté sur le dos, parfaitement conscient mais incapable de bouger. Tout tremblait à l'intérieur comme un bol de gelée. Il avait cherché son arme, le pistolet qu'il tenait encore au poing. Il avait cherché une cigarette. Il pensait avoir cherché une cigarette. Il s'était levé un vent frais au ras du sol, prémices *d'une journée étouffante. Sous sa nuque, il y avait du sable, très doux et très fin, le sable d'un oued à sec pour l'éternité. Pas de meilleur lieu pour s'en aller*

À l'odeur âcre du lentisque se mêlaient à présent celle, plus piquante et familière, de la cordite, ainsi que des senteurs de bergerie provenant d'un douar proche. Au loin, il semblait à Schneider qu'on échangeait des tirs. Il avait cessé d'entendre réellement, mais il avait eu subitement la certitude paisible, étale, exempte de toute angoisse et de tout regret, qu'il était en train de s'en aller. Ses doigts cherchaient toujours les cigarettes dans sa poche de poitrine. Il ne pouvait réellement bouger. Rien que des gestes tâtonnants et limités, comme remuer les doigts pour trouver ses Camel. Il regardait le mince croissant de lune, tout là-haut, le froid l'engourdissait. Tout doucement, il était en train de s'endormir. Il était en partance, il partait. Il était parti. Il s'endormait. Il était endormi Et subitement, il avait senti qu'on lui mettait une cigarette allumée entre les lèvres, des faces casquées se tenaient penchées. Des mains avides s'emparaient de lui.

En l'enlevant au sol pour le poser sur la civière, les infirmiers militaires lui avaient arraché un terrible hurlement d'animal blessé.

Le commissaire Manière se tenait en face de Schneider, chevilles croisées, dans une attitude d'extrême décontraction.

– Curieux de vous voir à la Concorde, remarqua-t-il. Ce n'est pas trop vos terrains de chasse habituels.

– Pas trop, non, reconnut Schneider.

Ils occupaient tous deux les fauteuils de l'estrade au fond, laquelle constituait l'endroit stratégique de l'établissement. On y voyait tout le monde et tout le monde vous y voyait. La Concorde faisait comme un bocal vitré de trois côtés, donnant sur la place la plus prestigieuse de la ville. C'était l'endroit idéal pour voir et être vu. Tout le gratin et le semi-gratin s'y donnaient rendez-vous à l'heure de l'apéritif. Il y avait des plantes vertes d'une vitalité peu commune, des fauteuils de cuir souple et chaleureux comme des employés de commerce, de la moquette parme où l'on avait l'impression de s'enfoncer jusqu'à la cheville. Il y avait là tout ce qui comptait, des hommes et des femmes de poids, des affairistes et des magistrats, des gens de la presse et la plupart des membres de la chambre de commerce et d'industrie. Il n'y avait pas de putes – du moins pas au sens où on l'entend d'ordinaire. La musique y faisait un bruit de fond qui n'avait rien de blessant, de même que la plupart des conversations feutrées. Il y avait un bar en cuivre tout en longueur, où présidait Ramsès. L'endroit affectait des airs de faux pub et se voulait avouément *de bon ton*.

Ramsès était courtois et libanais. Beaucoup d'élégance, mais pas la moindre trace d'obséquiosité. Lui aussi se déplaçait sans bruit et paraissait sans mémoire. Monsieur Tom lui avait confié la gérance de la Concorde en toute connaissance de cause : l'endroit était un observatoire idéal de la ville, de son souffle, de ses espoirs, de ses projets les plus secrets et de la plupart de ses travers. Monsieur Tom avait coutume de placer ses pions avec une minutie maniaque.

Manière observait Schneider et finit par sourire. Un sourire qui semblait provenir de si loin qu'il n'était guère utile de tenter d'en remonter la piste. Il but quelques gorgées et remua le front.

– Je vous ai regardé faire, tout à l'heure, chez Alvarez. Vous êtes loin d'être un mauvais bougre, Schneider. Vous avez seulement l'art subtil de vous faire des ennemis mortels.

Schneider regarda sa montre. Manière avait la pendule du bar dans son visuel. Il le devança avec négligence :

– Il va être vingt heures trente-quatre dans trente secondes. Vous avez cru baiser Alvarez en ne participant pas au point presse. Vous vous êtes trompé. Alvarez est loin d'être con. C'est lui qui vous l'a mis bien profond.

Schneider se borna à retrousser les babines. Il s'apprêtait à se lever et cherchait déjà de la monnaie dans son jean. Manière insista :

– Il y a moyen d'égaliser le score. Vous pouvez facilement neutraliser Alvarez.

Il leva le pouce, le majeur et l'index en triangle.

– Venez chez nous, il y a du feu.

Schneider s'arracha à son fauteuil, déposa de l'argent dans le cendrier. Il avait table ouverte à la Concorde, comme dans la plupart des établissements de jour ou de nuit de la ville, mais jamais il n'avait laissé d'addition nulle part. Non sans ironie, il sourit avec application à Manière :

– Vous savez ce qu'a dit Woody Allen ? « *Jamais je n'accepterais d'appartenir à un club qui voudrait de moi pour membre.* »

– Dommage, regretta Manière.

Il semblait étrangement sincère. Schneider était en train de s'en aller quand une belle femme brune en tailleur sombre et au sourire tremblé avait brusquement surgi devant lui, vacillant sur les talons. Elle paraissait hors d'haleine et remplie de désarroi. Le commissaire Manière avait tout de suite compris, il s'était aussitôt levé en laissant la place.

À l'instant même où ils s'étaient assis côte à côte, au moment même où elle s'était emparée des doigts de Schneider de sa main brûlante et ferme, tout en lui murmurant au visage, tous deux avaient parfaitement compris ce qui allait arriver.

Le crétin aux santiags avait fini de prendre sa ronflée. Courapied l'avait vu faire mouvement. Il lui avait donné du mou et, abandonnant sur place journaux et haillons, il l'avait pris en bobine. Courapied se sentait ombre parmi les ombres. De rue en rue, de place en place sous un froid mordant, il l'avait suivi de loin en loin jusqu'à un immeuble frappé d'alignement non loin du centre. La difficulté n'était pas tant de suivre le maigre Gitan, qui ne semblait pas outre mesure sur ses gardes.

Courapied devait surtout se méfier des rondes de la BSN* qui quadrillaient la ville, à la chasse du moindre clodo à se mettre sous la dent. Courapied vouait une haine toute spéciale aux gardiens de lapins qui l'avaient déjà molesté à plusieurs reprises, avant même qu'il n'ait eu le temps de sortir sa carte de police. Le monde de la nuit est ainsi fait de féroces et brefs combats incertains, et qui, pour la plupart, ne mènent à rien.

Courapied avait suivi le crétin aux santiags jusqu'à l'immeuble, l'avait vu pénétrer par un trou dans les parpaings qui muraient portes et fenêtres du rez-de-chaussée. Il avait suivi le même chemin, et mis un temps infini à gravir les marches en ciment dans la pénombre glacée. Le temps ne comptait pas. Au troisième, il avait perçu une conversation assourdie de l'autre côté d'une porte palière. Il était demeuré un long instant, souffle suspendu, l'oreille collée au battant. Puis, toujours sans bruit, ayant appris ce qu'il avait à apprendre, il était reparti à pas de loup. Le tout à présent était de ne pas se faire mordre. Tout en descendant marche par marche, chaque pas ralenti, dans un temps qui semblait distendu, il avait brusquement entendu deux heures sonner quelque part. Pour que sa satisfaction fût complète, il ne lui restait plus qu'à trouver la moto.

Il n'y avait presque pas de meubles chez Schneider, seulement ce qui était nécessaire à la survie d'un homme démesurément seul. Une cuisine moderne aussi pratique et chaleureuse qu'un bloc opératoire. Des tiroirs vides, un frigo avec presque rien dedans. Machine à laver, sèche-linge, mais pas de lave-vaisselle. Des packs d'eau et des stocks de café soluble. Un salon aux murs remplis de livres, avec un divan en cuir, un fauteuil dépareillé et un long meuble bas à tiroirs. La chambre comportait un lit presque au ras du sol, où on avait du mal à tenir à deux. Deux grands duvets kaki étaient ouverts en guise de couchage. Pour tout luxe, il y avait cependant deux grosses enceintes Acoustic Research et un rack très complet avec des appareils de son aux façades en alu brossé, de marque Marantz.

En guise de chevet, il y avait une vieille malle en osier.

Sur la malle se trouvait posé le .45 automatique de Schneider, un chargeur engagé et la crosse orientée vers lui. Il y avait aussi un répondeur à bande pourvu d'un téléphone plat.

Il y avait enfin une veilleuse à côté de l'arme et la pénombre partout ailleurs.

Il venait d'être deux heures du matin, et ils ne dormaient toujours pas. Le gros de l'orage était passé, mais non sans laisser de traces. Cheroquee se tenait serrée contre lui, endolorie de partout, un genou en travers de ses cuisses, comme si elle n'entendait pas encore tout à fait abandonner la place. Schneider fumait et, de temps en temps, elle lui volait une taffe au passage. Schneider avait mis très bas *Johnny Guitar*, ce qui ne rendait pas la mélodie moins poignante, ni la voix de Peggy Lee moins sensuelle. Ils étaient tous deux bilingues et comprenaient parfaitement ce dont il était question. Une femme disait son amour à un homme, un sale type nommé Johnny (son Johnny), et il y avait cette guitare acoustique qui arpégeait à l'infini, *il pouvait s'en aller, il pouvait rester, elle l'aimait. Jamais, jamais, il n'y avait eu d'homme comme son mec, ce type qu'on appelait Johnny Guitar.* Schneider avait remarqué avec amusement que Cheroquee avait un peu la même voix, rauque, sensuelle, aux intonations sourdes, et quelque peu affectée par instants. Contre sa poitrine, elle avait ri à contretemps et lui avait brusquement confié :

– Ma mère adorait cette chanson. Peut-être à cause de la guitare. Peut-être parce qu'elle lui rappelait son pays.

Schneider avait gardé le silence.

– Ma mère adorait mon père.

– Adorait ?

Elle n'avait rien répondu. Elle l'avait seulement serré encore plus fort dans ses bras. De nouveau, elle s'était emparée de son sexe à pleine main comme s'il se fût agi d'une sorte de trophée. De nouveau, ses hanches s'étaient remises à rouler dans l'urgence. En l'attirant sur lui, Schneider avait seulement senti les larmes de la jeune femme couler lentement, une à une, et tomber goutte à goutte sur sa peau maigre et grise de taulard.

Un jour, Schneider avait pris perpète.

Depuis, il n'avait pas cessé de purger sa peine.

8

Schneider se réveilla d'un coup, consulta sa montre. Six heures. À son côté, Cheroquee s'expliquait avec le sommeil en ronflotant, comme une petite gosse dont les sinus sont pris. Schneider se leva sans bruit, lui remonta le duvet jusqu'au menton. On ne voyait plus d'elle qu'un gros paquet de cheveux sombres sur l'oreiller. Il quitta la chambre à pas de loup. Il faisait froid. Il alla monter le chauffage à la chaudière à gaz. Il regarda dehors. Il regardait dehors chaque matin en se levant. Sur le petit matin, il venait de geler à glace. Sur le parking, en bas, des types étaient déjà affairés à gratter les pare-brise.

Schneider avait fait chauffer une casserole d'eau. Juste le temps de prendre une douche, de se laver les cheveux et de se raser. Il avait ensuite pris un jean, une chemise et des dessous propres dans le placard de l'entrée. Un vieux flicard qui avait connu l'Indochine lui avait confié un jour :

– Quand tu pars le matin, gosse, démerde-toi toujours à te nettoyer comme si tu devais jamais revenir. Astiqué de fond en comble, histoire de pas faire un cadavre trop dégueulasse.. Essaie aussi de faire la grosse commission avant, comme ça en cas que tu en prennes une dans le ventre, tu risques moins la septicémie.

Bien entendu, l'histoire de la septicémie était une pure foutaise. Quant au reste, Schneider ne pouvait pas lui donner tort. Tout en s'habillant, il avait absorbé un bol de café – de ce qu'il appelait du café. Il était revenu dans la chambre, récupérer son arme. Cheroquee dormait toujours, mais à présent sans bruit, et elle avait posé le poing sur l'oreiller, là où reposait auparavant la tête de Schneider.

En retraitant, il avait observé la trace qu'elle avait laissée, les chaussures, les vêtements et sous-vêtements qu'elle avait abandonnés un peu partout dans la hâte sur la route du champ de bataille. Dans l'entrée, Schneider avait pris une parka sur un cintre, une parka de l'armée scandinave, l'avait pliée et disposée pour elle sur la table de la cuisine. Il y avait ajouté son double de clés et il était sorti dans le froid mordant, dès le palier.

Courapied sentait une aigre odeur composite de fond de poubelle, de marc de café et d'essence. Il avait retiré son bonnet et son écharpe. Il fumait une boyard maïs, les yeux mi-clos. Il dit :

— Je suis rentré. J'ai identifié le coursier. Il s'agit d'un certain Manuel Dominguez, alias Chiquito. Quatrième ou cinquième couteau chez Bubu Wittgenstsein.

Schneider avait la fiche de Dominguez entre les doigts.

— Pas tout à fait, corrigea Schneider.

Dominguez était le seul à avoir survécu au duel avec Francky.

— Votre type est logé, ajouta Courapied avec une extrême platitude.

— Et c'est maintenant que vous me le dites ?

— Logé et bordé, déclara placidement le grand Müller.

Adossé à l'armoire forte, en dépit des instructions, il était occupé à remplir le magasin du Mossberg chambré en 76 mm avec de lourdes cartouches calibre 12. Le genre de munition à coucher un sanglier en pleine course. Il releva les yeux :

— Dès que Courapied nous a donné l'endroit, j'ai envoyé une équipe de chez nous. Nello et Dumont couvrent les arrières. Il y a un équipage du groupe B avec quatre fonctionnaires à bord qui couvre l'entrée. Sauf à se jeter du troisième, Francky n'a aucune chance de nous filer entre les doigts.

— Qu'est-ce qui vous dit qu'il est encore au nid ? murmura Schneider.

155

– La moto est encore là, rigola Courapied en sortant un tuyau à cathéter d'une poche. Je lui ai juste laissé assez d'essence pour qu'il puisse faire cent mètres.

Il avait l'air très content de lui, ce qui donnait à sa face un air de gargouille.

– Prenez votre journée. Allez dormir un moment, dit Schneider. Vous l'avez bien mérité.

– J'aimerais mieux pas, fit Courapied avec un rictus de gourmandise. Toute façon, vous savez pas comment c'est exactement fait, à l'intérieur.

Schneider ne se sentit pas le courage d'argumenter.

– On n'attendait plus que vous pour percer, résuma Catala avec flegme.

Schneider hocha la tête, alluma une cigarette. Il commençait à avoir froid dans les os.

– Pare-balles ou pas par balles ? demanda Müller à la cantonade.

– Pas pour moi, prévint Schneider.

Il avait déjà l'esprit ailleurs.

Müller procéda à la distribution, puis chacun se harnacha, vérifia armes et stornos et Schneider donna le top départ. Il était neuf heures neuf à sa montre. Et neuf heures à la pendule électrique au-dessus de la porte.

Charlie Catala avait coupé le moteur de la voiture dix mètres avant de la ranger le long du trottoir en la laissant courir sur son erre. À son côté, Schneider se tenait silencieux, une cigarette à la bouche, le portable en travers des cuisses. Le jeune homme avait remarqué que Schneider portait ses vieux gants noirs aux bords retournés sur les poignets, ce qui ne présageait rien de bon. Ils étaient sortis en étouffant les claquements de portières et avaient rejoint le groupe B en planque dans leur vieille Simca. Les types se caillaient. Pas question de mettre le chauffage dans une voiture en planque. La vapeur de l'échappement était le plus sûr moyen de se faire repérer.

Schneider avait prélevé deux unités pour les accompagner. Dispositif simple. La cible gîtait au troisième. Deux effectifs à l'étage au-dessus, deux à l'étage en dessous. Schneider avait précisé :

— Le suspect est censé avoir tiré sur un flic. Il est susceptible d'être armé. Vous êtes donc en droit d'user de l'état de légitime défense, si besoin est. Pas question de faire dans la dentelle : attendez pas d'être touché pour mettre le type par terre.

Tout le monde savait ce que Schneider entendait par mettre un type par terre. Tout le monde dans l'Usine connaissait la doctrine de Schneider en la matière : mieux vaut un flic radié, qu'un flic mort. Puis il avait fait un signe de tête.

L'un après l'autre, ils avaient pénétré silencieusement par le trou dans les parpaings. Courapied les avait guidés dans le dédale des pièces dévastées, puis ils étaient parvenus dans une cage d'escalier. Les rampes avaient été arrachées de même que la plupart du carrelage. La porte de la cabine d'ascenseur béait. L'endroit puait les excréments et la pisse. Drôle d'endroit pour partir, avait brusquement pensé Schneider, et il avait écarté Courapied qui entendait continuer à vouloir passer le premier.

— Pas votre job, avait émis Schneider d'une voix rauque.

L'un après l'autre, ils se mirent à monter, marche par marche, à défilement, glissant le long du mur. Catala se tenait en couverture derrière son chef, le .357 tenu à deux poings, le canon orienté vers le haut. Schneider se déplaçait avec une impressionnante souplesse, avec des gestes coulés et une détermination sans faille. Il avait sans doute conservé les réflexes de guerrier acquis dans le djebel. Charlie Catala n'avait pas la moindre estime pour tout ce qui touchait de près ou de loin à l'armée, et en particulier à ses forces soi-disant spéciales, mais la façon qu'avait Schneider *d'y aller* en faisait un remarquable animal de proie.

Les yeux au ras du palier, Courapied avait indiqué la porte.

Elle était enduite d'une peinture sombre et grasse, qui faisait penser à du rouge à lèvres appliqué à la truelle, et couverte de bombages, la plupart obscènes. Le dernier locataire en titre avait sans doute embarqué l'œilleton et il restait à la place un large trou aux bords effrangés dans le contreplaqué. Aussi bien, le genre d'orifice de sortie qu'aurait pu laisser une balle à ailettes tirée à bout portant. Le battant ne comportait plus ni serrure, ni verrou, ni poignée. Pour quoi faire, puisque personne n'habitait plus là ? Du geste, Schneider avait fait monter Courapied et l'un des deux effectifs du groupe B pour verrouiller l'étage du dessus. Les stornos étaient tous réglés sur la fréquence inter, qui permettait seulement des liaisons à courte distance. Au top, Schneider avait su que les deux hommes avaient pris position à l'étage supérieur.

Il allait être temps, la lumière verte allait s'allumer d'une seconde à l'autre, à cette différence près que c'était Schneider qui avait pour tâche maintenant de l'allumer ou pas. Malgré le froid, il avait senti la sueur glacée lui couler le long de la colonne vertébrale. Il avait jeté un court regard derrière lui. Catala, le .357 vers le ciel. Müller debout, le visage placide, les yeux vides, le Mossberg au poing. Aussi bien au stand qu'en opération, Müller tirait au fusil d'une seule main, avec ce qui pouvait passer pour de la négligence mais se révélait être une redoutable précision. Un instant, il lui avait semblé entrevoir dans les yeux de Schneider ce qui ressemblait à de la peur, puis tout aussitôt celui-ci avait fait mouvement.

Il avait poussé la porte, la main gantée sur la crosse de son automatique.

Schneider avait pour principe de toujours laisser une chance à l'ennemi.

Si celui-ci la laissait passer, tant pis. Tant pis aussi s'il s'en saisissait.

Et tout aussitôt, Schneider avait eu la sensation que quelque chose ne tournait pas rond. Lors d'une saisie mobilière, l'huissier doit laisser une table et une chaise, ainsi qu'un lit et ses effets personnels à sa victime. On entend par effets personnels ceux que le malheureux porte sur le dos. Il y avait bien un avis de passage sur la table, au milieu de la pièce. Une simple table à quatre pieds en bois blanc. Il y avait aussi posé, avec une certaine minutie, un automatique .45 semblable au sien. La crosse était vide, la culasse était calée à l'arrière. De ce fait, l'arme était parfaitement neutralisée. Il y avait, posée en parallèle, une boîte de cartouches .45 entamée et un chargeur vide. Il y avait aussi un vieux portefeuille en cuir bon marché et les clés de la Harley. En plein milieu, le casque intégral.

Dans un coin de la pièce, pas loin de la fenêtre, il y avait une forme humaine roulée en boule sous un sac de couchage. Il en dépassait seulement une paire de santiags et des bas de jean usés. Par terre, il y avait un blouson flight que Schneider avait écarté du pied, puis il avait sorti son arme, monté une cartouche dans la chambre de tir en étouffant le bruit de culasse, s'était penché et, écartant le sac de couchage, il avait planté le canon sous le mastoïde du type.

– C'est pas une banane que tu as dans l'oreille, Francky. Lève-toi doucement. Les mains contre le mur. Doucement. Doucement.

Comme subjugué par la voix sourde et lente, teintée d'amertume, du policier, Francky avait commencé à bouger. Il avait tenté de se lever, tout en bredouillant quelque chose comme :

– Putain, vous avez mis le temps, mec…

Il était retombé et avait glissé le long du mur. Il avait repris sa lente progression verticale une seconde fois, sans plus de succès. Banane ou pas banane, il s'était finalement effondré en tas.

– Vous cassez pas le cul, avait ricané Müller dans le dos de Schneider qu'il n'avait pas cessé un instant de couvrir de son arme. Votre crétin est rond comme un boulon.

Schneider et Catala avaient emmené Francky au Samu pour la prise de sang, compte tenu qu'il était impossible de le faire souffler dans le ballon. Vautré sur la banquette arrière, le jeune homme puait la mort. Il avait été pris en charge aussitôt par l'équipe de garde et Schneider était passé aux urgences. Cheroquee lui avait souri au visage et ils étaient sortis fumer une cigarette sur le tarmac de l'héliport. Capuche relevée, la jeune femme se tenait emmitouflée dans la parka de l'armée scandinave, qui lui arrivait à mi-mollet. Elle rit :

— Vous n'auriez pas la même, pour femme ?

— Pas facile à trouver, reconnut Schneider.

(Lui et ses hommes l'avaient chouravée fin 58 à une bande de chasseurs alpins en bordée. Lui et ses hommes chouravaient tout l'équipement dont ils avaient besoin. À commencer par les caisses de whisky et les cargaisons de capotes, ainsi que toutes les munitions d'armes automatiques qui leur tombaient sous la main. L'unité parachutiste de Schneider était composée de corsaires qui ne s'en cachaient pas. Ils jouaient à la guerre, sans savoir que c'était la guerre.) Elle rit et avoua, en jetant sa cigarette :

— Vous savez que j'ai très envie de vous embrasser à pleine bouche, là, maintenant, devant tout le monde ?

Il gelait à pierre fendre et il n'y avait personne dans un rayon de deux cents mètres. Rien que les balises encore allumées de l'héliport.

— Risque limité, admit Schneider.

Ils s'embrassèrent à pleine bouche, là, maintenant, serrés l'un contre l'autre. Puis elle jeta la tête en arrière comme pour le regarder de plus loin. Elle avait les cheveux tirés en un chignon sévère, elle avait les joues couleur pomme d'api et ses yeux brillaient d'une jubilation parfaitement assumée.

— Vous savez ce que mon connard d'ex-petit copain m'a fait ?

Schneider fit signe que non.

– L'abruti est passé chez moi pendant que je n'étais pas là. Il a bombé BITCH en grosses lettres sur ma porte.

Schneider se borna à sourire. Il la tenait contre lui et elle sentait que ça commençait à lui faire de l'effet. À elle aussi, ça en faisait. Une diversion s'imposait, elle s'écarta un peu et demanda :

– Il avait laissé la bombe sur le paillasson, alors vous savez ce que j'ai fait ?

– Non, je ne sais pas, fit Schneider, l'esprit ailleurs.

– J'ai juste ajouté au-dessus, en grosses lettres : OMAHA. Omaha Bitch.

Elle rit toute seule, d'un rire un peu faux. Merde, elle crevait de nouveau d'envie. Comme Schneider semblait s'être rembruni, elle demanda, avec un brusque ton de gravité :

– Vous avez eu votre type ?

– Oui, reconnut Schneider. Il est à la prise de sang.

– Il risque gros ?

– La peine de mort.

Elle frissonna. Ils retournèrent à l'intérieur. Le médecin du Samu les attendait avec un demi-sourire aux lèvres, une enveloppe à la main. À brûle-pourpoint, il demanda de face à Schneider :

– Vous connaissez la vraie histoire de Tristram et Isolde ? La vraie, pas celle qu'on raconte aux enfants des écoles.

– Je connais, fit Schneider, et ça fait bien longtemps qu'on ne l'enseigne plus aux enfants des écoles.

– Je vous cherchais, on m'a dit que vous étiez sorti fumer une cigarette.

Schneider comprit instantanément qu'il n'y avait pas que les balises encore allumées de l'héliport dans un rayon de deux cents mètres. Le toubib avait vu un homme et une femme enlacés en train de s'embrasser, et alors ? C'était un petit bonhomme roux aux abords pacifiques et qu'on aurait pu prendre pour un simple commis aux écritures dans la cinquantaine, n'eût été la lassitude un peu ironique de son regard. Il reprit un ton sec et professionnel, en tendant l'enveloppe à Schneider :

– Son bilan clinique, ainsi que le certificat médical y afférent. Les constantes sont bonnes, et il ne porte aucune trace de violence, ce qui est plutôt étonnant pour un patient provenant de chez vous. Votre client est dans un état général satisfaisant, en tout cas compatible avec une mesure de garde à vue. Il se trouve seulement qu'on vient de le chronométrer à quatre grammes quarante. Compte tenu que le taux d'alcoolémie baisse en moyenne de 0,20 gramme par heure pour un homme de sa corpulence, il va falloir un bon moment avant que vous ne puissiez l'entendre. (Il avait haussé les épaules, puis ajouté *mezzo voce* :) À toutes fins utiles, ça vous laisse largement le temps de *vous retourner.*

Schneider était rentré à l'hôtel de police. Catala conduisait sans hâte et Francky continuait à puer la mort. Il faisait très froid et les passants se hâtaient, le nez dans leur cache-col. Charlie avait mis le chauffage au maximum dans la voiture, ce qui faisait que la puanteur était maximale. C'était cela ou se geler les choses, avait observé le jeune homme. Pour sa part, Schneider aurait préféré se geler les choses.

(Omaha Bitch. Il n'arrivait pas à percuter. Il pouvait agir sur son propre esprit, dans une certaine mesure tout au moins, peut-être le pouvait-il aussi sur son âme, pourquoi pas, mais pour ce qui se passait sous la ceinture, il n'y pouvait rien. La zone était devenue hors contrôle. Omaha Bitch. Il suffisait qu'elle le frôle, même seulement du bout des doigts. Surtout seulement du bout des doigts. Il commençait à comprendre avec effarement ce que cela pouvait vouloir dire, *devenir dingue de quelqu'un*. Il était en train de devenir dingue d'elle.)

Il reprit seulement conscience au moment où Charlie descendait à basse vitesse les ralentisseurs de la rampe d'accès au parking souterrain. Klung-klung-klung. Omaha Bitch lui avait demandé à quelle heure il comptait finir ce soir. Il n'en savait rien. Elle lui avait demandé si elle pouvait au moins dormir chez lui. Il avait répondu qu'il lui avait laissé un trousseau de clés, *libre à elle d'en faire usage ou pas...*

Avec l'aide de Charlie et d'un garde-détenus, ils avaient placé Francky en cellule de dégrisement, une pièce vide et nue, parfaitement glaciale, avec un bat-flanc en béton, des chiottes à la turque et une lampe blindée, parfaitement inaccessible, au plafond. La lumière brûlait jour et nuit. Il y avait une lourde porte en acier et un judas à travers lequel le garde-détenus avait pour tâche de surveiller. Schneider avait fait étendre une vieille couverture militaire sur Francky avant de sortir. Il avait signé le registre de dégrisement. Il était alors treize heures quarante-deux.

Malgré l'avis du médecin, Schneider prévoyait un début de première audition vers dix-huit heures. Le temps de se retourner. Il était retourné dans son bureau organiser la suite des opérations. Envoi de l'arme et des munitions saisies à la balistique, expertise des effets trouvés dans la planque de Francky par les gens de l'Identité judiciaire. On avait remis Bubu dehors, faute d'avoir quelque chose de tangible à lui reprocher, à part le seul fait d'exister. Il fallait maintenant le récupérer, de même que le soi-disant Chiquito. Procéder à l'audition par procès-verbal de la mère de Francky. Il fallait procéder à l'examen détaillé de la Harley, provisoirement remisée au sous-sol. Le groupe Schneider s'était mis à turbiner sans qu'il soit besoin de tout expliquer à tout moment. Ils travaillaient ensemble depuis presque sept ans. À part que dehors, il gelait à glace, tout baignait. Jusqu'au moment où le téléphone sonna non loin du coude de Schneider. Une voix rauque et brutale qu'il ne connaissait que trop bien avait résonné tout près, dans l'écouteur. Elle aussi semblait provenir de l'Âge des Ténèbres :

— Faut qu'on se parle, Schneider.

– Négociable ou pas négociable ?

– Pas négociable.

– Tu l'as serré, c'est fait ? demanda Tom d'un ton crispé.

– Oui, fit Schneider.

Visiblement, le policier était loin de se trouver au mieux de sa forme. Il avait le visage gris et donnait des signes d'épuisement. Il portait encore ses gants glissés dans la ceinture, signe qu'il revenait juste d'opération. Quelle que fût l'arme, Schneider tirait toujours les poings gantés. La lumière devait lui blesser les yeux, car il ne cessait de tripoter ses lunettes. Le coup de feu passé, la Concorde était presque vide. Elle le resterait jusqu'à l'heure de l'apéritif. Durant quelques heures, on pouvait s'y sentir raisonnablement en paix avec le monde entier.

Les deux hommes se faisaient face dans des fauteuils club en coin. D'un commun accord, ils avaient jugé bon ne pas se rencontrer au vu et au su de tous. Schneider avait allumé une cigarette. Tom tripotait un cigarillo, comme dans l'expectative.

– Pas eu de problème ?

– Non. Un de mes types l'avait logé dans la nuit, on n'a plus eu qu'à le cueillir en douceur.

Schneider balaya la rue glacée dehors. Sous le froid, les pavés avaient revêtu un aspect terne et distant et les voitures en démarrant traînaient derrière elles de grands panaches de vapeur d'eau. Un jour comme les autres. Un saute-dessus comme les autres. Un assassin comme les autres. Routine.

– Vous avez retrouvé l'arme ? s'enquit Tom.

– L'arme, les munitions. Le type s'est servi d'un automatique .45. Un modèle commémoratif Bois-Belleau. Il en a traîné beaucoup, après guerre, et il en traîne encore pas mal. En revanche, il a tiré de la munition récente de marque allemande. Des balles à tête creuse.

164

Tom aussi regardait la rue dehors. De ses doigts puissants, il avait broyé le cigarillo dans le cendrier. À présent, il agrippait les bras du fauteuil comme s'il s'attendait à devoir en bondir d'un instant à l'autre. Dans la carlingue, dans le froid, le grondement des moteurs et les bourrasques du vent, dans les tourbillons d'air, une lumière verte s'allumait et il fallait y aller. Juste avant que la lumière s'allumât, celui qui se trouvait au bord du trou empoignait à pleine main le métal de chaque côté de la porte. Bien que lieutenant-colonel, Monsieur Tom se faisait un point d'honneur de toujours sauter à la tête de ses hommes.

C'était dans une autre vie. Il dit, d'une voix sourde :

– Commémoratif Bois-Belleau. Il n'y en a pas eu tant que cela. Le numéro de série a été limé.

– Correct, fit Schneider.

– Limé ou pas, l'écrouissage des numéros change la densité moléculaire de la matière. La police technique n'aura aucun mal à identifier l'arme.

– Correct, fit de nouveau Schneider.

– Elle ne tardera pas à découvrir que ce pistolet provient d'un lot d'armes volé dans un dépôt de l'Otan, fin 1959.

Schneider contempla de loin la face de son vis-à-vis.

– Il est possible en effet que les techniciens de la police scientifique aboutissent à ces conclusions. Il se peut aussi qu'ils n'y aboutissent pas. Il se peut aussi qu'on n'arrive jamais à retracer la carrière de l'arme entre '59 et avant-hier. Il se peut que.

Il se tut, leva son verre auquel il n'avait pas touché et dont il examina le contenu par transparence. Le pire était à venir. Ce que Schneider détestait le plus. L'interrogatoire. Le moment où il fallait mettre le type d'en face à poil, moralement à poil, lui faire raconter tout, par le détail, d'un bout à l'autre. Et dans l'interrogatoire, ce que Schneider détestait par-dessus tout, c'était ce qu'il appelait « *le moment trouble des aveux* ». La plupart du temps et dans des cas de peu d'importance, il déléguait cette tâche à l'un de ses adjoints, soit Müller, soit Charlie Catala, dans la majeure partie des cas. Sentant les aveux imminents, il se levait brusquement et cédait la place en ordonnant :

– Prenez la suite, je vais pisser.

Tout le monde connaissait le code. Schneider sortait fumer une cigarette, adossé dans le couloir, ou alors, il allait pour de bon pisser un coup et fumait une cigarette dans les toilettes en regardant dehors. Lorsqu'il revenait, c'en était fait. Il se penchait et lisait sur la machine :

– Je reconnais l'intégralité des faits qui me sont reprochés.

Ou bien :

– J'ai décidé de vous dire maintenant toute la vérité.

Ou bien, lorsque Charlie Catala était l'interrogateur, une formule un peu plus j'm'en-foutiste, et qui commençait invariablement par :

– Ayant décidé de soulager ma conscience et de me mettre à présent en règle avec Dieu et avec les hommes, je dois vous déclarer que…

Dans le cas d'une tentative d'assassinat sur la personne d'un fonctionnaire dépositaire de l'autorité, Schneider ne pouvait se permettre de déléguer à un subalterne. Immanquablement, l'affaire se terminerait aux assises et nul n'aurait compris que l'interrogatoire du mis en cause eût été confié à quelqu'un d'autre que le chef du groupe criminel, le policier le plus expérimenté dans le grade le plus élevé.

Schneider était échec et mat.

C'était à lui et à personne d'autre que revenait la tâche de faire accoucher Francky.

Tom le fit revenir à lui :

– Pourquoi il a fait ça ?

– Pas toi, Tom. Pas toi, ce genre de question à la con.

– Dans un homicide, dit l'autre sans raison, avec un brusque ton de souffrance, il y a toujours deux victimes. Celui qui a tiré et celui qui est mort.

166

— Amen, grinça Schneider.

Monsieur Tom avait les poings crispés sur les accoudoirs. Il murmura d'une voix sourde :

— Francky, je l'ai connu tout gosse. Il avait six ou sept ans. Il était beau, il était sale comme un peigne, il était insolent et méchant, une vraie teigne. Déjà, il volait tout ce qu'il pouvait voler. À douze ans, il s'est fait piquer par l'un de mes contre-maîtres. Il était en train d'embarquer un frigo de chantier, un Cadillac à pétrole trois fois trop gros pour lui dans une vieille brouette à une roue. Pourtant, Francky, c'est juste le gosse que j'aurais aimé avoir pour fils.

— Amen, grinça Schneider de nouveau.

Il avait beau tenter de jouer le temps, il allait bien devoir finir par retourner dans son bureau, auditionner le voleur de douze ans qui se servait d'une brouette à une roue pour tirer un frigo de chantier. Francky avait à présent vingt-sept ans et tenté de tuer un flic. Schneider vida son verre. On pouvait considérer l'entretien comme terminé, mais Tom lui adressa brusquement un sourire qui se voulait lointain, d'un ton qui s'entendait blessant :

— Tu as fini par conclure, avec ta gonzesse ?

— Tu baisses, Tom, regretta Schneider. La dernière fois, c'était une pouffe, cette fois c'est juste une gonzesse. La pro-chaine fois, quoi ?

— T'as rien compris au film, mon con.

— Qu'est-ce qu'il y avait à comprendre ?

— Cette fille, c'est tout sauf une saute-au-paf. Ses gros nichons, elle en a rien à carrer. Le cul, elle en a rien à carrer. Les fringues de pute, chez Marina, elle en a rien à carrer.

— Ah, s'irrita Schneider. Parce que tu sais ça aussi.

— Oui, je sais ça aussi. Marina c'est moi et moi c'est Marina. Ce que je peux te dire également, c'est que ta chérie a laissé trois empreintes de carte bleue pour payer tant par mois, parce qu'une infirmière aux urgences ça ne gagne pas des mille et des cents. T'as jamais rien compris au film,

Schneider, c'est pas qu'elle chasse le mâle, c'est juste qu'elle veut se faire cloquer un môme. Le reste, elle s'en bat les choses qu'elle n'a pas. *Et c'est sur toi que c'est tombé, pauvre con.*

Schneider avait reposé lentement son verre. Il s'était levé lentement et s'était dirigé vers la sortie de son pas élastique, imperceptiblement ralenti. Au dernier moment, sans se retourner, il avait fait très haut un doigt ostensible et d'une rare insolence. Puis il était sorti dans le froid mordant.

En rentrant à l'Usine, il avait été cueilli à froid par Charles Catala qui courait vers lui.

– Venez vite, on a un problème.

Le problème s'entendait à travers les cloisons. Un type était en train de se faire tabasser. Même les civils qui se trouvaient dans la salle d'attente pouvaient l'entendre et se contentaient de faire le gros dos. Le problème n'était pas fréquent, mais il arrivait qu'il se produisît de temps en temps, surtout au groupe stupéfiants. Stern affirmait diriger un groupe de durs avec des méthodes de durs. Schneider avait compris sur-le-champ, mais il avait ensuite vu Müller venir à lui :

– La bande à Stern a récupéré Francky en dégrisement. Ils sont en train de le travailler au corps.

La voix de Müller était dépourvue de toute émotion. Schneider avait donc fait irruption dans le bureau de Stern et il ne lui avait fallu qu'une fraction de seconde pour enregistrer la scène. Sur la gauche, Stern, assis sur son bureau une bière à la main et ses courtes jambes remuant dans le vide. Deux esclaves sur la gauche, qui se tenaient immobiles, dans l'expectative. Et Pablo Escobar penché sur un corps nu, en chien de fusil par terre, dont on voyait la maigre épine dorsale et les côtes qui se soulevaient comme celles d'un sprinter à bout de souffle. Le type faisait le gros dos, Escobar lui bourrait les côtes et les jambes de coups de pied qui n'avaient rien de désordonné. Escobar avait les bras ballants et portait de gros gants de chantier, tachés de sang. Le type saignait des poignets et des chevilles, à cause de l'acier des menottes serrées à bloc.

Pablo avait la réputation d'un homme méthodique, réfléchi et relativement exempt de sentiment. Stern avait fait mine de se remettre sur pied, Schneider l'avait envoyé bouler du plat de la main. Stern avait fait un soleil par-dessus son bureau, emportant tout sur son passage. D'instinct, Charlie avait fait mouvement pour couvrir son chef. Ça n'aurait pas été la première fois que des flics se rentraient dans la gueule entre eux, et d'ordinaire les choses se terminaient toujours à l'amiable, sans que rien ne suintât nulle part.

La police aussi est capable d'omerta, surtout lorsque ses intérêts vitaux sont en jeu.

Il était ainsi de tradition que la Grande Maison lavât son linge sale en famille et la brutalité y était admise comme allant de soi, pour autant qu'elle demeurât discrète. Chacun savait que *la garde à vue ne devait rien avoir d'une partie de plaisir*, selon les dires mêmes du célèbre commissaire Froussard. On s'acheminait donc vers une petite partie de chicore entre soi.

Escobar s'était donc retourné en direction de Schneider, qu'il avait vu cependant enfiler ses gants de pédé. Schneider l'avait cependant prévenu tout de suite d'une voix lointaine et presque spéculative :

– À votre place, j'hésiterais.

Schneider avait une réputation de combattant endurci et dur au mal. Müller et Charles Catala ne passaient pas pour des manchots. Escobar avait donc cherché Stern du regard, en quête d'instructions et n'avait rien trouvé. Stern était occupé à tâcher de recouvrer un semblant d'équilibre, tout en refaisant surface. Schneider avait arraché le storno qu'il portait à sa ceinture et annoncé, en actionnant la pédale d'émission :

– Samu demandé.

Escobar avait hésité une seconde de trop, laissant à Müller le temps de s'interposer entre lui et Schneider. Par terre, Francky remuait, un peu comme s'il essayait de ramper sur le côté vers la sortie qu'il n'avait aucune chance d'atteindre. Sur le lino, il laissait derrière lui une longue traînée de sang glissé. Schneider avait saisi le combiné de téléphone sur le bureau de Stern et pianoté rapidement un numéro. Tout en parlant dans le storno, il s'annonça :

– Inspecteur principal Schneider, madame. Passez-moi de toute urgence le bureau du procureur Gauthier, je vous prie.

– Fils de pute, grinça Stern presque à bout portant. Espèce de fils de pute.

Il avait plus que jamais une face de batracien, les traits bouffis de rage impuissante.

– À votre place, je ne le répéterais pas une troisième fois, lui recommanda Schneider.

S'il n'avait pas tourné sous benzédrine, sans doute aurait-il agi autrement.

Puis il eut son correspondant en ligne.

Il était un peu plus de quinze heures à sa montre.

Quinze heures trois à la grosse pendule au-dessus de la porte.

Dix-sept heures à la montre de Schneider. Il fumait, le regard en dedans. Le Samu était arrivé presque immédiatement, avait rangé son véhicule à cul au ras des marches de l'hôtel de police, au prétexte que l'accès au sous-sol était trop bas. Au vu et au su de tout le monde, y compris des civils qui attendaient dans le hall pour déposer plainte. L'équipe médicale avait galopé dans les escaliers et les couloirs avec son matériel. Francky avait été détaché, ventilé, et avait reçu les premiers soins chez Stern, puis il avait été évacué sur civière, une couverture de survie sur le corps. Il en dépassait un pied nu et sale. Avisé des faits, le procureur Gauthier était arrivé en trombe au milieu de l'intervention du Samu. Il avait trouvé

170

une vraie pétaudière de témoins et de flics et avait sèchement consigné Schneider dans son bureau, en qualité de principal témoin.

Depuis, celui-ci fumait en relisant les actes de procédure. Le technicien de l'Identité judiciaire était venu lui apporter les premiers résultats d'examen. Il avait effectué un tir de comparaison. Sans aucun doute possible, les munitions saisies sur les lieux de l'interpellation de Francky et celles de la station-service correspondaient trait pour trait. Les traces de percuteur, ainsi que celles de la griffe d'extraction, correspondaient avec précision. Le lot était identique. Il avait remis à Schneider les planches photographiques, ainsi que son relevé de conclusions. Même arme, même munition.

Par ailleurs, il avait relevé sur l'arme saisie des empreintes digitales qu'il n'avait eu aucun mal à comparer avec le relevé décadactylaire du jeune homme, qu'il avait réclamé aux archives. Aucun doute non plus qu'il s'agissait des mêmes. L'arme ne comportait que les siennes, on en trouvait aussi bien sur le bloc de culasse, qu'on saisit de la main gauche pour faire monter une cartouche, que sur les flancs du chargeur lui-même. Il y avait même un morceau d'empreinte palmaire lisible sur la pédale de sûreté. Le technicien avait remis de même son rapport, qu'il avait établi immédiatement, compte tenu de l'urgence et de l'extrême simplicité des recherches et des examens.

Müller était rentré s'asseoir. Il avait examiné clichés et documents. Schneider fumait en silence, les yeux creux. Müller avait conclu :

— Francky l'a dans le cul, fort et clair.

Il était l'homme des conclusions simples et des propos elliptiques. Grand et décharné, il faisait partie des meubles depuis le début des années soixante. Il s'approchait sans hâte de l'âge de la retraite et avait déjà prévenu qu'il n'y aurait pas de pot de départ. Aussi bien, il aurait pu exercer des fonctions d'employé des postes ou de douanier, ou d'instituteur, avec la même sobre indifférence et une efficacité comparable. Tout en fumant, Schneider s'était penché sur l'interphone :

– Catala, dans mon bureau.

Charlie avait surgi en agitant ses boucles brunes. Schneider lui avait fait signe de s'asseoir. Charlie avait remarqué, avec une certaine allégresse :

– Ça camphre, dans les hautes sphères. Le proc' s'est bouclé en conclave depuis une heure dans le cabinet du commissaire central, avec cette tantouze de Manière et Stern. On entend gueuler depuis l'autre bout du couloir, malgré les portes capitonnées. Il semble que le gros du litige porte sur l'intervention du Samu dans des locaux de police. Du jamais-vu depuis que la police est police.

– Amen, fit Schneider.

Catala en avait conclu que Schneider n'était pas à prendre avec des pincettes.

Celui-ci avait relevé les yeux :

– À ma connaissance, le commissaire Manière n'a rien d'un inverti.

Il avait eu un étrange sourire furtif, puis balayé ses deux adjoints de son étrange regard.

– Aucune gloire à couler à plusieurs. Gauthier m'a clairement laissé entendre qu'il n'admettrait pas qu'on fasse passer les exploits de Stern à la trappe. Ne vous y trompez pas, il se règle des comptes qui nous dépassent. (Il regarda dehors. La nuit était tombée. Cette face blême aux yeux creux dans la vitre, c'était bien lui.) Attiré par le bruit, je suis entré chez Stern, j'y ai constaté ce que j'ai constaté. J'ai mis personnellement un terme aux violences.

Il se voyait remuer les mâchoires. Il s'entendait parler. Il s'interrompit, comme fasciné par le spectacle de la nuit. Après un silence, il dit :

– Rien ne vous oblige à figurer dans l'image.

– Ce qui veut dire ? grogna Müller d'une voix sourde.

– Que celui qui doit prendre, c'est le chef de groupe, pas les chaouches, dit Schneider d'un ton cassant en le regardant droit dans les yeux.

Il n'eut pas le temps d'ajouter quoi que ce soit : Müller était déjà debout, faisant valdinguer sa chaise, il était sorti en claquant la porte si fort que les cloisons en avaient tremblé. Nul n'aurait cru La Mule capable d'une telle rapidité d'exécution, ni d'une rage pareille. Charlie Catala s'était levé pour ramasser la chaise, il s'était rassis et avait allumé une cigarette. Schneider regardait toujours dehors quelque chose de pénible qu'il était le seul à voir.

– Parce que ça va retomber ? supposa le jeune homme.

– Oui, dit Schneider.

Charles Catala haussa les épaules. Il ne manquait pas de courage et d'insolence, mais ni l'un ni l'autre ne sont des qualités prisées chez un jeune fonctionnaire de police en début de carrière.

– Tirez-vous de cette merde, Charles, dit Schneider. Vous avez une femme ?

– Des femmes. Elles vont, elles viennent. Pas une seule qui soit restée.

– Un jour, il y en aura une qui restera. Vous avez une maîtrise d'histoire.

Schneider pensa : *vous avez une chance de refaire votre vie*, mais il ne le dit pas.

– Barrez-vous vite, avant qu'ils aient eu votre peau.

– Et vous ?

Schneider eut un geste évasif et de peu de portée.

Pour lui, c'était trop tard.

Puis il y eut un appel du Samu. On préférait garder le patient en observation pour la nuit. Le type avait sérieusement morflé. Il avait deux côtes et l'avant-bras gauche brisés, sans doute du fait de ce qu'on appelle réflexe de défense. Ses jours n'étaient pas en danger, a priori, mais le médecin chef avait décidé de le garder. Schneider n'avait ni l'envie ni le moyen de s'y opposer. Il expédia Charlie Catala notifier sa garde à vue à Francky, organisa avec le poste de police la surveillance du détenu. Rien que des tâches de routine, qui avaient pour principal mérite d'occuper l'esprit. Puis il y eut un appel de Monsieur Tom auquel Schneider raccrocha au nez. Puis on frappa à la porte, et presque tout de suite, le procureur Gauthier entra, son manteau sur le bras. Et vint s'abattre en face de Schneider, sur la chaise qu'avait occupée Müller un instant auparavant.

– Vous avez joué au con, Schneider. Vous étonnez pas de vous retrouver au milieu du champ de tir.

Il tendit les doigts et le policier fit glisser son paquet de Camel et le Zippo dans sa direction.

– Merci, fit Gauthier en allumant sa cigarette.

Schneider semblait l'observer de très loin et ne guère manifester d'intérêt à la conversation. Pour Gauthier, le policier constituait une énigme passablement indéchiffrable. Il remarqua :

– C'est drôle, je ne voyais pas le coup provenir de votre part. Les exactions de la bande à Stern, les cassages de gueule en geôle ou ailleurs, les rondes-battues de la gare, ne croyez surtout pas qu'on en ignorait tout, à la cour comme à la ville. Tout le monde savait que les flics avaient la main lourde, et je dois reconnaître que la majeure partie de la population y voyait une sorte de… De garantie…

Schneider entrouvrit les lèvres, mais ne dit rien. Une seconde, Gauthier eut l'impression de surprendre dans les yeux gris comme une sorte d'indicible tristesse, une lassitude qui s'effaça tout aussitôt pour laisser place à une morne impassibilité.

– Qu'est-ce qui vous a pris, Schneider ? Une brusque remontée d'huile ? Une sorte de crise de conscience ? Je sors de chez le central : tout le monde est d'avis d'écraser. Un impératif : laisser la presse en dehors du coup. Impératif catégorique. Pas de creux, pas de vague. Vous connaissez la chanson. S'il y avait la moindre fuite, la ligne de défense de vos autorités est que le cassage de gueule a été motivé par le fait que la victime est un tueur de flics. Indignation toute naturelle, esprit de corps. Circulez, y a rien à voir. Vous ne dites rien, Schneider ?

– Non, dit Schneider d'un ton sec. Excepté ceci : le détenu était sous ma responsabilité. Il se trouvait en cellule de dégrisement, d'où il a été extrait de manière injustifiée par des fonctionnaires dépourvus de toute autorité à son égard. Il était de mon devoir d'officier de police judiciaire chargé de l'enquête de mettre fin aux violences illégitimes qu'il subissait, dès lors que j'en ai eu connaissance, et aussitôt que j'ai constaté que l'individu en était victime dans des locaux de police, de la part de fonctionnaires de police.

– Dont acte, persifla Gauthier. Vous êtes très fort, Schneider. En droit, vous êtes très fort, vous êtes même imparable. Dans les faits, vous êtes mort.

Schneider fit bouger les épaules. La lassitude lui tombait dessus à l'improviste et en même temps, une question le lancinait. Il avait laissé un double de clés à Cheroquee, *libre à elle de s'en servir ou pas*. Des clés, on les utilise aussi bien pour partir que pour revenir. La souffrance que Cheroquee ne fût plus là lorsqu'il rentrerait le taraudait bien plus que la perspective de passer au tourniquet, qu'il voyait désormais s'approcher à grands pas. Gauthier affecta de rire doucement.

– Pour vos camarades de jeu, vous avez brisé l'omerta. Je ne dis pas que tout le monde appréciait le comportement sportif de certains des leurs, mais vous avez ouvert votre grande gueule. Quelle idée, Schneider. Personne n'aime celui par qui le scandale arrive. Alvarez a appelé le ministère. Attendez-vous à ce que les Bœufs débarquent dans les plus brefs délais. Et vous êtes le cœur de cible.

Tout en allumant une cigarette à la précédente, Schneider haussa les épaules.

– Pour ma part, dit Gauthier en se levant, j'exige que vous rédigiez et signiez un procès-verbal circonstancié de l'incident dont vous et vos hommes avez été témoins. Ce procès-verbal sera joint à la procédure concernant la tentative d'homicide volontaire commise à l'encontre de l'inspecteur principal Meunier.

– Bien, monsieur le procureur, déclara Schneider.

– Ce document en fera partie intégrante.

– Bien, répéta Schneider.

– Vous avez du solide, contre le suspect ?

– Tout ce qu'il faut pour qu'il tombe de son propre poids, reconnut le policier d'un ton neutre.

– Je crois savoir qu'il n'en est pas à son coup d'essai.

– Individu connu des services pour des faits d'homicide, actuellement non recherché, récita Schneider.

– Où il est, en ce moment ?

– Gardé à vue aux urgences. Inaudible avant demain matin au plus tôt.

D'une brève torsion de poignet, Gauthier consulta sa montre.

– Vous êtes dans les clous de l'enquête de flagrant délit. Entendez-le dès que possible et présentez-le-moi dans les meilleurs délais. Demain, à quinze heures, par exemple. Avec le bataclan qu'il y a eu, attendez-vous à ce que la presse soit présente aux marches du palais de justice.

Schneider secoua la tête. Gauthier écrasa sa cigarette, se leva, le manteau sur le bras.

– À toutes fins utiles, Schneider, grinça-t-il, si les choses tournaient mal, si par malheur vous persistiez dans vos déclarations, vos autorités sont disposées à dealer sans état d'âme la tête de l'enquêteur de police Escobar contre la virginité du commissaire Stern.

Le magistrat était à la porte et sortit sans rien ajouter.

Schneider avait traînaillé au bureau en attendant que l'Usine se vide. Il avait mis le flight de Francky à sécher, ainsi que l'ensemble de ses affaires et de ses bottes. Ses effets seraient saisis et placés sous scellés afin de procéder à expertise. Un vêtement, une chaussure, tout objet trouvé en possession de l'auteur pouvait le relier irrémédiablement au crime. Une empreinte, une goutte de sang projeté à l'impact, un cheveu, une infime trace de cambouis, tout était de nature à concourir à la condamnation. Le casque intégral avait été expédié au labo à toutes fins utiles. Rien ne pouvait indiquer qu'il avait été porté par quelqu'un d'autre que Francky. Schneider ne pouvait s'empêcher de penser que c'était la mort qui était dans la ligne de mire.

Il avait baissé les rideaux, éteint et était sorti. Les couloirs étaient déserts. Le planton qui se tenait derrière la banque, dans le hall, avait fait mine de se lever pour le saluer. Schneider s'était borné à un signe de tête. Il était sorti dans le froid, avait traversé sans hâte le glacis et trouvé refuge aux Abattoirs.

— Moins onze à quinze heures, lui avait annoncé Dagmar en posant un scotch devant lui. (Elle s'était accoudée.) Il paraît que les types à Stern ont mis une danse à Francky.

— Ça peut se dire comme ça, concéda Schneider.

— Vous savez que la bande à Stern est au cul de Bugsy, fit la femme, à mi-voix.

Elle regardait ailleurs. Schneider garda le silence.

— Escobar est une pute, grinça Dagmar, et Stern est son maquereau.

Pour des raisons ignorées de tous, elle n'aimait ni l'un ni l'autre. Le seul type qu'elle aurait aimé aimer se tenait devant elle et la femme savait bien qu'elle n'avait pas l'ombre d'une chance. À l'autre bout du comptoir, Müller conciliabulait avec des ouvriers du bâtiment, tout en tournant ostensiblement le dos. Puis subitement, Dagmar s'éloigna en direction de la caisse et on se posa à côté de Schneider.

— Paraît que Francky a mangé grave ?

177

Dans la glace, Schneider avait vu Monsieur Tom arriver. Il l'avait vu dès qu'il avait poussé la porte vitrée, tout en déboutonnant son manteau et en parcourant machinalement la salle du regard. Il n'était guère imaginable de prendre Monsieur Tom par surprise.

— Affirmatif, murmura Schneider, le nez dans son verre.

Du geste, Monsieur Tom avait commandé la même chose et demandé d'une voix cassée que la fureur étranglait à moitié :

— Les types à Stern, hein ?

— Si tu sais toutes les réponses, pourquoi tu poses les questions ?

Tom avait saisi le coude de Schneider, le forçant à se tourner.

— Ces fils de pute vont le payer.

— Ces fils de pute ne vont rien payer du tout, ni à toi ni à personne, déclara Schneider avec lassitude. On va faire raquer le lampiste, comme d'habitude et les autres vont s'en tirer les cuisses propres. Bois ton verre et casse-toi, Tom. Même toi, tu me fatigues, ce soir.

Il vida le sien et fit signe à Dagmar d'en apporter un autre.

Il le but d'un trait sans un mot et paya.

Au moment de tourner les talons, il examina Tom de pied en cap, de la pointe des mocassins Gucci jusqu'au nœud Windsor de la cravate bordeaux, il palpa le revers du manteau laine et soie ardoise avec une sorte d'insolence tranquille puis dit :

— Tu peux quand même te rendre utile à quelque chose, Tom. Tu peux faire envoyer des fringues à Francky au Samu. Je m'arrangerai pour que le gardien les lui fasse parvenir.

— Des fringues ?

— Quand il a été évacué, Francky était à poil. Ça faisait des semaines qu'il ne s'était pas lavé. *So long, Tom.*

Pour la première fois depuis des années, Schneider rentra chez lui en bus. Il avait espéré que la petite Austin vert anglais se trouverait stationnée en bataille sur le parking. Elle n'y était pas. Il avait immédiatement transféré le contenu de sa boîte aux lettres dans la corbeille destinée aux prospectus. En entrant dans l'appartement, il avait brusquement perçu les traces du parfum de la jeune femme, comme l'ombre d'une présence obsédante. Elle n'était pas dans le living. Elle n'était pas dans la chambre. Elle n'était nulle part. Elle avait refait le lit en partant. Elle n'était nulle part et elle était partout.

Il était vingt et une heures. Schneider avait retiré ses boots et rangé sa veste de combat dans le placard. Il avait posé son porte-carte et son arme sur la table basse, avec un paquet de cigarettes, son Zippo et un cendrier. Il s'était servi un verre auquel il n'avait pas touché. Il avait éteint et s'était assis dans la pénombre, coudes aux genoux et la tête dans les mains, à fumer cigarette sur cigarette. Plusieurs fois, il avait tressailli en percevant le bruit sourd de la machinerie de l'ascenseur qui s'ébranlait. À chaque fois, il avait entendu la cabine s'immobiliser plus haut ou plus bas.

Et brusquement, la fatigue lui était tombée dessus de toute sa hauteur. Il avait écrasé sa cigarette et s'était étendu sur le divan, un bras sur les yeux. C'est la lumière qui l'avait réveillé en sursaut. À sa montre, il ne devait avoir dormi que cinq minutes et pourtant cela lui avait semblé être des heures.

Cheroquee se tenait sur le seuil du salon, vacillant sur les talons, un gros sac de courses au bout de chaque bras. Elle amenait le froid de grandes étendues glacées avec elle. Elle avait tout de suite senti que quelque chose n'allait pas. À grands coups de chevilles impatientes, elle s'était débarrassée en hâte des talons qui avaient atterri au petit bonheur. Elle avait abandonné sur place parka scandinave et sacs, elle avait laissé tomber sa pochette et s'était précipitée. Elle portait une petite robe en mohair noir toute simple qui lui allait juste au-dessus des genoux, ainsi que des collants sombres et rien d'autre. Schneider était resté un grand moment immobile, les yeux fermés, le front contre son ventre, les bras enserrant de toutes ses forces ses cuisses jointes. Cheroquee se tenait debout et lui caressait la nuque du bout des doigts, très doucement, comme elle l'aurait fait pour calmer un très jeune enfant qui souffre sans rien dire.

– Mon Dieu, gémit-elle sourdement à mi-voix, mon Dieu, qu'est-ce qui est en train de nous arriver ?

9

Le jour ne s'était pas encore levé, et les lumières du parking en bas avaient cette sécheresse distante qui indique qu'il gèle encore à glace. Les voitures étaient encoconnées d'une mince gangue terne et vitreuse. Cheroquee se tenait devant la porte-fenêtre de la cuisine. Elle sentait le froid qui émanait de la vitre. Elle s'était levée comme tous les matins à six heures. Elle s'était brossé les dents, avait pris sa douche. Mouillés, ses cheveux lui arrivaient à la taille. Elle les avait séchés à la serviette tout en se servant un café. Schneider dormait encore. Il était tombé d'un coup vers le milieu de la nuit après lui avoir longtemps parlé à mi-voix, sans la regarder. Elle le tenait à bras-le-corps et, par instants, il lui caressait la figure et les épaules à l'aveugle. Schneider était un homme extrêmement viril et très vigoureux, très inventif également, mais il était aussi capable à l'égard de la jeune femme d'une étrange tendresse, parfaitement inattendue. Schneider n'était pas un faux dur : c'était un vrai et elle se le rappelait avec une sourde brûlure dans les reins et une petite grimace nostalgique qui n'était pas due au déplaisir. Schneider était très capable de la faire grimper aux murs et de la laisser presque inconsciente, c'était aussi quelqu'un d'autre. Elle ne savait pas au juste qui, mais Cheroquee devait s'y résoudre : c'était son mec.

D'ailleurs, dans son esprit, en pensant à lui, elle disait : *mon mec*.

Elle habitait l'une de ses vieilles chemises militaires qui lui arrivait à mi-cuisse et qu'elle avait eu de la peine à boutonner convenablement en haut. Elle se levait tôt pour se donner le temps de rêvasser quelques minutes avant que la journée ne commence.

On avait sonné à la porte, deux brèves une longue. Comme on n'avait pas répondu tout de suite, on avait frappé du plat de la main contre le battant en appelant Schneider d'une voix étouffée. Elle n'avait pas hésité à aller ouvrir comme elle était, pieds et jambes nus, avec un doigt sur la bouche.

– Il dort encore. Je vais le réveiller. Entrez donc, il y a un pot de café sur la paillasse, il doit être encore chaud.

Charlie Catala était resté sur le seuil. Il essayait de regarder ailleurs et partout en même temps.

– Vous devez être Charlie, c'est ça ? Entrez, entrez, je ne mords pas.

Elle avait pivoté sur les talons et s'était dirigée vers la porte de la chambre. Catala n'avait pu s'empêcher de la suivre des yeux. La jeune femme avait les jambes fuselées, des chevilles fines et une démarche de danseuse, très fluide et assurée. Puis il était allé se servir une chope de café dans la cuisine.

À présent, ils étaient assis à table. Schneider et la jeune femme se tenaient la main. Catala gardait le silence. Schneider sourit brusquement :

– Voilà, Charles, comme ça, vous êtes au courant.

Le jeune homme ne trouva rien à répondre. Il n'aurait pas été plus étonné s'il avait surpris le chef du groupe criminel avec un routier sur une aire de repos. Aux yeux de tout le monde, Schneider n'avait pas d'existence propre. Il n'avait pas d'existence du tout. Il détenait sans aucun doute une identité professionnelle, mais rien de plus ni rien d'autre. C'était le meilleur procédurier du central, un tireur d'élite reconnu et quelqu'un à qui on faisait appel en cas de coup dur. C'était un homme qui tournait nuit après nuit et avait tendu ses filets sur toute la ville. Ceux qui ne l'aimaient pas avançaient sans preuve qu'il avait recours aux amphétamines. On lui avait attribué à plusieurs reprises des aventures flatteuses, mais rien, pas la moindre preuve ou indice n'était venu étayer ces soupçons. Tout en évitant avec soin de porter les yeux sur la poitrine de la jeune femme, Charles avait tout de même souri, mais d'un sourire qui ne trahissait guère d'espoir :

– Vous n'allez quand même pas me faire croire que vous avez l'intention d'essayer de civiliser Schneider.

Celui-ci avait consulté sa montre à l'intérieur du poignet, comparé l'heure à la pendule au-dessus de la porte. Sept heures dix. Il avait vidé sa chope de café et s'était levé la rincer sous le robinet. Chacun avait compris qu'il venait de siffler la fin de la récréation.

Schneider avait pressenti que la journée ne serait pas très bonne et, en effet, elle ne l'avait pas été. D'abord, il faisait toujours aussi froid et un vent dur et râpeux s'était levé de l'est, projetant des paillettes qui semblaient du mica au visage des passants. Ensuite, un nouveau conclave auquel Schneider n'avait naturellement pas été convié s'était tenu dans le cabinet du commissaire central. Pour ne rien arranger, Catala avait entrevu par la fenêtre l'arrivée de deux voitures de presse, ainsi que d'un break de FR3, qu'il avait signalés à Schneider :

– Ça commence à puer. Reste à savoir comment le « haut de la gamme » va se démerder à museler les journaleux.

Catala ne les aimait pas beaucoup. Schneider non plus. Puis un gardien de lapins avait emmené Francky, qui transportait avec lui un maigre baluchon. Schneider s'était levé pour retirer les menottes au prévenu, qui avait été pincé aux poignets malgré les pansements. Puis il lui avait fait signe de s'asseoir, tout en congédiant le gardien d'un bref geste de la tête.

Les trois flics avaient adopté la disposition en diamant. Schneider derrière sa bécane, Dumont et Charles assis contre le mur de part et d'autre de Francky, qui se trouvait au centre du triangle. Schneider s'était penché sur la machine, avait consulté l'heure puis demandé :

183

– Vous sentez-vous en état d'être entendu, ou souhaitez-vous de nouveau consulter un médecin ?

Francky s'était borné à secouer la tête. C'était un assez beau jeune homme, au visage anguleux et au corps trapu. Il portait les cheveux courts, ce qui lui donnait un air quelque peu militaire. Monsieur Tom avait bien fait les choses : Francky portait un chandail de sport beige, un blouson de suédine, un jean convenable, ainsi que des chaussettes et une paire de mocassins marron.

– La réponse est oui ou non, grinça Schneider. Pas un simple geste. Voulez-vous que je répète la question ?

– Non, dit Francky.

Il avait la pommette gauche bleue et enflée, ainsi qu'une partie du maxillaire. Son œil était à demi fermé. Ça se voyait qu'il avait mangé grave. Les analgésiques commençaient à cesser leur effet. Schneider savait ce que c'était d'avoir été roué de coups. Schneider alluma une cigarette, poussa le paquet en direction du jeune homme qui refusa du front. Le policier comprit tout de suite que ça n'allait pas être de la tarte. Tout en fumant, il pensa aux bras nus de Cheroquee autour de sa taille, et sans transition il attaqua :

– François, Charles, Louis Reinart, alias « Francky », vous êtes accusé d'avoir ouvert le feu le lundi 31 décembre vers vingt-trois heures trente sur un homme, à la station Shell Université. Vous avez tiré cinq cartouches à l'aide d'un pistolet saisi sur les lieux de votre arrestation.

Schneider sortit l'arme neutralisée d'un tiroir, la lui montra.

– Reconnaissez-vous cette arme ?

– Oui, fit Francky sans la moindre hésitation.

Schneider remit le Colt dans le tiroir, s'accouda.

– Reconnaissez-vous les faits qui vous sont reprochés ?

– Oui, répéta Francky.

– Reconnaissez-vous vous être rendu à la station à l'aide d'une moto Harley-Davidson dont voici la photographie ?

Schneider fit glisser le cliché 18 × 24 devant le jeune homme qui se pencha et la reconnut. C'était bien sa moto, c'était bien lui assis à la kakou sur l'engin.

– Oui.

– Oui à quoi ?

– Oui, j'y suis allé en moto, et oui, c'est celle-là.

Dans son dos, Dumont prit le relais.

– Pourquoi tu es allé à la station ? Faire de l'essence ?

– Non, dit Francky sans cesser de s'adresser à Schneider. J'avais plus de pognon, j'y suis allé pour braquer. C'est la seule station ouverte toute la nuit.

– Et tu ne savais pas qu'il y avait un gardien avec un pompe et deux schnauzers de la taille d'un hydravion, persifla Charles Catala. En somme, tu es allé braquer à la découverte.

– Oui, déclara Francky.

Il ne cessait pas de quitter Schneider des yeux, du moins de celui qui voyait convenablement. L'autre œil à demi fermé faisait aussi tout ce qu'il pouvait de son côté. Pour Schneider, certains êtres étaient une sorte de reproche personnel. Francky en faisait partie. Il avait voulu faire flic, mais il était presque analphabète. Il avait voulu entrer dans l'armée, mais on l'avait jugé trop caractériel pour le garder. Francky avait trouvé sa voie aux espaces verts à jouer du tracteur tondeuse avant de finir par descendre un flic.

– Pourquoi ? demanda Schneider à mi-voix.

– J'avais besoin de pognon.

– Pourquoi tu as tiré sur le flic ?

– Il est descendu de bagnole, il s'est approché. Il a mis la main dans son blouson. J'ai cru qu'il allait me stopper, alors j'ai tiré.

– Tu savais que c'était un flic ?

– Meunier ? Oui, je savais que c'était un flic.

– Tu savais que c'était un flic et tu as tiré.

– Oui, répéta Francky. Je savais que c'était un flic et j'ai tiré. Je peux avoir une cigarette ?

Schneider fit signe que oui. Les trois policiers se dévisagèrent. Francky n'était pas un lapin de six semaines. Il savait qu'il risquait la peine capitale. Tous trois s'attendaient donc à un interrogatoire marathon et à des dénégations farouches. Tout le monde connaissait l'adage : « Chiquer, c'est s'en tirer, avouer, c'est s'enfoncer. » Francky n'avait rien nié, il s'était allongé de lui-même de tout son long. La correction qu'il avait subie la veille n'y était pour rien. Francky était un type qui avait tué deux hommes en combat singulier et laissé le troisième pour mort, et qui avait confessé sans rechigner devant le juge que s'il avait su que le type était seulement blessé, il l'aurait fini. Francky était un homme qui avait tiré à cinq reprises sur un homme qu'il savait être flic. Avec sa froide neutralité, Schneider avait tapé en déclarant à haute voix, la figure de travers à cause de la fumée de cigarette :

– Je reconnais l'intégralité des faits qui me sont reprochés. Je reconnais m'être rendu coupable du crime de tentative d'homicide volontaire sur la personne d'un fonctionnaire dépositaire de l'autorité, faits prévus et réprimés par les articles 209 et 304 du Code pénal.

Il avait levé la tête, consulté Francky du regard.

– Sans regret.

– Persiste et signe, avait tapé rapidement Schneider.

Il avait arraché la liasse de la machine, puis posé le procès-verbal devant le jeune homme en lui tendant un stylo à bille.

– Vous relisez et vous signez.

– Pas la peine, avait répondu le jeune homme.

Il avait tout signé, le coude posé sur le bureau. À la radiographie, le médecin avait diagnostiqué plusieurs fractures des côtes, ainsi que du poignet gauche. Francky commençait à souffrir beaucoup, mais il se tenait bien. Schneider le laissa fumer une autre cigarette avant de demander à Charlie de le remettre en geôle. Il était à peine midi et tout était bordé.

Le groupe Schneider avait déjeuné en vitesse aux Abattoirs. Müller avait fait défaut. Il tirait toujours la gueule. D'expérience, Schneider savait que les choses finiraient par se tasser. Chacun observait plus ou moins le silence, puis Nello avait confié à tout le monde :

– Il court un drôle de bruit, dans la rue. Bubu serait en train de remonter un petit groupe pour monter au braquage.

– On a quelqu'un à l'intérieur ? demanda Schneider.

Il n'avait presque pas touché à son assiette. Il se contentait de boire. De l'eau.

– Pas encore, sourit Nello, mais on s'y emploie. Vous ne voulez pas de vos frites ?

– Non, dit Schneider en repoussant l'assiette dans sa direction.

Il aperçut le regard de Charles Catala braqué sur lui. Un instant, les deux hommes se dévisagèrent, puis Charlie détourna les yeux. Dehors, une sorte de fin blizzard semblait souffler presque à l'horizontale, contraignant les passants à progresser tête baissée comme sous la mitraille. Schneider avait commandé un café que Dagmar lui avait apporté aussitôt. Durant toute la matinée, les conversations de comptoir avaient roulé sur l'arrestation du tueur de flics et la dérouillée qu'il avait prise au central. Le fait-diversier du canard local avait fait son apparition, et Dagmar l'avait viré séance tenante, comme si cela allait de soi.

Schneider ne portait pas son habituelle veste de combat, mais un complet gris très strict aux revers croisés, une chemise bleu pâle et une cravate en tricot qui paraissait noire. Dans son armoire-vestiaire, Schneider avait toujours une tenue de rechange pour les occasions spéciales. L'enterrement d'un collègue, ou une remise de médaille, par exemple. Ou les deux. Il avait le visage fermé et pétrissait machinalement une boulette de pain.

Il redoutait le déplacement au palais de justice. Il aurait volontiers laissé sa place à toute autre autorité plus friande de publicité, seulement il était le directeur d'enquête, le procureur Gauthier lui avait ordonné de lui présenter personnellement le mis en cause à quinze heures et il n'avait ni choix ni marge de manœuvre. Il redoutait que les choses ne se passent mal.

Elles s'étaient passées mal. Il y avait eu ce qui lui avait semblé être de la foule aux abords du Palais. Des curieux, de la presse, c'était pas tous les jours qu'un flic se faisait artiller, le central avait mis en place des semblants de barrières et presque pas de policiers en tenue pour tenir les civils en respect. À l'apparition des deux voitures de police, un attroupement s'était agglutiné. Il y avait eu des cris mélangés, des vociférations indistinctes. Lorsque Francky avait été extrait, et on voyait bien que le jeune homme avait pris des coups, Schneider le tirant attaché à son poignet, des flashs avaient crépité. Ce qui avait semblé à Schneider être de véritables rafales d'éclairs brefs et aveuglants, un véritable tir de barrage, l'avait entouré de toute part. Il avait fallu forcer le passage, une brève échauffourée s'était produite. Schneider avait fini par escalader les marches, son captif en remorque. Juste sur leur trajectoire se trouvait un chevelu en parka, une sorte de Burt Reynolds borgne, avec un Nikon-moteur qui les avait fusillés en rafale presque à bout portant. Pas un seul instant, Francky n'avait fait mine de baisser la tête. Il avait affiché d'un bout à l'autre le même calme mêlé d'indifférence qu'il avait adopté dans le bureau de Schneider.

La présentation à Gauthier avait revêtu un caractère froid et protocolaire. Francky s'était vu notifier son inculpation. Gauthier avait annoncé à Francky qu'il était placé sous mandat de dépôt, qu'une instruction était ouverte à son encontre, avec la nomination d'un juge mandant. Francky était demeuré impassible. Un fax était parvenu dans le cabinet de Gauthier, informant que la défense du mis en cause serait assurée par Mᵉ Vignes, qui avait accepté l'espèce, sous réserve que le client l'accepte lui-même pour défenseur. Francky n'avait manifesté ni approbation ni désapprobation, ce qui signifiait sans doute qu'il ignorait de qui il pouvait s'agir. Et que même s'il le savait, il s'en foutait. Dans le couloir, au moment où Schneider s'en allait, Gauthier l'avait rejoint :

– Votre Francky, j'ai rarement vu un type se passer la corde au cou avec une telle tranquillité d'esprit, avait avoué le magistrat. On dirait qu'il a cessé d'habiter la planète Terre. À propos de planète Terre, je crois savoir que la présence de la presse, dehors, vous la devez à la particulière bienveillance du commissaire central Alvarez. De même que l'absence de tout véritable service d'ordre. La réponse du berger à la bergère, Schneider, quoique je vous voie mal dans le rôle de la bergère.

Gauthier lui avait tendu la main, mais Schneider avait sèchement incliné le buste :

– Mes respects, monsieur le procureur.

Il avait tourné les talons, plantant l'autre sur place. Francky déféré, le pire était fait. Schneider n'avait plus qu'une prodigieuse envie de pisser et ne songeait qu'à gagner en hâte les toilettes les plus proches, qui se trouvaient être celles de l'Instruction.

En sortant des toilettes, Schneider s'était entendu appeler. Il s'était retourné et avait aperçu la juge Meunier qui lui faisait signe depuis le seuil de son bureau. Il ressentait une intense fatigue. Le rideau était tombé. La messe était dite. Rien qu'il ne redoutât autant que ces conversations sans contours, dans lesquelles certains s'ingéniaient inlassablement à refaire le match. Il croyait deviner ce que ressentait la jeune femme. Il avait tout de même fait demi-tour, en rassemblant ses pans de manteau sur ses jambes maigres.

Pourquoi les hommes s'obstinaient-ils à parler ? Les hommes et les femmes. Peut-être parce qu'ils étaient tout simplement des hommes et des femmes. La juge Meunier lui avait indiqué un fauteuil et elle-même s'était assise dans le sien. Elle se tenait droite et se voulait impassible. Machinalement, Schneider chercha ses cigarettes, puis se ravisa.

– Vous pouvez, dit la jeune femme.

Elle tendit les doigts :

– Du temps que vous y êtes, vous pouvez aussi m'en passer une.

Schneider avait allumé leurs cigarettes et était retourné s'asseoir en ramenant les pans de manteau sur ses cuisses. La juge Meunier ne regardait nulle part. Dans l'exercice de ses fonctions, elle portait invariablement des tailleurs sombres, des talons plats et des lunettes d'écaille qui la faisaient ressembler à Nana Mouskouri. Elle avait une voix lasse et un peu cassée, mais pas désagréable. Dans son métier, elle passait pour une dure, comme Schneider dans le sien. Tous deux cultivaient la même forme d'insensibilité. Elle ne regardait nulle part et se rappela de but en blanc :

– Ne jamais sympathiser. Avec personne. Nous n'avons pas le droit de sympathiser, Schneider, c'est ça ?

Le policier l'observait sans mot dire. Ce qu'il voyait ne le ravissait pas. La souffrance avait commencé à faire son œuvre. La peau se cisaillait au coin des paupières, à la commissure des lèvres. Le policier connaissait le masque de la souffrance et celui de la misère. Le visage du malheur. Le malheur était son fonds de commerce. Sans le regarder, elle s'enquit :

– Est-ce qu'il a dit pourquoi ?

– Non.

– Il ne vous a donné aucune explication ?

– Non, répéta Schneider.

La nuit était tombée. Les lumières de la place s'étaient allumées. La lumière orange des lampes au sodium lui conférait une solennité factice. Charlie Catala attendait en bas dans la voiture de service. La place était à présent presque déserte. La femme écrasa sa cigarette, braqua le regard sur Schneider, ce genre de regard froid et distant qu'un magistrat et un flic s'adressent dans l'exercice de leurs fonctions :

– Est-ce que vous avez une idée de la raison pour laquelle cet homme a abattu Meunier ?

Elle disait Meunier et non pas mon mari, pour tenir la souffrance en respect.

– Aucune, dit Schneider.

– Est-ce qu'il a reconnu les faits ?

– Oui, dit Schneider avec lassitude. Il a reconnu les faits. On peut même dire qu'il n'a rien fait pour nier quoi que ce soit. Lorsqu'il a été interpellé, c'était comme s'il nous attendait. D'une certaine manière, tout s'est passé comme une non-affaire.

Il s'était contenté d'assembler les pièces du puzzle. Plus souvent qu'on ne le pense, un policier est un homme qui se borne à regarder passer les trains en attendant à l'arrivée. Schneider alluma une autre cigarette.

– Est-ce qu'il y avait quelqu'un avec lui ?

– Non, répondit Schneider sans hésiter. Francky a déclaré avoir agi seul. Il aurait voulu braquer la station-service. Lorsqu'il a vu arriver votre mari, il a cru que c'était pour le stopper, alors il a tiré. Le témoin confirme cette version des faits.

Votre mari. La femme avait frémi et s'était reprise aussitôt. Il précisa, distant.

– Lorsqu'il a été interpellé, Francky était seul et rien n'indique que quelqu'un d'autre ait pu participer à la préparation ou à la commission du crime.

La juge Meunier remua la tête, puis les épaules, comme pour se débarrasser d'une charge trop lourde même pour elle. Elle rapporta, d'un ton neutre et monocorde :

– Je vais le voir tous les jours aux soins intensifs. On me met une blouse verte assez grotesque et des gants en plastique. Je lui tiens la main tout le temps que je reste. Une demi-heure, une fois par jour. Je vois un homme qui dort, intubé de partout avec des moniteurs électroniques autour de lui. Il est vivant, puisque les signaux sur les écrans l'indiquent, mais je ne suis pas sûre qu'il sache que je suis là, ni que je lui tiens la main. Je suis même persuadée de l'inverse. Ce que je fais là ne sert à rien et pourtant je ne peux pas m'empêcher de le faire.

Elle avait relevé les yeux.

— Comment comprenez-vous ça, Schneider ?

Il ne comprenait pas. Il ne voulait pas comprendre. La nuit était tombée. Il faisait un froid de gueux. Il y aurait une longue nuit glaciale, puis le matin et un autre jour et puis un autre jour glacial encore. Et ainsi de suite, jusqu'à ce qu'on ferme. Elle demanda :

— Vous avez quelqu'un, Schneider ?

Le policier s'abstint de répondre, alors elle déclara avec calme :

— Meunier est en train de glisser. Le patron des urgences m'a téléphoné il y a une heure. Une infection s'est déclarée au milieu de la nuit. Septicémie. Ils font tout ce qu'ils peuvent pour le garder en vie, mais on ne m'a laissé aucun espoir. C'est une question d'heures. Depuis, j'attends à chaque instant que le téléphone sonne sur ma ligne directe.

Elle braqua subitement deux yeux remplis de désarroi dans ceux de Schneider :

— Meunier s'en va et je ne sais pas si celui qu'il a laissé à sa place, je serai capable de l'aimer.

La voiture roulait au ralenti. Charlie Catala redoutait la glace, plus que la neige. Sur la chaussée, on voyait les traces de roues sur la chaussée vitreuse. Il roulait presque au pas. Schneider gardait le silence, les yeux mi-clos et la nuque appuyée au repose-tête. Charles Catala se taisait aussi. C'était ce moment très particulier, où la tension retombe après une affaire conclue. Une sorte de vide. On retournait à la vie de tous les jours. Ils n'ignoraient pas que tout n'était pas tout à fait terminé et que les choses n'en resteraient pas là. À tort ou à raison, Schneider avait ouvert la boîte de Pandore en intervenant chez Stern. Certains prétendaient qu'au fond de la boîte, lorsque son contenu nauséabond aurait fini de se répandre sur la Terre, on trouverait des lambeaux d'espérance. Schneider n'y croyait pas. Il ne croyait en rien, pas même en lui-même. Il allait être sept heures et tout le monde roulait au pas.

— D'après Radio-Casbah, les gens de l'Inspection générale des services débarqueraient demain aux aurores avec armes et bagages, déclara brusquement Catala. Leur mission : défarguer Stern, si possible en discréditant les témoins à charge. S'il le faut en les taillant en pièces.

— Correct, estima Schneider avec une parfaite objectivité.

Il savait qu'il allait se retrouver au banc des accusés. Il fallait y penser avant. Il alluma une cigarette. Il avait le visage creux, le col de manteau remonté jusqu'aux oreilles. Le blizzard semblait augmenter d'instant en instant. (Schneider avait connu de pareilles bourrasques dans les Aurès et le froid mordant, impitoyable, qui s'insinuait partout. Il avait connu le froid, la faim et la soif. La peur au moment de se jeter dans le vide à la porte du C-47. Il avait connu l'épuisement des longues marches de nuit. Le bloc de culasse gelé qui colle à la paume. En face, les fellaghas connaissaient les mêmes souffrances. Eux aussi se déplaçaient de nuit, plus silencieux, plus endurants, plus tenaces et rapides encore que la misère et la mort. Au petit matin, du moins pour la partie propre des choses et dont chaque camp pouvait s'enorgueillir, tout se concluait souvent à la sauvette en de brefs accrochages, en brusques fusillades au petit bonheur, dans le fracas des bombes et le grondement des hélicoptères, et qui laissaient des blessés et des morts et d'épaisses flaques de sang sombre, qui ne tardaient pas à sécher par terre, sans jamais s'effacer tout à fait.)

En comparaison, Schneider ne redoutait pas les gens de l'Inspection des services. Dans son esprit, les faux poulets de la police des polices n'étaient rien d'autre que des incapables et des planqués, des branle-la-gueule en costard trois pièces tout juste bons à faire chier les types qui se tenaient en première ligne. Il ricana et déclara avec flegme :

– Vous prenez pas le chou, Charlie, ils vont pas nous faire un deuxième trou du cul là où on en a déjà un.

Il consulta sa montre et indiqua un feu rouge.

– Shootez-moi là, je finirai à pied.

– Y a un connard assis sur ton capot de voiture, ma fille, dit en riant aux éclats une collègue de Cheroquee. C'était une grande bringue des Antilles qui riait à tout bout de champ en exhibant une denture énorme. Cheroquee avait scruté la pénombre du parking et aperçu en effet un homme assis sur le court capot de l'Austin, les talons sur les pare-chocs. Elle sortait d'une journée difficile et avait immédiatement pensé à son ex. Aussitôt, elle avait remonté la lanière de son sac à l'épaule et serré les poings dans les poches, bien décidée à en découdre. Lorsqu'elle était enfant, sa mère l'appelait Petit Taureau quand la gamine, quand le bébé, fonçait en rage sur sa proie, quelle qu'elle fût. Dans son dos, la grande fille des Antilles riait encore lorsqu'elle s'avança et gueula, à titre de première et unique sommation :

– Hep, toi, là-bas, tu ne t'emmerdes pas. Enlève ton gros cul de ma voiture.

Tandis qu'elle s'approchait, la silhouette glissa du capot avec désinvolture. Un homme maigre, de taille moyenne, avec un manteau sombre et qui fumait une cigarette. Il déclara avec un flegme passablement insolent :

– Non, je ne m'emmerde pas. Et je ne crois pas avoir un gros cul.

Elle reconnut Schneider, se jeta contre lui en murmurant :

– Pardon, je ne savais pas que c'était vous.

Il n'avait pu s'empêcher de sourire :

– Je ne savais pas non plus que vous étiez capable de brailler aussi fort.

– C'est parce que j'ai des gros poumons. Pour une fille, j'ai même une cylindrée exceptionnelle. C'est à cause de la natation. Vous avez l'air transi, il y a longtemps que vous attendiez comme ça, au froid ?

– À peu près un siècle, sourit Schneider en consultant sa montre.

Mais ça n'avait aucune importance. Elle était là et se tenait contre lui. Il respirait par petites saccades dans ses cheveux, les lèvres entrouvertes, comme pour s'imprégner de leur senteur de quinine et de tourbe, et plus rien n'avait d'importance.

10

L'hiver, à huit heures, c'était encore la nuit dehors. De loin, l'hôtel de police avait l'air d'un grand paquebot gris dont les lumières commençaient à s'éveiller une à une. La lampe allumée sur le bureau de Schneider donnait une fausse impression de chaleur, voire d'intimité. Huit heures, prise de service. Schneider fumait déjà, un journal étalé devant lui. Tour à tour, chacun des membres du gang avait fait son apparition sans bruit, était allé se servir une chope de café et s'était posé au petit bonheur, Dumont le dos à la fenêtre, Müller contre l'armoire à contempler en silence ses pointes de chaussures, Nello assis sans façon à califourchon sur la chaise en face de Schneider. Courapied avait laissé un mot pour dire qu'il prenait la journée de récupération à laquelle il avait droit. Catala avait fait irruption en dernier, agitant ses boucles brunes en manière de grelots, lançant sa phrase fétiche à la cantonade :

– On n'est pas nombreux, on s'la montre ?

Il n'avait rencontré aucun écho. Il en avait conclu qu'il y avait une patate.

Il y avait une patate. Il s'avança, se pencha sur le journal devant Schneider.

Rien n'est plus trompeur, plus partial, qu'une photographie. Selon le cadre, l'éclairage, l'intention de celui qui la prend, une image peut tout dire et son contraire. Celle-ci parlait d'exaspération, de brutalité et de violence. Derrière ses lunettes sombres, Schneider semblait arborer une grimace de rage mal contrôlée. Il avait l'air excédé, il semblait tirer son captif comme une proie qu'il s'agissait d'arracher aux mains d'autres hommes furieux. Charlie aussi, au second plan, semblait en colère. Personne ne pouvait deviner qu'il s'était fait marcher sur les pieds par une femme qui voulait être sur la photo.

Le visage de Francky racontait une autre histoire. Celle d'un type qui venait de se faire passer à tabac par des flics en rage. Il était notoire que les gens de l'hôtel de police avaient la main lourde. En cela, la population admettait de manière tacite que l'on poursuivît dans la saine tradition de l'Occupation : il fallait contenir le crime. Pour cela, il fallait consentir à certains sacrifices. Il n'était donc pas blâmable *en soi* que les flics aient la main lourde. Ce qui rendait aussi la chose très admissible en un certain sens, c'était que la victime était l'un des leurs. Le tout était que cela ne se voie pas trop.

Le photographe de presse avait fait en sorte que cela se vît.

Il avait très intelligemment dramatisé la scène.

Francky était parfait dans son rôle, celui du boxeur de seconde zone, qui a tenu dix rounds avant de s'effondrer la gueule en sang face à un adversaire dix fois trop fort pour lui, un pauvre type hébété juste sauvé par le gong et qu'on évacue en douce avec l'espoir que ça ne se voie pas trop. Malgré le sérieux qu'il appliquait à sa tâche, Pablo Escobar n'avait pu s'empêcher de lui porter plusieurs coups à la face. On pouvait mettre cela sur le compte d'une légitime indignation, ou sur le fait qu'il avait pu se laisser emporter par son impétuosité naturelle. Charlie était très bien en roquet coléreux, tout de même tenu un peu à l'écart des choses. Le malheur voulait que Schneider, malgré sa rage apparente, demeurât très photogénique. Un homme aux traits durs, certes, à l'expression de colère indéniable, mais au physique très cinématographique et, d'une certaine manière, viril et attirant.

De façon très habile, le photographe en avait joué.

L'article commençait par : « *Après deux jours de traque haletante, les hommes du commissaire Schneider ont procédé dans la nuit à l'arrestation du meurtrier. L'homme a été déféré, après avoir reconnu les faits. On devine que la chose n'a pas dû être une partie de plaisir.* » Schneider n'était pas allé plus loin. Il fumait, les yeux mi-clos. Schneider n'était pas commissaire. Il ne l'avait jamais été et ne le serait jamais.

Il n'y avait pas eu de traque haletante et rien à deviner. Charlie Catala s'était laissé tomber sur une chaise. Il avait résumé l'opinion commune :

– Putain, on va morfler grave.

Comme si l'on entendait lui donner raison, quelqu'un avait frappé et le commissaire Manière était entré sans façon. Il s'était adressé à Schneider et à personne d'autre :

– Je vous avais dit que vous aviez tort de ne pas être au point presse.

– Entrez, fit Schneider avec une insolence paisible.

Il indiqua la dernière chaise restante. Manière s'assit, en rectifiant le tombé de son pantalon de flanelle grise. C'était un homme mince et très élégant, à la moustache soignée et à l'œil facilement conquérant. Malgré le blazer bleu et le pantalon de flanelle, il restait toujours en lui un peu du coiffeur pour dames. Il était cependant parfaitement impossible de deviner de quel côté il jouait. Il observa Schneider :

– L'art subtil de vous faire des ennemis mortels, vous vous rappelez ? Je vous avais prévenu que Dieu vous retenait un chien de sa chienne.

Pour tout le monde, Dieu était le commissaire central Alvarez.

Schneider releva les yeux et sourit. Le groupe connaissait trop bien ce genre de sourire. En général, c'était celui qui précédait la mise à mort.

– Vous savez la différence entre Dieu et un commissaire de police ? demanda-t-il.

– Non, fit Manière, sur la défensive.

– Dieu, lui au moins, ne se prend pas pour Dieu.

Manière l'étudia durant plusieurs secondes puis se leva.

– Les types des Bœufs sont dans le cabinet du central. Essayez de ne pas trop quitter le coin, vous n'allez pas tarder à passer au tourniquet. Ces gens n'aiment pas attendre.

Le blizzard avait cessé, la température remontait et le temps tournait à la neige. Le ciel gris et lourd se vautrait au ras des toits. On sentait que la météo était en train de basculer d'un coup. Schneider avait revêtu une parka matelassée et se carrait dedans, les pieds dans la boîte à gants, de part et d'autre de la radio de bord. Charles Catala conduisait, le visage soucieux. Schneider avait indiqué la direction : on allait chez Bubu Wittgenstein.

– Un souci ? demanda le jeune homme.

– Une impression, reconnut Schneider.

– Mauvaise impression ?

– Je ne sais pas.

Peu après la sortie de Manière, le secrétariat du tribunal de grande instance l'avait avisé qu'un juge avait été désigné et que la commission rogatoire concernant l'affaire contre Francky Reinart venait d'être attribuée au chef du groupe criminel directement, sans passer par la voie hiérarchique, ce que le code de procédure pénale autorisait expressément. Schneider réfléchit et dit :

– Je ne sais pas, mais il y a des trous.

(Il s'était réveillé vers le matin. Cheroquee dormait contre son flanc, le poing gauche sur son sternum, une cuisse en travers des siennes. Il avait trouvé la peau de son épaule un peu fraîche et avait remonté le duvet sur elle. Elle avait remué, mais très peu en se serrant encore plus fort contre lui, dans un spasme, comme si elle avait craint qu'il ne lui échappe un instant. D'ordinaire, sorti de l'acte proprement dit, Schneider détestait toute forme de contact. Chacun avait fait son affaire de son côté et voilà tout. Cheroquee, c'était une autre histoire. C'était une tout autre histoire. C'était une femme dure et avisée à cause de ce qu'elle voyait tous les jours aux urgences. C'était une personne décidée, franche et saine, sans détour ni fausse pudeur. La nuit, quand elle dormait contre lui, c'était encore quelqu'un d'autre, une jeune sauvageonne en cheveux, un petit animal avide et tranquille plongé dans le sommeil comme en eau profonde. Il y avait bien un terme pour qualifier le sentiment qu'il éprouvait à l'égard de la jeune femme, mais Schneider se savait incapable de le prononcer de vive voix.)

Il s'était réveillé, l'avait recouverte et avait eu presque tout de suite la certitude qu'il avait manqué quelque chose. Il y avait des trous. Francky avait reconnu les faits. Témoins, indices et preuves convergeaient tous dans le sens de la culpabilité, mais Schneider avait la conviction obsédante qu'il y avait des trous dans la procédure. Il restait trop de portes à fermer. Le tabassage de Francky avait parasité l'enquête. Stern aurait voulu mettre des bâtons dans les roues qu'il ne s'y serait pas pris autrement. L'affaire était bordée, mais avait quelque chose de bancal.

En vue de la casse, la voiture se mit à cahoter en faisant craquer la glace des ornières.

– C'est par Chiquito, que vous avez logé Francky ?

– Oui, dit Schneider. Où peut-on trouver Chiquito ?

– Aucune idée, dit Bubu en écartant les bras.

Il faisait une chaleur d'enfer dans le bureau. Le poêle était alimenté à l'huile de vidange et ronflait avec entrain. Il était bien le seul à en manifester. Dans le dos de Bubu, il y avait des photos de pin-up punaisées aux murs, des calendriers, des cartes postales et des factures. Il se balançait dans son fauteuil à ressort et remarqua :

– Vous avez vu le journal ? Vous devenez une célébrité, Schneider.

Il y avait un journal sur la table, auquel Schneider n'accorda pas la moindre attention.

– Dis-moi où je peux trouver Chiquito. Avec ou sans toi, je vais le trouver. Évite-moi de perdre du temps, Bubu.

– Pourquoi je ferais ça ?

– La vie est constituée d'équilibres précaires, soupira Schneider. Aujourd'hui c'est toi, demain c'est moi. Je ne te demande pas de balancer. Seulement de me rendre un service.

– J'ai jamais balancé. Ce que je peux vous dire, c'est que, dès qu'il a su que vous aviez serré Francky, Chiquito s'est barré. Il m'a pris deux cents balles en cash dans la caisse et il s'est barré. Deux cents balles que je lui devais. Pas un sou de plus. Il y avait plus de cinq mille dans le tiroir.

Charlie Catala avait préféré attendre en veille radio dans la voiture. Schneider était seul avec Bubu. Ils pouvaient donc tout se dire.

– Chiquito est allé rendre visite à ta sœur, la nuit avant. Il avait un paquet dans son blouson. Quand il est reparti, un de mes types l'a pris en bobine. C'est comme ça qu'on a crevé Francky. Qu'est-ce qu'il y avait dans le paquet ?

– Du fric, dit Bubu sans hésiter. Pas loin de dix briques.

– Du fric de Francky ?

– Francky ? Dix briques ? De qui on se fout ? Francky n'avait plus un rond.

– Plus un rond, mais assez pour rouler en Harley.

– À ce qu'on dit, il était allé braquer la station, quand il a flingué le Grand Meunier.

– À ce qu'on dit, murmura Schneider en écho.

Lui non plus, il n'arrivait pas à voir Francky en tueur de flic. Il réfléchit à haute voix.

– Si Meunier l'avait braqué, je peux imaginer que Francky aurait tiré, ne serait-ce que par réflexe de défense, mais Meunier ne portait pas d'arme. Jamais en dehors des heures de service. (Il releva les yeux.) Il avait laissé son flingue dans son tiroir fermé à clé en quittant le Central. Et on ne tire pas cinq coups de suite par réflexe de défense.

– Francky était très bon au couteau. À la serpette.

Il l'avait prouvé. Bubu ajouta :

– Il était très bon au démonte-pneu, mais le gun, c'était pas son truc. J'ai jamais vu Francky avec un gun. Même des fois, on fait des cartons sur les rats à la 44 × 40, mais j'ai jamais vu Francky tirer un coup. Je veux dire : un coup de flingue ou quoi que ce soit.

– J'avais compris, murmura Schneider distraitement.

N'empêche que tout s'imbriquait comme les tuiles d'un toit. Il n'y avait aucune raison positive pour imaginer que Francky fût innocent. Pierre par pierre, Schneider allait continuer de bâtir le mur autour du jeune homme. On n'échappait pas à une procédure conduite par Schneider. Aucun prévenu n'avait la moindre chance face à son implacable minutie.

Schneider tourna la tête : dehors, il s'était mis à neiger. Doucement, comme à regret. Il se leva et sortit en promettant qu'il reviendrait. Bubu savait que le policier tenait toujours ses promesses – les bonnes comme les mauvaises.

Schneider était retourné dans son bureau, lorsque le coup de fil tomba. Il reconnut immédiatement la voix rauque, un peu sourde, aux inflexions un peu snobs, de Cheroquee. Elle parlait à voix basse, la bouche très près du micro, comme si elle craignait d'être entendue. On entendait son souffle court et pressant. Elle dit, presque d'un trait :

– J'ai voulu que vous l'appreniez par moi et pas par quelqu'un d'autre.

Schneider comprit sur-le-champ et sut immédiatement ce qu'elle allait dire et qui tenait en peu de mots.

– Votre collègue vient de mourir. Il y a dix minutes.

Schneider avait remercié et raccroché. Il était resté quelques secondes, les yeux dans le vague. Charles Catala était entré et il lui avait annoncé, d'un ton aussi neutre que possible :

– Meunier vient de glisser.

Ils s'étaient dévisagés, comme en suspens, puis Schneider avait ajouté :

– Il va falloir requalifier la procédure. On ne parle plus de tentative, mais d'homicide volontaire.

Ce qui ne changeait rien à l'affaire : en matière criminelle, la tentative réalisée à elle seule vaut meurtre. Ils n'avaient pas de nouvelles des Bœufs, mais Schneider savait d'expérience que cela faisait partie du jeu. On les appelait

« bœuf-carottes » à cause de leur propension réelle ou supposée à laisser mariner le client. Peu ou prou, Schneider utilisait souvent la même méthode avec les siens. Il avait allumé une cigarette en contemplant la neige qui s'était mise à tourbillonner dehors à grands bouillons. Puis la ligne directe avait sonné, Charlie avait pris, et tendu presque tout de suite le combiné à Schneider en résumant :

– Le poste de police. Un fourgon de la SOS* a retrouvé un corps sans vie, près du canal. (Avec ironie :) D'après les kébours, il semblerait que le cadavre soit mort.

Il y avait un paquet de hardes, tiré sur le ventre au bord de l'eau noire. Des hardes trempées et sombres. Il en dépassait deux jambes. L'un des pieds était chaussé d'une vieille basket montante de marque Converse d'un bleu très délavé, l'autre était nu et très sale. Les volutes de neige semblaient tournoyer en tous sens, sans plan préétabli, avec pour seul but une volonté acharnée de nuire. Elles s'insinuaient partout, dans les yeux, les oreilles, les manches de parka, les jambes de pantalon. Elles gênaient le photographe de l'Identité judiciaire dont les éclairs de flash semblaient dépourvus de portée. Les flics dérapaient dans la gadoue. On n'apercevait plus qu'à grand-peine le battement des gyrophares, on n'apercevait plus que la silhouette très indistincte du poste d'aiguillage de la SNCF qui ne se trouvait pourtant qu'à trente mètres.

Le photographe avait grimacé et fait signe qu'il en avait provisoirement fini. Schneider avait enfilé ses gants, et, avec l'aide de Charlie, ils avaient retourné le corps. Immédiatement, Charlie avait observé sans la moindre amertume :

– Depuis le temps qu'il jouait au con, ça devait finir par lui arriver.

Sans se concerter une seconde, les deux policiers avaient immédiatement reconnu le corps de Bugsy. L'homme que l'inspecteur principal Meunier avait auditionné peu avant qu'il ne soit abattu. L'homme que, selon la rue, l'équipe à

Stern cherchait à cor et à cri par toute la ville. Bugsy était mort et l'état de sa face tuméfiée indiquait que les derniers instants de la victime n'avaient rien eu de plaisant.

Le procureur Gauthier s'était déplacé sur les lieux. Il avait aperçu Schneider qui fumait, le front baissé dans les bourrasques. Le policier avait terminé les constatations sur le corps et Bugsy gisait nu sous une bâche de chantier que Gauthier avait brièvement soulevée avec un certain dégoût. Un corps blanchâtre et imberbe, l'abdomen gonflé et les membres frêles et distordus. Il s'était tourné vers Schneider qui offrait une face impassible :

– Premières constatations ?

– La victime a été frappée à l'arrière du crâne à plusieurs reprises, à l'aide d'un objet contondant. Les coups ont entraîné l'enfoncement de la boîte crânienne. Par ailleurs, il avait été frappé à plusieurs reprises à la face et aux membres. Ses avant-bras portent des marques de blessures défensives.

– On a une idée de l'identité de la victime ?

– Oui, dit Schneider. Un type connu sous le pseudonyme de Bugsy.

Il porta les yeux ailleurs.

– Bugsy ravitaillait la ville. C'était un moyen grossiste multicarte avec une clientèle très étendue et diversifiée. À la différence de certains de ses semblables, plus spécialisés, il fournissait indistinctement de la résine, du pollen, de la cocaïne ou des amphètes en fonction des commandes et des arrivages. Sa clientèle allait des zonards aux types de la fac ou à la bonne société, lorsqu'elle entendait s'envoyer en l'air.

– Sources de vos informations ?

Schneider avait gardé le silence.

Il neigeait si fort que l'on n'y voyait plus à dix mètres. Seule se distinguait encore à brève distance l'eau noire, huileuse et immobile du canal. Elle semblait boire les blancs flocons, les dissoudre au fur et à mesure. Schneider tapa des pieds. La lassitude était visible sur son visage, de la lassitude et une sorte de détresse sans âge.

— Dernier domicile connu ?

— Sans domicile fixe, récita froidement Schneider.

— Autre chose ?

— Rien d'autre.

Schneider passait pour un homme secret. Un homme à tiroirs. Scheider ne livrait jamais tout ce qu'il savait ou soupçonnait. Il n'ouvrait le feu qu'à coup sûr, avec la certitude absolue de détruire l'adversaire. Gauthier hésitait souvent à son égard entre une confiance aveugle et une sourde irritation. Il décida, sans doute à cause de la neige :

— Vous êtes saisi de la présente enquête. Vous agirez en matière de flagrant délit.

Schneider se borna à hocher la tête. Avant de tourner les talons, Gauthier s'adressa à lui sur un ton de sarcasme :

— Ne me remerciez pas, Schneider, tout le plaisir aura été pour moi.

Schneider tapait les constatations. Il tapait très vite, des dix doigts. Il fumait. Charles Catala fumait. La neige faisait pression sur les vitres, comme des milliers de petits êtres diaphanes et transis déterminés à envahir la tiédeur du bureau. Les deux hommes se taisaient : il n'y avait rien à dire. Charles Catala consulta sa montre : midi moins le quart, l'heure du Ricard. Il y avait aussi midi moins dix, l'heure du pastis. Midi, l'heure du whisky. Schneider avait surpris son geste. Sans relever la tête, il proposa au jeune homme :

— Si vous avez les crochets, descendez manger quelque chose aux Abattoirs.

— Et vous ?

Schneider n'avait ni faim ni soif. Il en était à la description des plaies contuses qui ornaient l'arrière du crâne de Bugsy. Elles suffisaient à faire son bonheur. Il conseilla :

– Embarquez un storno, de manière à pouvoir être joint à tout moment.

À la réflexion, il ajouta :

– L'après-midi risque d'être chargé. Compte tenu de l'état du corps et de l'imminence du week-end, le secrétariat du légiste m'a appelé. Terrier veut faire vite : autopsie à quinze heures. Bon appétit.

À l'instant où Charlie sortait, Müller entra et manqua flanquer la porte dans la figure du jeune homme qui recula de deux pas. Müller se laissa tomber sur la première chaise venue, écarta grand les genoux, les pieds campés solidement au sol et se pencha pour tirer une cigarette à Schneider. Personne n'avait jamais vu Müller fumer. Personne n'aurait même pu imaginer Müller en train de fumer. C'était tout aussi extravagant qu'imaginer Dumont en train de danser la lambada à poil sur le parking avec une plume de paon plantée dans le cul.

Müller alluma sa cigarette, en tira une longue bouffée qu'il exhala en direction du plafond. Sa face, d'ordinaire impassible, arborait une expression de contentement presque extatique. Il secoua la tête :

– Putain, je me demande bien pourquoi j'ai arrêté de fumer.

Interloqué, Schneider avait cessé de taper. Lui aussi avait allumé une cigarette.

– Longtemps que je ne m'étais pas fendu la gueule comme ça, jubila Müller. Pendant que vous étiez sortis vous balader, les Bœufs me sont tombés dessus. Ils m'ont tout de suite fait la grande scène du deux. La révocation à cinq ans de la retraite. L'appel à la conscience. La promesse de l'impunité au cas où je m'allongerais.

Il rit sourdement. Schneider sentait la colère monter dans sa voix.

– Ces fils de pute m'ont sorti toutes les conneries qu'on sert tous les jours aux clients.

– Correct, dit Schneider.

– Ils voulaient me faire dire que j'avais rien vu et rien entendu.

– Correct, répéta Schneider.

– Je leur ai seulement rapporté ce que j'avais entendu : les coups contre les cloisons. Ce que j'avais vu : Escobar en train de tataner Francky par terre. Les gants de chantier. Stern assis, en train de picoler tranquillement sur son bureau.

Schneider garda le silence. La colère faisait trembler La Mule. Celui-ci se pencha et déclara froidement, le regard planté dans celui de son chef :

– Ceci pour dire que vous aviez pas besoin de me faire votre putain de morale, comme quoi c'était à vous de porter le barda tout seul. Je suis à cinq ans de la quille. J'ai jamais pris de galon et j'en prendrai jamais. Mon fils aîné finit sa médecine, ma fille travaille comme vendeuse aux Nouvelles Galeries. Ma femme est chef de bureau à la préfecture. C'est pas à mon âge que je vais me mettre à chier dans mon froc, sous prétexte que deux jeunes enculés me font les gros yeux.

C'était une bien longue tirade pour un homme comme Müller. Sans doute plus de mots qu'il n'en avait proférés depuis le début de sa carrière.

– C'est pas que j'ai voulu vous défarguer, précisa-t-il avec férocité. C'est juste qu'on me demandait la vérité et que je l'ai dite. Rien que la vérité, mais toute la vérité. Elle vous aurait mis dedans, je l'aurais dite, pareil.

Schneider l'observa en silence. Il ressentait de l'étonnement et comprenait qu'il avait commis un faux pas. Il savait que Müller était un honnête homme, il ne soupçonnait seulement pas qu'il le fût à ce point. On côtoie souvent d'étranges abîmes dont on ignore jusqu'à l'existence possible. La rédaction du procès-verbal pouvait attendre. Schneider ramassa son pistolet dans le tiroir, fit monter une cartouche dans la chambre et glissa l'arme à l'étui. Puis il se leva, saisit sa parka et l'enfila. Il n'avait ni faim ni soif, seulement le sentiment lancinant d'avoir commis quelque chose d'injuste. Le trio se dirigea en tir groupé vers les Abattoirs. La neige qui tombait drue crissait sous leurs chaussures. Elle ne tarda pas à recouvrir jusqu'au souvenir de leurs traces.

La photo dans le journal avait fait son effet. On regardait Schneider à la dérobée, on conciliabulait aussi bien dans la salle qu'au comptoir. Rien qui fût franchement hostile, aussi bien dans les attitudes que dans les commentaires. Les flics avaient fait leur boulot, ils l'avaient fait et bien fait et voilà tout. Schneider avait un physique d'acteur de cinéma, ce qui ne gâchait rien. Schneider n'avait pas touché à son assiette. Il avait comme souvent le regard tourné vers l'intérieur. Parfois, il portait un instant les yeux sur la neige qui tombait sans cesse et rendait l'hôtel de police lui-même invisible. Peu de voitures roulaient. Encore les conducteurs semblaient-ils se diriger à tâtons, d'un feu rouge à l'autre, avançant quasiment au pas. Au moment de débarrasser, Dagmar s'était penchée :

– Vous savez que Bugsy a glissé ?

Schneider n'avait ni infirmé ni confirmé. La femme avait observé :

– Vous n'avez pas touché à votre assiette. C'était donc pas bon.

– Non, avait répondu Schneider au hasard.

Il était évident qu'il figurait aux abonnés absents.

– C'est pas comme ça que vous allez faire du gras, grogna Dagmar. Vous savez ce qui se raconte dans la rue ?

– Non, avait répété Schneider, d'un ton d'indifférence parfaite.

– Il se dit que c'est la bande à Stern qui a bousillé Bugsy. Comme quoi, le cloporte aurait grillé un de leurs cousins*.

– Brahms, Berlioz ? Bartók ? avait proposé Terrier avec affabilité. Wagner ?

– Duke Ellington, avait préféré Schneider.

L'autre avait cherché parmi les piles de cassettes. Terrier pratiquait son art en complet trois pièces, avec un nœud papillon de soie et à mains nues. Depuis qu'il exerçait ses fonctions, il avait calculé qu'il avait pratiqué plus de deux mille autopsies. L'équivalent d'une jolie bourgade. Il était passé de tout sous son scalpel et dans à peu près tous les états. Autant dire qu'il ne pouvait s'émouvoir de rien. Il avait trouvé plusieurs cassettes :

– J'ai la *Far East Suite*. Ou le célèbre *Blues For New Orleans*, avec la très curieuse intro de Wild Bill Davis à l'orgue Hammond. Le gros son charnu et rageur de Davis et la contre-mélodie délicate du Duke. J'ai aussi le concert à l'Alhambra, en 1958.

– Ce que vous voulez, éluda Schneider.

– On ne peut pas dire que vous engraissez, remarqua terrier. Toujours votre saloperie ?

Schneider se borna à remuer les épaules. Il alluma une cigarette.

Terrier engagea une cassette, régla le son. Schneider reconnut instantanément le grondement de l'orgue Hammond. Terrier s'approcha de la table. Bugsy reposait déjà en pièces plus ou moins détachées, avec le plastron cisaillé, laissant à découvert poumons et viscères. Le préparateur l'avait décalotté à la scie électrique. Le corps avait été lavé à grande eau. Il n'avait pas eu le temps de se mettre à sentir. Terrier commença par le crâne.

– Plusieurs coups consécutifs portés avec acharnement.

– Mortels ?

– Mortels, mais pas forcément sur l'instant.

Terrier avait incisé le poumon gauche, puis le droit et montré à Schneider.

– De l'eau. Votre type n'avait aucune chance de survivre aux fractures du crâne, en revanche, il était encore plus ou moins vivant quand on l'a flanqué dans le canal. Mort noyé. On dirait bien que quelqu'un lui en voulait personnellement.

– On dirait bien, murmura Schneider.

– Vous feriez mieux de ralentir sur la benzédrine avant qu'elle vous bouffe les derniers neurones, observa Terrier à distance. À supposer qu'il vous en reste.

La partie s'annonçait rude, mais Schneider avait ouvert le feu le premier. On lui avait fait signe de prendre place sur la chaise au milieu de la piste de danse. Il avait commencé par chercher un cendrier des yeux, en avait ramassé une sur une pile de chaises le long du mur, puis il était allé s'asseoir. Il avait sorti ses cigarettes et fait signe, les paupières serrées, que l'ennemi pouvait y aller.

L'ennemi était deux : le commissaire principal Jean-Pierre Klaus, un échalas en complet strict et lunettes aux montures d'écaille noire, un homme au visage anguleux et au regard sévère. Il remarqua du bout des lèvres :

– Je ne crois pas vous avoir autorisé à fumer.

– Je ne crois pas vous avoir entendu me l'interdire.

Celui qui servait d'assesseur, le porteur de bidons, qui s'était présenté comme l'inspecteur divisionnaire Lemarchand, avait eu un sourire imperceptible. Schneider n'était pas dupe. Tous deux trônaient derrière une longue table, qui servait aux briefings et parfois aux jurys d'examen lors du recrutement de gardiens de la paix. Il y avait aussi un Nagra, dont tout laissait à penser qu'il avait déjà commencé à tourner, ainsi qu'un micro. La longue table était supportée par une estrade, ce qui fait que le client se trouvait en contrebas. Autour, tables et chaises avaient été poussées contre les murs. Au milieu du no man's land – la piste de danse – Schneider se tenait à découvert. En consultant le dossier posé devant lui, Klaus avait commencé par déclarer avec componction :

– Je ne crois pas que vous n'ayez ni mesuré l'exacte portée ni la gravité de vos accusations, monsieur le principal. Je ne crois pas que vous ayez conscience qu'en avisant la justice, vous ayez enfreint l'une des règles majeures de l'administration de la police.

– La même que celle des voyous : l'omerta, sourit Schneider.

Klaus avait sursauté. Il n'avait pas l'habitude qu'on lui parlât sur ce ton. Il serra les sourcils, ce qui eut surtout pour effet de lui donner une expression de jeune hibou furieux. D'une voix qui tremblait de colère, il mit Schneider en garde.

– Je dois vous rappeler que cette audition fait l'objet d'un enregistrement, qui sera ensuite transcrit et joint au dossier.

Entre ses dents, Schneider proféra quelque chose qui ressemblait fort à « roule ma poule ».

– Pardon ? fit Klaus, outré.

– Roule ma poule, répéta Schneider, mais cette fois très distinctement, en direction du micro. Il sentait la rage monter. Bien qu'il demeurât impassible à fumer, il sentait les muscles de ses épaules se raidir. Bientôt, il aurait le plus grand mal à desserrer les mâchoires.

– En portant les faits à la connaissance du parquet, vous portez surtout un tort inestimable à l'image de la police. De surcroît…

Klaus avait attiré un document à lui. Il s'agissait d'une coupure de presse, déjà placée dans une chemise transparente, ce qui indiquait clairement qu'elle allait faire partie intégrante du dossier. Il l'avait considérée avec dégoût, puis montrée à Schneider :

– Que voulez-vous qu'en conclue le public ? Que tous les fonctionnaires de police sont des brutes et des tortionnaires. Vous avez attenté à l'honneur de la police.

Lemarchand avait surpris la rage qui avait traversé le regard de Schneider. Celui-ci s'était d'abord contenté de ricaner. Le photographe s'était arrangé pour lui faire une sale gueule, c'était un fait, mais pour le reste… Schneider avait subitement cessé de ricaner pour déclarer d'une voix enrouée de colère :

– M'emmerdez pas avec l'« honneur de la police », Klaus. La police l'a montré clairement, son honneur, dès juin 1940, lorsque les gardiens de la paix aux carrefours se sont mis à saluer servilement les militaires des troupes d'occupation allemandes.

Klaus avait encaissé durement et coupé le Nagra.

– Vous jouez à quoi, Schneider ?

– À la même chose que vous. Déstabilisation. Me prenez pas pour un faisan du jour. Vous avez éteint le magnétophone, mais votre chaouche, à côté, continue à prendre ses notes.

Klaus s'accouda et fixa Schneider. Il avait toujours l'air d'un hibou furieux, mais s'efforçait de changer de figure et de registre. Il eut une sorte de sourire. Ce qui pouvait passer pour un sourire dans sa blême et longue face sévère. Il remarqua :

– On m'avait prévenu que vous n'étiez pas quelqu'un de très maniable.

Schneider avait gardé le silence, tout en allumant une cigarette à la précédente. Klaus avait parcouru le dossier placé devant lui et remarqué :

– Vous avez un brillant passé militaire. Vous avez servi dans une unité parachutiste de 1958 à 1960. Vous avez alors fini avec le grade de lieutenant. Blessé au feu, Légion d'honneur. Vous avez à l'heure actuelle le grade de commandant dans le cadre de la réserve.

Klaus connaissait son métier : il commençait loin et en oblique. Il se comportait comme l'oiseau de proie qui cercle large et prend les ascendants, jusqu'au moment où il devient presque invisible aux yeux de sa proie, jusqu'au moment où celle-ci finit par oublier jusqu'à son ombre, mais un aigle voit à plus de trois kilomètres un objet de la taille d'un lapin. Lorsque l'oiseau se laisse tomber sur sa proie, les serres en avant, il est trop tard, il l'enveloppe de ses ailes et lui brise les reins.

Schneider lui-même avait utilisé la même méthode durant des dizaines d'auditions, au détriment de dizaines de suspects. Il coupa court :

– Ces considérations n'ont aucune place dans l'interrogatoire en cours.

– Votre père a disparu début 1954 au cours d'un vol de guerre au-dessus de l'Indochine. Il avait fait partie des premiers aviateurs français à rejoindre de Gaulle à Londres, dès juillet 1940.

– Ces considérations n'ont aucune place dans l'interrogatoire en cours.

– Vous avez quitté l'armée avec le grade de lieutenant. Compte tenu de vos états de service, vous auriez dû partir avec le grade de capitaine. Comment l'expliquez-vous ?

– Ces considérations n'ont aucune place dans l'interrogatoire en cours. J'exige qu'elles soient retirées du procès-verbal.

– Vous n'avez rien à exiger, dit Klaus d'un ton brutal.

Tactiquement, il avait perdu une manche et il le savait. Encore une fois, il changea d'axe.

– Vous êtes là pour répondre à nos questions. Seulement répondre, si possible en vous abstenant de tout comportement agressif ou seulement inconvenant.

Schneider en conclut que Hibou furieux avait dû être élevé chez les frères jésuites, sans doute du côté de Dole. Il inclina le buste, les mains croisées sur la nuque et les jambes étendues. Le magnétophone s'était remis à tourner. En se balançant sur les pattes arrière de la chaise, il remarqua avec une sorte de flegme trompeur :

– Je n'ai pas entendu jusqu'à présent une seule question concernant directement ou indirectement les faits ayant motivé votre présence ici.

Il savait que Klaus n'avait pas d'autre choix que de battre en retraite. Il entendait l'acculer aux faits, seulement aux faits. Klaus laissa tomber avec morgue :

– Vous avez fait parvenir au parquet un document dénonçant des violences supposées à l'encontre d'un détenu…

– La question, coupa Schneider.

– Reconnaissez-vous avoir fait parvenir un tel document au parquet ?

– Non, déclara Schneider.

Klaus brandit un document :

– Niez-vous avoir transmis ceci au parquet ?

– Non, déclara de nouveau Schneider.

– Alors ? fit Klaus.

Il semblait persuadé d'avoir enfin marqué un point. Schneider cessa brusquement d'affecter une attitude de vacancier. Comme de son propre poids, la chaise retomba sur ses quatre pattes et Schneider écrasa sa cigarette dans le cendrier posé à ses pieds. Ce qui avait pu sembler être de l'indolence sur ses traits se mua en une véritable férocité à peine contrôlée. Il dit à Lemarchand, avec une ironie teintée de mépris :

– Prenez note, greffier, je vous prie. En évitant autant que possible les fautes d'orthographe ou de grammaire.

Il se pencha en direction du micro et articula lentement et distinctement :

– Je n'ai pas transmis au parquet un document dénonçant des violences *supposées*. J'ai transmis, à la demande du procureur de la République Edmond Gauthier, un procès-verbal détaillé relatant les exactions que j'ai constatées dans les locaux du commissaire Stern. Ces violences étaient commises à l'endroit d'un détenu placé sous ma responsabilité dans le cadre d'une enquête de flagrance. Conformément à ma mission d'officier de police judiciaire, j'ai ordonné qu'il y soit immédiatement mis fin. De même, j'ai avisé aussitôt le parquet. Je suppose que tout cela figure dans le procès-verbal que vous semblez avoir en votre possession. Je n'ai rien à y ajouter ou à en retrancher.

Il se leva.

– Je n'ai rien d'autre à vous déclarer.

Il se dirigea vers la porte, en s'efforçant de dissiper la rage qui l'avait envahi peu à peu. Il n'était pas peu fier : il avait résisté jusqu'au bout au désir sauvage de leur retourner la table sur la gueule, pour commencer. Dans son dos, il entendit Klaus prévenir :

214

– Attendez-vous, monsieur le principal, à ce que cet entretien ne demeure pas sans suite administrative ou judiciaire.

Le groupe criminel était réuni dans le bureau de son chef où Schneider donnait ses instructions, de manière méthodique et posée. Dernier domicile connu de Bugsy, identification et liste de ses contacts, amis aussi bien qu'ennemis, sources d'approvisionnement et clientèle. Dumont avait ses entrées à la Sécurité sociale, Schneider lui avait donc assigné la mission de s'y renseigner discrètement. Il fallait contacter de façon systématique toutes les administrations de l'État, jusqu'aux impôts qui constituaient une citadelle à part.

Schneider avait vu Bugsy à poil sur la table d'autopsie. À poil et en pièces détachées. Il le voulait maintenant à poil en entier, comme lorsqu'il était vivant. Bugsy ne constituait sans doute pas une grosse perte pour l'humanité, mais, pour peu vraisemblable que cela paraisse, il ne fallait pas exclure la possibilité qu'il y eût quelque part quelqu'un qui pleurât sa disparition. Et, de fil en aiguille, ce quelqu'un pouvait amener la découverte de ceux qui l'avaient expédié dans le canal après lui avoir fracassé le crâne à l'aide de pierres de ballast.

Aux yeux de Schneider, Bugsy, malgré sa peau blême et ses membres contrefaits, était un être humain comme les autres. Terrier avait confié machinalement, en marge de l'autopsie en examinant une radio :

– Le pauvre type n'a pas dû avoir une vie bien rose. Presque pas un seul de ses os longs qui n'ait été brisé et ressoudé spontanément. Certaines fractures remontent à sa prime jeunesse.

La distribution des tâches était presque achevée, Schneider avait terminé le rapport de transport sur les lieux et de constatations, quand le commissaire Manière avait fait irruption sans frapper et commandé à Schneider, l'index en crochet, d'avoir à le suivre. Le gardien de faction dans le hall d'entrée les avait vus s'éloigner tous deux, épaule contre épaule sans doute à cause des bourrasques, en direction générale des Abattoirs. Il n'avait pas tardé à les perdre de vue.

Ils se tenaient au comptoir, près de la vitrine. La neige, qui tombait avec rage, faisait un écran blanc au travers duquel l'on avait du mal à distinguer les silhouettes des voitures. Elle avait l'avantage de faire régner un silence floconneux. Manière avait consulté sa montre et fait signe à Dagmar, le majeur et l'index tendus en V renversé.

– Chivas. Deux. S'il vous plaît.

Schneider garda le silence.

On les servit. Il contempla son verre avec réticence. Manière leva le sien et son regard frisa.

– Je sais. On ne copine pas avec la hiérarchie. (Il rit franchement.) Faites attention, Schneider, vous devenez prévisible.

Schneider ne put s'empêcher de sourire. Dans ses pires cauchemars, il y avait ce visage aux yeux creux. Visage n'était pas exactement le mot. La face momifiée d'une jeune femme qui avait dû être très belle. Que, par recoupements, Schneider supposait qu'elle avait été très belle. Au fond des orbites, on voyait encore comme deux gros grains de raisin sec, qui avaient dû être les globes oculaires, avant que les flammes ne s'en emparent. L'image lui était revenue en plein jour sur fond de neige et avait disparu aussitôt. Il leva son verre et but une grande gorgée. Il entendit Manière rire :

– Je ne sais pas trop ce que vous avez raconté aux deux charlots, mais il semble que vous ayez fait forte impression sur mon collègue Klaus.

– Grand bien lui fasse, articula Schneider.

– C'est un busard, sourit Manière, mais pas un mauvais type. Il est très myope, mais il a le défaut de ses qualités. Quoi que vous en pensiez, c'est un homme honnête. Très limité, comme la plupart d'entre nous, mais honnête.

– Amen, fit Schneider.

En même temps, il commanda deux autres verres à Dagmar. Ce qui plaidait en faveur de Manière, c'était qu'il eût vous-soyé la jeune femme. Elle les servit et laissa la bouteille sur le zinc. Manière remercia du front, se tourna vers Schneider. Il avait cessé de sourire, de quelque manière qu'il pût le faire. D'un ton sec, il remarqua :

– Klaus a été impressionné par l'unanimité des réponses que lui ont apportées vos deux subordonnés. Il en a conclu que vous teniez bien vos troupes. Ou qu'ils disaient la vérité, peu importe. En ce moment, Klaus est en train de passer Escobar sur le gril. Je ne pense pas qu'il s'en tire aussi bien que vous. Escobar a du punch, une inventivité certaine dans ses méthodes d'interrogatoire musclé, mais il a un pois chiche dans la tête. Pour en revenir à vos troupes.

Le ton de Manière se fit cassant.

– Que vous vous meniez la vie dure, Schneider, je m'en tape : ça ne concerne que vous. Vous et, éventuellement, le médecin chef de l'administration.

Il laissa filer un silence que Schneider estima à un break de deux mesures, dans un blues pris délibérément sur un tempo lent. Quelque chose comme le *Love In Vain* de Cole Porter, version Ella Fitzgerald 1959. Déjà vingt ans. Deux mesures, soit environ huit battements de cœur normaux sur un rythme 4/4. *Le médecin chef de l'administration. Éventuellement.* Schneider était très capable de comprendre à demi-mot. Il s'accouda cependant au bar et aperçut son reflet dans la glace. Pas exactement l'image d'un type en parfaite forme. Il avait maigri, ses traits se creusaient. Il se résigna.

– Ceci pour dire quoi ?

– Ceci pour dire qu'il n'y a pas de raisons que vous meniez aussi vos hommes à la dure. Vous avez eu une rude semaine et celle d'avant ne l'était pas moins. Ceci pour dire que je vous ai relevés, vous et votre groupe, du rôle de permanence.

Il consulta de nouveau sa montre :

– À compter de ce jour, dix-neuf heures, fin de service, vous êtes en situation de congé récupérateur. Défense formelle de vous approcher de l'Usine à moins de deux cents mètres pendant trois jours.

– Bugsy, fit Schneider, comme s'il se fût agi d'un mot de code.

– Que foutre de Bugsy. Bugsy fera comme tout le monde : il attendra. De toute façon, où il en est rendu maintenant, dans son tiroir réfrigéré à la morgue, votre guignol a toute l'éternité devant lui.

Cheroquee avait eu du mal à retrouver sa petite Austin parmi les autres voitures enneigées. Elle avait eu du mal à la déneiger. Ses moufles étaient trempées, ses chaussures aussi. Elle avait balancé son sac au petit bonheur sur la banquette arrière. En se laissant tomber dans son siège, elle avait flanqué un mélange de neige et de boue jaunâtre partout sur le tapis de sol. Elle avait horreur du froid, elle avait horreur de la neige. Elle avait tout de suite lancé le moteur et mis le chauffage et la ventilation au maximum, ce qui avait eu pour effet immédiat d'embuer tout l'intérieur. Elle avait grogné, puis s'était allumé une cigarette, la deuxième de la journée qu'elle avait fumée jusqu'au bout en attendant que la situation se décante.

Penchée sur le pare-brise, elle avait essayé de percer le mur de neige, sans y parvenir tout à fait. Elle avait eu une journée de merde. Elle avait juste envie de démarrer, de quitter le parking, de rouler tant bien que mal et de retrouver son mec. Elle avait donné, maintenant elle en avait le droit. La neige tombait lourde et grasse, à gros flocons qui venaient s'écraser sur le pare-brise et l'obstruaient inexorablement à chaque battement des essuie-glaces.

Elle entrebâilla la portière juste assez pour jeter sa cigarette et la referma aussitôt. Elle se passa la main dans les cheveux avec exaspération. Ils étaient trempés, ses moufles aussi.

Elle jeta un œil dans le rétroviseur. Derrière non plus, on n'y voyait rien. Elle fut subitement saisie d'une furieuse envie de trépigner. À bras tendu, elle ramassa son sac derrière, pour prendre une nouvelle cigarette. Elle tomba sur le journal qu'elle avait plié avec soin. Elle pliait tout avec soin. Il était mouillé aussi. Elle grogna de nouveau, plus fort, de rage et de frustration. Elle se sentait tout à fait en état de mordre le petit volant. De mordre tout court.

Elle alluma une autre cigarette et, en relevant les yeux, elle aperçut, vaguement agacée, un gyrophare bleu qui progressait lentement, comme à tâtons, en direction des urgences. Puis qui s'approcha mètre par mètre et finit par stopper à son niveau. Une seconde plus tard, un homme ouvrait la portière en hâte et s'abattait sur le siège du passager, en faisant signe d'avancer.

Schneider.

Ils mirent presque deux heures pour rentrer, mais moins de cinq minutes pour se retrouver au lit.

Il neigea presque tout le week-end sans discontinuer. La petite Austin comme ses consœurs finit par disparaître sous un blanc manteau, qui se mettait à scintiller à la moindre éclaircie. Ils restèrent serrés l'un contre l'autre la plupart du temps. Il y avait bien sûr le storno sur la malle en osier, mais il était éteint. Il y avait bien le Colt, mais la crosse était vide. Le téléphone avait bien sûr sonné à plusieurs reprises plusieurs fois de suite, mais Schneider n'avait pas répondu, se contentant de laisser le répondeur faire son boulot de répondeur.

Ils fumaient. Cheroquee avait apporté un sac de mandarines. De temps en temps, elle collait une tranche dans le bec de son mec. La plupart du temps, elle les engloutissait elle-même sans autre forme de procès. Schneider avait passé le bras autour des épaules de la jeune femme. Ses doigts jouaient avec ses cheveux, et parfois la pointe d'un sein. Cheroquee tressaillait sous la caresse. Elle appelait ça *mettre le feu à la paille*. Elle se sentait délicieusement lasse et en même temps très inflammable. Elle avait ramassé le journal par terre. Elle avait jubilé :

— Quand j'ai dit à mes copines que c'était mon mec sur la photo, elles n'en revenaient pas. Elles n'arrivent pas à croire que j'aie accroché un lot comme vous.

Elle avait remué la poitrine, en se considérant aussi avec un air d'orgueil.

— Même grâce à ça, elles ont du mal à le croire.

Schneider s'était contenté de lui retirer le journal des doigts et l'avait expédié au pied du lit.

— Ne le prenez pas mal, mais j'ai toujours eu des difficultés avec la presse.

— Je sais, sourit la jeune femme en lui mordillant le bout des doigts.

— Vous savez ?

— J'en sais plus que vous ne croyez. Mon père a dix ans de plus que vous. J'étais une gosse tardive. D'après lui, une divine surprise.

Schneider ne pouvait lui donner tort, même s'il craignait à chaque instant que cela ne les menât à rien. Il était plus vieux que l'impôt et elle avait toute la vie devant elle. Il savait bien que la pendule avait commencé à tourner en sa défaveur, pourtant il jouissait de la chaleur de son corps contre le sien, de sa ferveur animale lorsqu'ils faisaient l'amour, de sa manière de s'endormir brusquement comme si elle tombait soudain dans un trou sans fond. Elle ajouta :

— C'est aussi un féru d'histoire contemporaine. Complètement autodidacte. Vous vous demandez comment il se fait que je connaisse Lester Young et Duke Ellington ? Ils ont bercé ma jeunesse.

— À jamais enfouie dans les ténèbres de l'oubli, rit Schneider.

Car il était capable de rire, franchement, sans réserve. Elle se tenait lovée contre lui, la bouche sur sa peau. Elle le caressait des lèvres. Elle le trouvait encore plus attirant nu qu'habillé. Il avait conservé un corps svelte et musclé, presque un corps d'adolescent. Elle dit, d'un ton paresseux, une main sur la cuisse de Schneider :

— Vous aviez promis de me parler de Tristram et Isolde.

— Je ne vous avais rien promis du tout.

— Parlez-moi d'eux.

Il avait souri et croisé les mains sous la nuque. Il s'était longuement étiré en réfléchissant. La main de la jeune femme remontait, lentement, inexorablement, en direction de sa cible principale. Cheroquee était capable d'une vraie roublardise en matière sexuelle. Il tenta de stopper la progression, et n'y parvenant pas, il se résigna :

— Je vais essayer. Vous connaissez l'histoire. Les chrétiens en ont fait une sorte de bondieuserie hollywoodienne. Tristan et Iseult. Les yeux dans les yeux, les pieds dans la bouche. Une simple bluette. Connerie. La vraie histoire, c'est pas ça.

Elle avait saisi le problème à la racine et le problème commençait à prendre une certaine ampleur. Tout en entretenant paresseusement le feu, elle avait fermé les yeux. Elle était résignée au pire, et ça ne la dérangeait pas. Elle avait tout son temps.

— Ça date de bien avant, dit Schneider avec un indéniable stoïcisme. De ce que certains appellent l'Âge des Ténèbres. Il y a un Merlin, un homme, une femme et un cocu accidentel. Le Merlin sait que la fille va épouser le roi Marc. Elle est jeune et belle, il est vieux. Ils ne se connaissent ni des lèvres, ni des dents. Il ne sait pas trop comment les choses vont tourner, alors il prend ses précautions. Son idée, c'est qu'à une grande passion succède toujours une grande tendresse. Un Merlin, c'est un sorcier. Il prépare un philtre qu'il destine aux futurs époux. Un philtre à durée limitée. Trois ans ferme.

Ferme. Il ne semblait pas que Schneider eût besoin du moindre philtre pour manifester une indéniable fermeté. Non sans une fierté secrète, elle sentit ses battements de cœur s'accélérer et elle sourit, les paupières closes, sans cesser de s'activer avec indolence.

– Au milieu de tout ça, il y a Tristram, poursuivit Schneider Il est jeune, il est beau, il sent bon le sable chaud. C'est le neveu du roi Marc. Évidemment, il y a substitution Par inadvertance et parce qu'autrement il n'y aurait pas d'histoire, Tristram et Isolde boivent le philtre et c'est foutu.

– Foutu ?

Schneider rit doucement, un peu comme lorsqu'on se moque avec tendresse.

– Le texte ancien dit que dès cet instant, lorsque les deux se voyaient ne serait-ce qu'un instant, il fallait leur jeter des baquets d'eau glacée pour les débrancher. Le texte le dit de manière très explicite, le texte originel tout au moins. Il est écrit noir sur blanc : « *Ainsi que deux chiens dans la rue* ».

– C'est drôle, sourit Cheroquee après un temps, un peu rêveuse. Dans la rue, ça ne m'est jamais venu à l'esprit. Quoique, entre deux voitures.

– N'y comptez pas, prévint Schneider en affectant une certaine raideur.

Elle se blottit, sans lâcher le morceau :

– On couche ensemble depuis combien de temps ?

– Longtemps. Très longtemps. Tellement longtemps que je ne me rappelle pas qu'il y ait eu un avant.

– On couche ensemble depuis longtemps et pourtant on se vouvoie encore. Comment vous l'expliquez ?

– Aucune idée, reconnut Schneider.

Il était au chaud, il avait le corps souple de la jeune femme contre le sien. Il avait ses doigts brûlants autour de son sexe, et qui allaient et venaient lentement comme des vagues sur la plage à l'étale de haute mer. Il n'avait pas envie de chercher les pourquoi et les comment. Il lui caressa les cheveux. Ils étaient drus et soyeux et lui tombaient plus bas que la taille. Il lui caressa les cheveux et, naturellement, le creux des reins.

Comme mue par un ressort, Cheroquee fut d'un bond sur lui, bien plantée sur les genoux de part et d'autre.

– En piste pour le quadrille, jubila-t-elle en l'installant adroitement en elle.

Elle l'engloutit tout entier, et presque aussitôt, en ruant et en pilonnant à toute force du bassin, elle se mit à crier sans retenue, en proférant des choses qu'il ne lui serait jamais venu à l'esprit qu'elle pût seulement en soupçonner l'existence, même par ouï-dire.

Le lendemain matin, elle se réveilla avec le jour, à la fois fourbue et en pleine forme. Scheider dormait, un coude sur la figure. Elle n'avait pu s'empêcher de rester plusieurs secondes à le regarder, immobile et le souffle retenu. Elle avait ensuite enfilé l'une de ses chemises d'uniforme, puis elle avait remonté les traces de son passage, tout en les ramassant au fur et à mesure. C'était pour elle un rituel : dans la hâte, elle se débarrassait au petit bonheur la chance de tout ce qu'elle avait sur le dos, ensuite, le lendemain ou dès la fin des hostilités, elle remettait tout en ordre avant de s'en aller.

Elle n'avait pas du tout l'intention de s'en aller. Elle avait apporté un mini-toaster, avec le sentiment plus ou moins confus qu'elle était en train de s'installer. Schneider n'avait pas eu l'air de s'y opposer formellement. Elle avait fait du café et grillé des tranches de pain de mie. Des pas craquaient en bas sur le parking, signe qu'il n'avait pas dégelé. Le ciel était d'un bleu glacé qui blessait les yeux. Tout semblait d'une immobilité parfaite, comme une grande vitre sur le point d'exploser. Schneider apparut sur le seuil. Il ne portait qu'un pantalon de treillis délavé, accroché bas sur les hanches.

– C'est bien ce que j'escomptais, fit la jeune femme. L'odeur de café, les toasts. Je me doutais bien que la faim ferait sortir le loup du bois.

– Pas seulement, sourit Schneider en s'approchant.

Elle était nue sous la chemise ouverte. Du bout de l'index, il lui frôla un sein au jugé. Elle avait de larges aréoles très brunes et facilement érectiles, de manière presque instantanée, et comme douées d'une existence autonome. Il sourit à distance :

– Décidément, je crois bien que je ne m'y ferai jamais.

– Vous ne vous ferez jamais à quoi ?

– Les marins américains ont toujours eu beaucoup d'humour. Les aviateurs aussi. Peut-être parce qu'ils étaient très jeunes et qu'ils mouraient beaucoup. Ils appelaient les gilets de sauvetage des Mae-West, du nom de l'actrice de cinéma.

– Je sais qui est Mae West, fit sèchement Cheroquee. Je ne suis pas sûre que la comparaison joue en sa faveur. Je ne suis pas certaine du tout qu'elle en avait plus que moi et les miens ne doivent rien au silicone. Maintenant, si vous voulez, je remballe le stock, si ça vous trouble tant que ça.

Elle fit mine de se reboutonner. Schneider se contenta de rire sans bruit. Ils s'assirent à la table de la cuisine. Leurs genoux se touchaient, leurs mains aussi. Il y avait bien sûr le monde dehors, mais ils s'en foutaient. Cheroquee remarqua une vilaine cicatrice en étoile du côté gauche, sur le buste de Schneider, un peu en dessous des côtes. Elle se pencha :

– Pas très chouette. Le type qui vous a opéré a fait un travail de cochon.

– Le type qui m'a opéré avait des dizaines de cas à traiter chaque jour. L'esthétique n'entrait pas en ligne de compte.

Elle secoua la tête, pensive.

– N'empêche. C'est arrivé quand ?

Schneider alluma une cigarette, lui saisit la main, qu'il porta à ses lèvres.

– Laissez tomber. Le passé est le passé.

– Je ne crois pas, dit la jeune femme avec amertume.

Schneider lui fit remarquer que l'amertume ne lui allait pas bien. Elle hocha la tête, écarta les mèches devant son visage et releva le menton. Soudain, elle parut désarmée, incertaine

224

et sans défense. Une belle femme au corps épanoui avec subitement comme un petit visage d'enfant pauvre un peu perdu. Elle évita son regard.

— Je voulais vous demander quelque chose.

Il attendit en silence.

— Nous sommes dimanche, vous savez. J'aimerais.

— Vous aimeriez quoi ?

— Vous n'êtes pas forcé de dire oui.

Il continua à se taire. Il continua à lui frôler le bout des doigts du bord des lèvres. Elle céda, toujours sans le regarder en face :

— J'aimerais qu'on aille quelque part. Pas plus de vingt kilomètres aller et retour.

— J'ai eu peur, sourit Schneider. À vous voir, j'avais l'impression que vous alliez me demander de braquer la Banque de France à main nue.

Elle avoua avec brusquerie :

— J'aimerais vous présenter quelqu'un.

Ils avaient pris une douche ensemble, sans que les choses ne dégénèrent. Pourtant, Schneider avait lavé la jeune femme de pied en cap, sans rien omettre et avec un doigté manifeste et beaucoup de retenue. Puis il s'était habillé, et, laissant Cheroquee se préparer, il était descendu relever son courrier. Dans le feu de l'action, il l'avait oublié la veille. La majeure partie du contenu alla directement dans la corbeille aux prospectus. Au fond, il y avait un petit paquet oblong, enveloppé de papier kraft, et qui faisait la taille d'un étui à stylo.

Schneider ne se rappelait pas avoir commandé de stylo, ni quoi que ce soit d'autre dans un passé récent. Le cachet faisant foi, il avait été expédié de la poste centrale le vendredi matin à onze heures. Il y avait bien le nom et l'adresse du destinataire, mais pas celui de l'expéditeur. Schneider secoua le paquet en le portant à l'oreille. L'objet qui se trouvait à

225

l'intérieur rendit un son mat. Le papier kraft avait été scotché avec minutie.

Déballé avec soin, l'objet se trouvait à présent devant Schneider. Cheroquee se tenait assise en face de lui. Elle ne souriait plus. Elle se tenait les coudes dans les paumes. On aurait dit qu'elle allait se mettre à pleurer. Dans le paquet se trouvait la très jolie réplique miniature d'un cercueil en bois de balsa peint en noir. Celui qui l'avait fabriqué s'était donné beaucoup de mal pour que cela ressemblât à un vrai cercueil. Il n'avait pas poussé la conscience professionnelle jusqu'à y faire figurer des poignées, mais l'ensemble était tout de même assez réussi. La fabrication devait en être récente, car il sentait encore l'odeur aigre de la peinture à maquette.

Un cercueil de pauvre, jugea Schneider.

À l'intérieur, sur un mince lit de coton ordinaire, il y avait une balle de pistolet.

L'ogive blindée bien astiquée était recouverte de cuivre. La douille, plus terne, avait été astiquée également. Inutile d'espérer y relever la moindre empreinte digitale. Schneider fumait, les mains à plat, sans quitter la cartouche des yeux. D'une voix calme et sans relief, il murmura :

– *Full Metal Jacket.*

Cheroquee avait traduit. Balle entièrement chemisée. Il ajouta avec calme :

– Calibre 9 mm. Le calibre réglementaire de l'armée et de la police depuis la Seconde Guerre mondiale, pour ce qui concerne les armes de poing. On en trouve un peu partout, des deux côtés de la barrière. Projectile perforant. Pas beaucoup de puissance d'arrêt, sauf à percuter un os long.

Le visage de Cheroquee avait revêtu une blancheur crayeuse.

Entre le pouce et l'index, Schneider sortit la cartouche du cercueil et l'examina :

– Munition de marque Gévelot. Qualité variable, souvent médiocre. Par le numéro de lot, il arrive qu'on parvienne parfois à en déterminer la provenance, et parfois non. Ensuite, il faut savoir entre quelles mains elle est passée, etc. Un travail de bénédictin.

Il reposa la cartouche dans le cercueil. Il referma le petit couvercle sur lequel il était tracé en lettres bâton grises « Honneur de la Police ». Avec agacement, il remarqua que des coulures de peinture mal séchée lui avaient adhéré au pouce et à l'index. Il grommela entre ses dents. Cheroquee lui prit brusquement le poignet, qu'elle broya entre ses doigts avec une vigueur qu'on ne pouvait guère lui soupçonner.

– C'est dangereux ?

– Tout est dangereux, sourit Schneider avec indolence. À commencer par vivre.

Il se tut et reprit à regret, en repoussant le cercueil de l'index.

– Je suis désolé que vous soyez au courant. Je ne m'attendais pas du tout à recevoir ce genre de menace. Cuisine interne. Le berger et la bergère. J'aurais dû.

Il n'ajouta rien. Elle savait que ses ongles plantés dans la chair de Schneider faisaient mal, ses ongles et ses doigts comme des serres. Elle faisait mal et c'était voulu. Elle dit, d'une voix qui s'enrouait.

– Vous ne m'en auriez pas parlé ?

– Qu'est-ce que ça aurait changé, que vous soyez au courant ou non ?

– Vous avez déjà reçu ce genre de chose ?

– Non. On peut dire que c'est une première.

L'ambiance s'était faite plus lourde. Schneider regarda dehors. Le ciel était d'un bleu si glacé qu'il semblait d'acier poli.

– Je ne veux pas qu'il t'arrive quelque chose, dit Cheroquee avec rage.

– Tiens, remarqua Schneider, on se tutoie, maintenant.

Avec une petite grimace, il se dégagea des griffes de la jeune femme, et, tout en se frictionnant le poignet, il se leva en rappelant au passage :

– À un moment donné, j'avais cru entendre dire qu'il était question de se rendre quelque part. *Pas plus de vingt kilomètres aller et retour.*

Il avait fallu désencroûter et déneiger la petite voiture. Il avait fallu la démarrer, quitter le parking en avançant plus ou moins en crabe. Cheroquee avait la flemme. Elle était parvenue à se faire remplacer et redoutait la fin du week-end. La fin de la trêve. Elle en venait à détester chaque instant qui le séparait d'elle. Elle était de plus en plus consciente de ce qui bouillait dans sa marmite. Elle avait beau tenter de se faire entendre raison, et même tenter de tourner en dérision ce qu'elle ressentait, elle n'y parvenait pas. Ces paroles à la con, ces rengaines qu'elle avait entendues cent fois et qui la mettaient en rage, ces histoires de bonnes femmes qui avaient un mec dans la peau, qui se vantaient même d'être fières des conneries qu'elles étaient prêtes à faire pour eux, jamais elle n'avait pensé que ça puisse lui arriver.

Elle en était pourtant parvenue à cette conclusion exaspérante qu'elle était tout aussi vulnérable que les autres. Elle avait eu des aventures, bien entendu, mais ni nombreuses ni concluantes, et n'avait jamais eu le sentiment d'appartenir à quelqu'un. Elle connaissait ses pulsions. Elle se savait parfaitement en paix avec elles. Mais jamais elle n'avait eu besoin de quelqu'un, comme elle avait besoin de Schneider.

Une histoire de cul, pour violente qu'elle soit, on peut toujours s'en sortir plus ou moins indemne. Avec Schneider, c'était autre chose. Schneider, c'était comme un torrent auquel elle acceptait de s'abandonner tout entière, au risque de se raboter les coudes et les fesses sur les pierres du fond. Elle acceptait le risque. Schneider, c'était aussi cette tristesse qui lui passait parfois dans le regard. C'était la violence qu'on voyait sur la photo de journal, arrachant le détenu à la foule, un loup sans cesse prêt à mordre. C'était tout ça et sans doute

228

bien d'autres choses qu'elle ignorait encore, qu'elle ne saurait jamais.

Une cigarette à la bouche, les paupières mi-closes, elle le regardait conduire et ressentait un âpre bonheur. Il pilotait sur la neige avec précision et nonchalance. Gants noirs, lunettes noires. C'était son mec. Ils avaient fait une courte halte à la Concorde. C'était l'heure de l'apéritif. Ils étaient entrés et Schneider la tenait par la taille. Elle se rappelait les regards autour d'eux. Elle crevait de fierté. Ils s'étaient installés au bar. Ramsès avait surgi tout de suite. Gin sec pour Schneider, martini blanc pour elle. Schneider l'avait priée de l'excuser un instant. Il avait emmené Ramsès à l'autre bout du bar. Elle n'avait rien perdu de la scène. Schneider penché sur Ramsès, parlant presque sans desserrer les mâchoires. Ramsès opinant plusieurs fois de suite avant de se diriger en hâte vers le téléphone mural. Un instant, Schneider avait rappelé à la jeune femme le loup gris qui la fixait à travers le grillage de sa cage avec un regard de haine.

Il était revenu et l'avait reprise par la taille. Elle portait son pull à col cheminée parme sans rien dessous. Sans rien dessous, parce que sans un mot, sans crier gare, Schneider s'était approché sans bruit dans son dos et lui avait dégrafé le soutien-gorge qu'elle était en train d'enfiler et l'avait jeté quelque part sur le sol de la salle de bains. Par-dessus le pull, elle avait un gros blouson fourré qui arrivait à peine à la taille. En mordillant l'une des mèches, Schneider lui avait glissé une main sous sa ceinture de jean, au creux duveteux des reins. Assis sur des tabourets, à l'heure de l'apéritif. Elle avait compris que lui aussi se foutait de tout ce qu'il y avait autour d'eux. Elle s'était juste retenue de crier d'excitation et de l'insulter.

Ramsès était revenu. Il avait rendu compte à Schneider. Celui-ci s'était contenté de l'écouter avec attention, puis l'avait congédié du geste avec une insultante désinvolture. Pendant toute la durée de la brève conversation, elle n'avait cessé de sentir la brûlure insistante de sa main contre sa peau. En quittant le tabouret, elle promit à mi-voix :

– La prochaine fois que vous me faites ça, je vous viole debout devant tout le monde.

– Tenu, dit Schneider avec placidité.

En s'en allant, elle avait brusquement remarqué le regard que Ramsès portait sur Schneider en les suivant des yeux. Un regard de haine inflexible et glacée. Subitement, elle avait pris conscience avec horreur qu'il se pouvait qu'un jour *son mec y passe*.

La nationale était très praticable, à condition de suivre les profondes ornières qu'avaient laissées les véhicules avant eux. On circulait un peu comme, non pas sur, mais dans des rails. Les choses se compliquaient lorsqu'il fallait tourner à droite ou à gauche et que personne ne l'avait fait auparavant. Les doigts de Cheroquee reposaient sur l'épaule de Schneider. Elle aussi portait des lunettes noires qui lui donnaient un peu l'air d'une grosse mouche en plein soleil. Circonspecte et toute prête à prendre son envol à la moindre alerte.

Schneider consulta sa montre, en tordant le poignet. Elle remarqua paresseusement :

– Je n'ai jamais vu quelqu'un porter sa montre comme ça. Vous n'avez pas peur de rayer le verre ?

– Non, dit Schneider. Si vous la portez dessus, la nuit, en regardant l'heure, la lueur du cadran lumineux est visible à une centaine de mètres. Une cigarette est repérable à presque un kilomètre. Pour un sniper bien entraîné, il suffit ensuite de faire les corrections nécessaires. Une montre, une simple cigarette et ça suffit.

Cheroquee le regarda.

– Le tour à la Concorde, c'était pas simplement pour l'apéritif. Ou pour le plaisir de me tripoter les fesses au passage.

– Je ne vous ai pas tripoté les fesses, sourit Schneider. Je me suis réchauffé les doigts.

— Vous passez pas mal de temps à vous réchauffer pas mal de choses.

Schneider affecta un ton de prétoire, la main droite levée :

— Je reconnais entièrement les faits qui me sont reprochés. Je n'ai agi ni sous la contrainte ni sous la menace. Et je ne tire jamais qu'en état de légitime défense.

Elle le coupa :

— On ne vous reproche rien. La Concorde, c'était pas un simple passage au hasard.

— Non, reconnut Schneider. On appelle ça un coup de sonde, pour estimer la profondeur de l'eau sous la quille. Savoir la nature du fond.

Brusquement, elle lui indiqua un chemin sur la droite :

— Ralentissez, c'est là.

Le plafond était très bas, ou le type très grand. Il avait plus de la soixantaine, il se tenait un peu voûté et son regard semblait terni. On devinait qu'il avait été un très bel homme dans une existence antérieure. Il avait de grands bras et de longues jambes. Il y avait un vrai feu dans la cheminée et trois couverts étaient dressés sur la table de cuisine. Il embrassa d'abord Cheroquee et s'adressa ensuite à Schneider, main tendue :

— Ah, c'est vous, le musicien ?

— Musicien ?

— Fats Waller, Duke Ellington.

— Ray Charles, sourit Schneider.

— C'est vrai : vous êtes plus jeune.

Schneider s'y connaissait en poignées de main. Celle de l'homme était d'une dureté de pince-étau et d'une sécheresse impressionnante. Celle d'un homme qui avait travaillé durant toute sa vie avec ses mains. Il n'avait pas lâché celle de Schneider, puis déclaré :

— J'avais toujours dit à ma fille. Tes mecs, je m'en fous. Je ne veux pas les voir. Je ne veux même pas savoir qu'ils existent, mais si un jour tu en fais passer un par cette porte, il faudra que ce soit le bon. Autrement, je vous fous dehors tous les deux.

À son côté, Cheroquee se tenait, à la fois fière et comme intimidée. L'homme secoua la main de Schneider et déclara, en se fendant d'un sourire.

– Permission de monter à bord. Cela étant dit, avec le joyeux caractère de ma fille, je vous promets des jours qui ne chantent pas. Cheroquee ressemble beaucoup à sa mère, le volume sonore en plus. Autoritaire n'est pas le mot qui convient. Tyrannique, peut-être. Je ne sais pas : installez-vous. Gin sec pour vous, martini blanc pour elle.

Cheroquee lui avait parlé. Il savait donc déjà tout, et ce qu'il ne savait pas, il le pressentait.

11

Reprise de service. Le petit cercueil était passé de main en main. Il n'y avait pas eu de commentaires particuliers. Seul Müller avait secoué pensivement la tête en l'examinant entre ses grands doigts. Visiblement, la chose ne lui plaisait pas. On ne menace pas de mort un officier de police, même pour rigoler. Le petit cercueil était à présent posé devant le cavalier qui indiquait le grade, le prénom et le nom de Schneider. Celui-ci fumait, de même que Charlie Catala, assis en balance sur une chaise, le dos au radiateur. Nello ouvrit le feu en premier :

– Selon la rue, les types qui ont repassé Bugsy étaient trois. L'un d'eux serait un concurrent mécontent. La ville a l'air calme, comme ça, en apparence. Sous la surface, ça n'arrête pas de grenouiller. Les gros chassent, surtout la nuit, le fretin se planque ou se fait bouffer. Les moyens attendent la première occasion de dézinguer les gros pour prendre leur place.

– Toute la vie est ainsi faite, observa Schneider. On a des noms ?

– Des soupçons assez précis sur le leader éventuel de la bande, les deux autres sont en cours d'identification.

– Fiabilité des sources ?

Nello hésita, puis leva la main, formant un zéro avec le pouce et l'index.

Il ajouta, non sans hésitation :

– Toujours selon la rue, qui fait le gros dos en attendant la suite, Bugsy aurait été balancé à la baille par des types de la bande à Stern. Un interrogatoire poussé qui aurait mal tourné. Là, on a un nom : Escobar aurait dirigé la manœuvre, *et plus si affinités*.

Il y avait eu un court silence (break de deux mesures), durant lequel Schneider avait paru quelque peu absent. Il se rappelait la jeune femme dormant paisiblement contre lui. Schneider s'était réveillé plusieurs fois, il lui avait recouvert les épaules. Il avait longuement réfléchi, en luttant contre l'envie d'allumer une cigarette. Il parut revenir à lui et déclara, brusquement, à regret :

– On a manqué quelque chose quelque part. Francky a descendu Meunier pour des raisons qu'on ignore. Il a reconnu les faits, on a tout ce qu'il faut pour qu'il se retrouve aux Assiettes*, mais il n'a rien expliqué.

Il porta les yeux sur le petit cercueil. Son auteur y avait mis une application louable.

– Le dernier client que Meunier ait eu entre les mains avant de se faire flinguer, c'était Bugsy. Bugsy est retrouvé mort dans le canal. Difficile de ne pas soupçonner un rapport entre les deux événements, mais lequel ?

Schneider avait horreur des questions sans réponse. Dumont avait terminé de nettoyer ses lunettes et les rechaussa. Il regarda autour de lui, puis, estimant son tour venu, il sortit son carnet, le feuilleta et exposa, lui aussi à regret.

– Ça va pas vous plaire. Ce matin, en arrivant, j'ai fait les fichiers. Je ne sais pas à quoi c'est dû, mais Bugsy fait l'objet de deux fiches distinctes. Sans domicile connu sur les deux. Sur l'une il est né de parents inconnus, sur l'autre, il a une filiation. Un semblant de filiation. J'ai appelé l'état civil du lieu de naissance. Bugsy a bien été reconnu quatre ans après sa naissance, par une femme dont tout laisse à penser que c'est la mère. Pour des raisons que personne n'explique, il semble que la transcription d'acte n'ait jamais eu lieu.

– Quelque chose sur la femme ?

– Son dernier domicile connu. J'ai envoyé des gardiens. Elle aurait disparu il y a sept ou huit ans. Partie sans laisser d'adresse. La maison est toujours là, les volets fermés. Il y a plus de deux mètres de ronces autour et les voisins se plaignent mais tout a l'air inhabité.

Il regretta :

– Dès qu'on touche à Bugsy, tout devient compliqué.

Schneider réfléchit et décida :

– Vous prenez du monde et vous allez taper une perquise. Maintenant.

Dumont se leva en prenant Müller en remorque. Les deux hommes étaient aussi laconiques l'un que l'autre, mais aussi minutieux et infatigables. S'il y avait quelque chose à trouver, ils trouveraient. S'il n'y avait rien à trouver, ils ne trouveraient rien. Ils se contenteraient de rédiger un acte de vaines recherches.

Au moment où ils sortaient, Dieu fit irruption, avec Manière dans son sillage. De mémoire de flic, nul n'avait jamais vu le commissaire central Alvarez quitter sa suite, si ce n'était pour passer une ronflante à l'un de ses chaouches. D'instinct, Courapied s'était terré dans sa parka, mais Dieu ne lui avait pas accordé le moindre regard. Les lunettes aux verres jaunes panoramiques étaient braquées sur Schneider, le doigt indigné de Dieu tendu en direction du cercueil.

– Vous, explosa Alvarez. Vous. Comment ça se fait qu'avec vous les choses se passent toujours mal ? Vous êtes une poisse, Schneider, une vraie poisse.

– Mes respects, monsieur le central, fit Schneider d'un ton suave, en se levant à demi de son fauteuil.

– Vous allez m'enlever cette… Cette, cette saloperie… De là… Vous…

– Je ne crois pas, fit Schneider en cherchant une cigarette.

Il l'alluma et déclara avec calme :

– Cette saloperie, comme vous dites, m'appartient personnellement. Elle m'a été expédiée en nom propre à mon domicile. Elle est donc ma propriété. Je peux en disposer à mon gré. Je lui trouve d'ailleurs un certain caractère décoratif.

– Pas dans des locaux administratifs, s'insurgea Alvarez. Dans des locaux de service public, vous êtes tenu, tenu, à la plus stricte, stricte, neutralité.

Quand il était en rogne, Alvarez avait tendance à bafouiller. Les mots se précipitaient trop vite et pas toujours dans le bon ordre. Il était contraint de reprendre souvent son souffle et parfois le cours de ses idées. Par-dessus l'épaule de Dieu, Schneider avait cru discerner une espèce d'amusement dans les yeux de Manière. Il lui avait même semblé que celui-ci faisait un réel effort pour ne pas éclater de rire.

— Honneur de la police, honneur de la police. Vous croyez quoi, Schneider, qu'on est revenu en 62 ?

— Je ne crois rien, dit Schneider d'un ton sec.

— Vous croyez quoi ? Que tout vous est permis ?

Schneider le fixa sans mot dire. On voyait bien qu'il avait blêmi, mais il demeura impassible et dangereusement calme.

— Et d'abord, glapit Alvarez, c'est quoi, cette descente à la Concorde, dimanche ?

— Nous y voilà, soupira Schneider. Il n'y a pas eu de descente de police à la Concorde dimanche. Il faisait froid, je suis passé prendre un pot.

— Avec une fille, je sais, coupa Dieu. Je connais vos méthodes. Vous êtes allé menacer Ramsès.

— Je ne suis pas allé menacer Ramsès, rectifia Schneider. Je suis allé le prier de faire savoir à ses petits copains du SAC, que s'ils avaient l'intention de mettre leurs menaces à exécution, il vaudrait mieux qu'ils m'aient du premier coup, parce que moi, je ne les louperai pas s'ils me manquent. Il ne s'agit pas de menaces, mais d'une simple promesse.

— Vous êtes un malade, Schneider. Le SAC n'a plus d'existence et depuis pas mal de temps.

— Comme je m'y attendais, poursuivit placidement Schneider, Ramsès n'a pas tardé à rendre compte.

Il y eut un instant de silence. Il ne fallait pas prendre Dieu à la légère. Lui aussi était capable d'être dangereux. Il en avait fait la preuve dans la répression de l'OAS en Algérie aussi bien que du FLN en France après l'indépendance. Tour à tour, Courapied et Charlie prirent discrètement la tangente.

Seul Nello resta assis à califourchon sur sa chaise, avec un air somnolent. Nello faisait partie du mobilier. À son tour, Manière lui-même s'esquiva. Alvarez se pencha et gronda :

– Qu'est-ce que vous insinuez, Schneider ?

– Rien du tout.

– Vous pensez comme ces connards de gauchistes que je suis le patron local du SAC.

– Je croyais que le SAC n'existait plus, releva Schneider.

Alvarez affirma avec force :

– Je ne suis pas le patron local du SAC.

Il ajouta d'un ton de rage :

– Si vous voulez savoir qui est le boss, demandez plutôt à votre grand ami Tom.

À travers la fumée de cigarette, Schneider l'observait avec un mépris qu'il ne songeait même pas à dissimuler. Alvarez le regarda, droit dans les yeux :

– Si ça ne tenait qu'à moi, vous seriez relevé sur-le-champ.

– Je n'en doute pas, s'inclina Schneider avec ironie.

– En attendant, vous allez m'enlever cette saleté de là.

Dieu tourna les talons et sortit.

En claquant derrière lui, la porte fit une sourde détonation de fusil de chasse. .

Schneider fuma un long instant en silence, en contemplant le petit cercueil.

Honneur de la police.

Puis Nello se leva et alla leur verser à chacun une chope de café. Il reprit position à califourchon et annonça :

– J'ai fait les cafés maures, les troquets, ce week-end. Toujours à plus de deux cents mètres du central. Un peu les putes maghrébines qui bossent en appartement sur la ZUP. Pour ce qui concerne Bubu, ça serait bien un projet de braquage, ou tout au moins un projet de projet, mais pas du tout ce qu'on imagine. Pas une banque ou un bureau de poste ni une bijouterie.

Schneider leva les yeux. Il semblait à la fois épuisé et en pleine forme. Nello en inféra, non sans satisfaction, que son chef avait dû *dégorger le poireau pendant le week-end,* d'autant que Catala avait fait discrètement état d'une présence féminine nouvellement apparue dans l'azimut de Schneider. Afin d'appuyer ses dires, Charlie Quine d'Acier avait figuré des deux mains deux énormes pamplemousses devant sa poitrine. Nello était content pour son chef. Jamais bon, quelqu'un qui *roule sur les jantes**, ça risque toujours de monter à la tête. Pour éviter ce genre d'ennui, Nello se partageait équitablement entre sa femme et sa *roue de secours*, laquelle ressemblait à peu près trait pour trait à son épouse légitime.

Il rendit compte avec application, point par point.

– Selon ce que j'ai appris, on parlerait de vingt kilos de jonc. Vingt lingots parfaitement non négociables chez nous, mais tout prêts à partir en clandestin pour l'Algérie. Voiture, puis bateau. Les économies de toute une vie. Filière increvable. Personne pour aller porter le deuil chez les flics*. (Il demanda, mais sur un ton de certitude :) Vous voyez un manouche comme Bubu cracher sur vingt kilos d'or ?

– Non, reconnut Schneider, je ne vois pas un manouche comme Bubu cracher sur vingt kilos d'or.

Plus tard dans la matinée, le téléphone sonna à côté du petit cercueil. Passé la première surprise, les deux objets semblaient à présent s'entendre à merveille. Ils étaient partis pour une longue coexistence pacifique. Schneider croyait aux ententes tacites, tout comme aux sympathies immédiates. Il décrocha et perçut aussitôt la voix haut perchée de Dumont, lorsqu'il était en proie à une certaine surexcitation, au moment de l'arrivée du tiercé sur la télévision des Abattoirs, notamment.

– Venez vite, chef, on l'a.

– Vous avez qui ?

– La mère, on l'a.

– Adresse ?

238

Tout en se levant, Schneider avait griffonné l'adresse sur son bloc, tandis que Dumont insistait en gloussant de satisfaction :

– Venez vite, ça vaut le jus.

La femme avait la quarantaine. Elle était de taille moyenne, les cheveux rouges frisottés et une toute petite figure de souris un peu triste et vaguement traquée. Elle portait des bottines de couleur mauve aux talons un peu éculés, des jeans adhésifs et un blouson court boutonné jusqu'au col. Elle attendait à l'accueil des plaintes depuis plus d'une heure, en tenant son sac d'une main ferme sur ses genoux joints. C'était visiblement son sac à elle et ses propres genoux. Elle attendait avec une dizaine de ses semblables, mâles et femelles, qu'on vînt enfin s'occuper d'eux. À la différence des autres, elle était demeurée immobile tout ce temps, les yeux dans le vague, sans bouger ni répondre à quiconque. Elle était très maigre et semblait saisie de transe catatonique.

De temps à autre, un plaignant ou une plaignante se levait et suivait l'enquêteur chargé des plaintes qui l'emmenait dans son bureau. Tout le monde l'appelait Bogart, à cause de sa ressemblance avec le comédien, surtout lorsque celui-ci se trouvait en fin de vie. Il n'avait plus beaucoup de cheveux, lui non plus, et pas les moyens de se payer une moumoute. Ses joues et son front étaient labourés de rides profondes, et, lorsqu'on y prenait garde, son regard noisette était empreint d'une certaine douceur démunie. C'était un tout petit homme en complet gris étriqué, à la voix douce et aux manières courtoises. Sa capacité de compassion paraissait infinie, alors qu'il ne s'agissait que de résignation. En quinze ans aux plaintes, Bogart avait tout entendu.

Quand ce fut le tour de la femme et qu'elle s'assit en face de lui en tendant à l'aveugle sa carte d'identité, Bogart eut immédiatement la certitude qu'il s'agissait d'une toxico. C'était une toxico. Il l'écouta dérouler le fil de son histoire sans l'interrompre. À de rares exceptions près, la vie lui ne réservait pas de grandes affaires, seulement des petits malheurs de tous les jours. Bogart se présentait souvent comme un *bobologue* de la police. Il n'en tirait pas beaucoup de gloire et pas la moindre amertume.

La femme regardait à ses pieds et dit :

– Je suis professeur d'histoire.

Elle corrigea aussitôt en levant les yeux :

– Enfin, j'étais. Je suis actuellement en congé de maladie de longue durée, à cause de troubles neurologiques. J'ai eu un accident de voiture, il y a quatre ans. On m'a réformée.

– Maladie longue durée ou réforme ?

– Réforme, confessa la femme.

– Pourquoi vous êtes là ? demanda Bogart en allumant une cigarette.

Il poussa le paquet vers elle, mais la femme sortit les siennes, des extra-longues mentholées pas plus épaisses qu'un stylomine. Ses doigts à la peau livide, où les veines noueuses saillaient de façon pénible, étaient d'une extraordinaire maigreur et vibraient doucement, comme animés d'un courant continu de très basse intensité.

– J'ai appris qu'un de mes amis a été tué. On l'a jeté dans le canal.

– Ami ?

– Une connaissance.

– Quel genre de connaissance ?

Elle détourna le regard et reconnut :

– C'est lui qui me vendait la drogue.

– Vous savez qui l'a tué ?

– Non, dit la femme.

Elle parut subitement au bout du rouleau. Plus d'énergie. À plat.

– Pourquoi vous êtes venue, alors ?

– Je ne sais pas, reconnut la femme.

– Qui vous a dit qu'il était mort ? Vous en êtes sûre, d'abord ?

Elle fit signe que la chose n'avait pas d'importance. Au bout de la cigarette qu'elle semblait avoir oubliée, la cendre faisait à présent un très mince cylindre gris qui n'allait plus tarder à tomber sur le balatum. Bogart tendit son cendrier, et, ouvrant un lourd registre, il décida :

– Main courante.

La femme n'eut aucune réaction : elle se trouvait à des années-lumière de toute présence habitée.

– Surprise, fit Dumont.

Ils se trouvaient dans une chambre exiguë sur l'arrière de la maison. Une armoire à la glace ternie, un meuble de toilette avec une cuvette en porcelaine, un guéridon et un lit bateau. La clarté glaciale du jour entrait par la fenêtre ouverte en grand. Il y avait également un lit bateau en bois sombre. Le plâtre du plafond s'écaillait par plaques et de grands pans de tapisserie verdâtre bâillaient le long des murs.

– Surprise, répéta Dumont, tout en prenant entre le pouce et l'index la courtepointe d'un rose fané qui recouvrait le lit.

Schneider n'aimait pas les surprises. Plusieurs d'entre elles avaient failli lui coûter la vie. Un froid humide suintait des murs. Du menton, il eut un geste qui montrait une certaine impatience. Avec un geste de prestidigitateur, Dumont souleva la courtepointe et observa :

– D'après les fichiers, Bugsy était censé vivre chez sa mère.

Schneider demeura impassible, mais quelque chose passa dans son regard, que Dumont prit pour une sorte de répulsion instinctive. Il ajouta :

– Sauf que sa mère ne vivait plus chez elle. Elle était morte chez elle.

Il tapota un maigre méplat sombre du bout de l'index.

– Momifiée. Sans doute depuis un bon bout de temps. Malnutrition, mort naturelle, allez savoir, mais rien n'indique de

241

violences, ou des mauvais traitements. Le médecin de l'état-civil est en route, il nous en dira peut-être plus. Par exemple qu'elle est morte.

Schneider se pencha. Une momie à la peau acajou, et qui portait encore une chemise de nuit en pilou et des chaussettes de laine d'une teinte indéfinissable qui montaient jusqu'à la moitié de ses mollets secs comme des tibias de cerf. Schneider l'examina en évitant de regarder sa face, tout au plus l'angle inférieur du maxillaire. La femme portait encore ses bijoux, elle avait un collier, des bagues et des bracelets, faits d'un métal jaune pouvant être de l'or, selon la prudente terminologie policière. Schneider n'était pas habilité à dire s'il s'agissait d'or ou non, et de quoi était mort un cadavre. Sa tâche se bornait à constater. Avec l'aide de Dumont, il retourna le corps qui semblait ne plus rien peser. Il procéda à un examen minutieux qui ne lui apprit rien. Un instant, il eut l'impression de déranger. La femme reposait en position fœtale depuis plusieurs années, qui auraient aussi bien pu être des siècles. Il alluma une cigarette.

La mort naturelle ne semblait guère faire de doute.

Dumont lui tendit un livret de famille recouvert de papier d'un bleu éteint. Ce même genre de papier dont on se servait pour couvrir les cahiers d'écolier dans les années quarante.

– Aucun doute sur son identité. Aucun doute non plus qu'elle avait reconnu Bugsy.

Schneider feuilleta le livret de famille.

– Personne autour ne s'est rendu compte de rien ?

– La cour, derrière, donne sur la voie ferrée. La morte percevait une petite pension. Elle avait pris ses dispositions pour que tout ce qu'elle devait soit payé par virement. C'était quelqu'un de très systématique, de très organisé. Jamais le moindre impayé.

Dumont appuya sur un interrupteur. Au plafond, une ampoule jaunâtre s'alluma sous un abat-jour en porcelaine. Dumont éteignit aussitôt. C'était un policier assez unanimement respecté, très apprécié autant pour sa minutie que pour son sens de l'économie.

Schneider semblait abîmé dans la contemplation de l'objet, qui, à un moment ou à un autre, avait été une femme couchée sur le côté, une main sur ce qui avait été la figure. Dumont remua les épaules, tira deux fois sur ses revers de veste et déclara, avec un contentement évident :

– Vous n'avez pas tout vu.

Du geste, il invita Schneider à s'avancer dans le couloir :

– À vous le soin, monsieur le principal.

Stupéfait, celui-ci découvrit que le pavillon se divisait schématiquement en deux. D'un côté, il y avait la petite chambre, dont on pouvait estimer qu'elle servait de tombe à la mère de Bugsy depuis déjà un certain temps. De l'autre, il y avait ce qu'on pouvait qualifier d'entrepôt. Des cartons empilés avec soin du sol au plafond, pour la plupart intacts, laissaient un étroit passage. Magnétoscopes, tourne-disques, amplis de toutes marques, autoradios. Du petit électroménager : batteurs et couteaux électriques, rasoirs à piles ou sur secteur, fers à repasser. Tout était neuf et n'avait jamais servi. Müller avait entrepris l'inventaire puis s'était assis sur une pile de chaises de jardin. Il dit :

– Il y a de tout. De tout et depuis plusieurs années. Des choses inutiles et d'autres qui servent à rien. Rien que du cul du camion. Dans le placard de la cuisine, il doit bien y avoir une trentaine d'appareils photo, de la Retinette Kodak à l'Hasselblad. On savait que Bugsy vendait de la came, on ne savait pas que c'était aussi un receleur.

Il remarqua avec amertume :

– Rien ne prouve d'ailleurs que cet abruti ait jamais revendu quoi que ce soit.

L'accablement de Müller n'était pas feint. Il voyait déjà venir l'instant où Schneider commanderait la saisie des objets volés, leur transport au service, l'établissement d'un inventaire détaillé aux fins de restitution aux légitimes propriétaires. Sans compter la momie d'à côté, c'était le genre de connerie à y laisser le reste de la journée et une bonne partie de la nuit. Schneider avait la réputation de ratisser large et de ne rien laisser au hasard.

Avec un certain fatalisme, Müller le vit saisir son storno. Il l'entendit commencer à passer ses ordres. Il comprit que ce qu'il redoutait le plus était en train d'arriver.

Le reste de la journée et une partie de la nuit.

Vers vingt-trois heures, Schneider décréta un cessez-le-feu unilatéral. La mère reposait avant autopsie dans un tiroir réfrigéré de la morgue, pas très loin de celui qui contenait Bugsy. Il n'avait pas fallu moins de trois fourgons de police-secours pour transporter les objets saisis. L'inventaire était en cours. Deux cartons contenaient les appareils photo découverts dans la cuisine, parmi lesquels un Nikon-moteur récent qui passa de main en main. Il y avait aussi des centaines de négatifs qu'il allait falloir examiner un par un.

Curieusement, les flics n'avaient pas découvert beaucoup de cash – tout au plus la mise de fonds nécessaire au réassort en came. L'avis commun était que Bugsy était un grand malade. Il fallait l'être avec sa mère morte dans la pièce à côté durant plusieurs années.

– Dans la pièce à côté ? se demanda Schneider à mi-voix.

Depuis quelques instants, il avait le visage sombre et ne semblait guère accorder d'attention à la cigarette qu'il avait entre les doigts. Il sentait la fatigue monter, une lassitude sans âge, sans contours, sans remède. Il n'aimait pas ce à quoi il pensait. Presque au même instant, chacun des flics dans le bureau pensa la même chose – et n'aima pas non plus.

– Merde, fit Charles Catala.

Schneider releva les yeux, le contempla comme par transparence.

– Dans toute la baraque, on n'a rien retrouvé qui ressemble à un autre endroit où dormir. Pas un lit, pas un matelas. Pas un divan. Pas un carton par terre. Ni couverture, ni sac de couchage. Aucun autre endroit. Vous en concluez quoi ?

Personne ne conclut à haute voix.

Lorsqu'il rentrait chez elle, Bugsy couchait dans son lit avec elle.

Avec cette chose qui avait été sa mère.

Morte.

Il faisait toujours aussi froid. Roulant presque au pas, Charlie Catala avait reconduit son chef à son domicile. Schneider avait gardé le silence tout du long, ce qui n'avait rien d'inhabituel de sa part. Ce qui était inhabituel, c'était qu'il semblait tourmenté et qu'à plusieurs reprises Charlie avait eu l'impression que Schneider entrouvrait la bouche pour dire quelque chose, mais qu'à chaque fois il s'était ravisé. En arrivant, il avait seulement indiqué :

– Laissez-moi là, je finirai à pied.

La chose se comprenait : l'accès du parking était recouvert d'une épaisse croûte glacée et vitreuse, difficilement praticable. Elle pouvait aussi se comprendre autrement : Schneider avait besoin de se reprendre avant de rentrer. Il le déposa au bord du trottoir, le vit s'avancer sans se retourner, pas à pas, avec précaution, puis disparaître. Schneider était son chef de groupe depuis des années, et c'était pour ainsi dire l'homme qui l'avait porté sur les fonts baptismaux de la police, pourtant le jeune homme avait souvent l'impression d'avoir affaire à un parfait inconnu. Schneider semblait parfois porter en lui des fantômes dont Charlie n'aurait voulu pour rien au monde. Et brusquement, il y avait eu cette jeune femme. Une grande crinière et des courbes difficiles à dissimuler. Un curieux mélange de sensualité brute et de candeur. Pas exactement belle. Seulement radieuse.

Voilà, Charles, comme ça, vous êtes au courant.

Le genre de femme que Catala aurait été très capable d'aimer lui aussi.

Pas pour une heure, ni pour une nuit.

Il embraya et, en s'éloignant lentement, il regarda une dernière fois dans le rétroviseur le parking où Schneider avait disparu.

La petite Austin n'était pas sur le parking. Schneider en inféra aussitôt que la jeune femme n'était pas rentrée. Il consulta sa montre. Il allait être une heure. Elle n'avait aucune raison d'être rentrée. Il régnait entre eux une sorte d'entente tacite que rien n'autorisait à transformer en certitude. Cheroquee pouvait être là, comme elle pouvait ne pas l'être. Schneider ne se reconnaissait aucune sorte de droit sur elle. Il dut seulement reconnaître que, planté debout dans la nuit glaciale, il souffrait comme il avait rarement souffert. De ses doigts engourdis et malhabiles, il alluma une cigarette avec difficulté, sans être tout à fait sûr qu'elle lui fût bien utile. Il tremblait de pied en cap, et pas seulement à cause des saloperies qu'il prenait. Il y avait le froid mais aussi autre chose.

Il renversa la tête en arrière, les mâchoires soudées. Il y avait des myriades d'étoiles comme des éclats d'acier plantés dans le ciel dur. Le froid lui brûlait les yeux. Elle n'était pas là. Il savait qu'elle n'était pas là et que c'était son droit le plus strict de ne pas être là. Nul n'a jamais le moindre droit sur quiconque. Et brusquement, en un éclair, il revit la face de la momie qu'il avait bien été contraint d'examiner. Il se revit lui enlevant ses bijoux. Il lui revint subitement l'image d'une crevasse dans un flanc de falaise, les buissons de lentisques et de grandes volées de pigeons qu'ils avaient fait naître sous leurs pas. Par-dessus tout, plus vaste encore que toutes les autres, plus dure et implacable, il y avait la souffrance de savoir que Cheroquee n'était pas là.

Qu'elle ne serait plus jamais là.

Jusqu'à présent, sauf une vie à laquelle il ne tenait guère, Schneider n'avait jamais rien eu à perdre. Il murmura son prénom d'une voix sourde, rien que pour soi, comme un secret qu'on hésite à confier.

Cheroquee.

Cheroquee était venue et elle était partie.

Nul n'a jamais le moindre droit sur quiconque. Il y avait un moyen que ça s'arrête. Il pensa avec détachement au Colt dans son étui, avec le drôle de petit cheval cabré sur la crosse, la pédale de sûreté qu'il fallait enfoncer avant d'ouvrir le feu. Sept cartouches dans le chargeur, une dans la culasse. Conformément aux instructions, le sien était chargé en permanence. Tout pouvait se passer en une fraction de seconde, rapidement, sobrement, et sans la moindre emphase inutile.

Brusquement, cassé en deux, il vomit de la bile.

Puis il s'essuya la bouche d'un revers de manche. Il était vide et froid.

Il resta comme hébété, à fumer toute une cigarette, puis une seconde. Et lentement, la glace craquant sous les talons, il se dirigea vers le hall de l'immeuble.

Il entra sans bruit, sans donner de lumière, persuadé que l'appartement était vide. Il s'assit sur le divan, retira son pistolet de l'étui et le déposa sur la table basse. La lumière orangée du parking suffisait à éclairer le plafond et il y voyait assez pour faire ce qu'il avait à faire. Il s'aperçut qu'il n'avait pas peur, ni froid. Il se sentait calme et détaché, parfaitement en paix avec lui-même. Il se passa les mains sur la figure à plusieurs reprises, puis se leva et alla jusqu'à la baie vitrée, d'où il contempla la ville un long moment. Dans le froid, les lumières semblaient à la fois immobiles et étrangement proches. Au loin, un poids-lourd passa lentement sur la rocade. On apercevait avec netteté les balises de l'héliport du

Samu. Il consulta machinalement sa montre. Il n'avait pas vu le temps passer : il allait être deux heures.

Souvent, entre deux et quatre heures, la ville connaissait une sorte de paix étale. C'était le moment où les flics de permanence de nuit allaient casser la croûte à tour de rôle chez les pompiers, dans des odeurs de caoutchouc brûlé, de graillon et de frites. Souvent, c'était le moment où il allait dormir une heure ou deux dans la salle de repos au sous-sol avec le storno en veille. Il sursauta quand la machinerie de l'ascenseur se mit en branle. La cabine s'arrêta plus bas. Il chercha ses cigarettes et se rendit compte qu'il n'avait pas réellement envie de fumer. Il n'avait plus vraiment mal. Il n'avait pas peur, car il savait depuis longtemps que les choses s'achèveraient de cette manière, simplement, sans esbroufe. Durant toute sa carrière, il avait vu un certain nombre de types en finir sans mot dire, sans laisser quoi que ce soit derrière eux, sans un mot d'explication.

Expliquer quoi ? Il n'y avait rien à expliquer.

Elle n'était pas rentrée. Elle n'avait aucune raison de rentrer.

Rien que des chemins séparés.

Ça avait donc un sens, aimer à en mourir.

Il s'assit sur le divan. Il avait encore un peu le temps. Il savait à quoi ça allait ressembler, pour l'avoir constaté plusieurs fois, du sang, des débris d'os et de matière cérébrale et de cheveux, un magma gluant qui finissait par dégouliner le long du mur. C'est toujours l'arrière du crâne qui prend toute la pression de sortie et éclate comme une pastèque trop mûre. Il s'en foutait. Pour une fois, il n'aurait pas à s'infuser les constatations. *À chacun sa merde, mon pote.* Il consulta sa montre : il était deux heures dix. Au moment où il saisissait son arme pour la porter à la bouche, une lumière crue éclaira subitement la pièce. Cheroquee se tenait sur le seuil. Elle comprit sur-le-champ.

Schneider dit seulement :

– Je n'ai pas vu votre voiture, en bas.

Elle dit en écho :

– Panne de batterie. Je l'ai laissée sur le parking des urgences.

– Ah, fit Schneider.

– J'ai pris le bus pour venir.

Elle lui retira le pistolet des mains, le posa sur la table basse. L'arme lui parut incroyablement lourde et anguleuse. Jamais elle n'avait imaginé qu'elle pût peser un tel poids. Schneider ne la regardait pas. Il regardait à ses pieds en évitant les yeux de la jeune femme. Elle s'accroupit entre ses genoux. Elle avait compris sur-le-champ, mais maintenant seulement elle mesurait la gravité de ce qui avait failli se produire – ce qui se serait produit si elle ne s'était pas levée. C'était l'ascenseur qui l'avait réveillée, mais pas tout à fait, car elle se trouvait dans un état de demi-sommeil. Elle l'attendait depuis onze heures. Il lui avait semblé ensuite percevoir des pas étouffés. Elle s'était alors réveillée pour de bon, avait tendu l'oreille. Elle s'était levée parce qu'elle avait cru entendre s'asseoir. Dans son esprit, elle voulait juste lui demander pourquoi il ne venait pas au lit. Elle ne s'attendait à rien d'autre.

Elle dit, d'une voix douloureuse :

– Tout ça, parce que ma voiture n'était pas en bas.

– Oui, reconnut Schneider.

– Vous n'avez pas pensé que j'aurais pu prendre un bus ? Ou un taxi ?

– Non, dit Schneider.

– Parce que je n'étais pas là. C'est tout.

– C'est tout, avoua-t-il.

– Vous m'aimez donc vraiment à ce point ? souffla-t-elle.

Toujours en évitant ses yeux, il répéta :

– C'est tout.

Il lui adressa un court regard désemparé. Elle lui prit les mains et le fit se lever.

– J'avais préparé quelque chose à dîner. Je suppose que vous n'avez pas très faim.

– Non, dit Schneider.

– Venez, murmura Cheroquee en lui saisissant la main.

Il se laissa conduire en aveugle dans le couloir. Elle l'aida à se déshabiller, puis le fit s'étendre et se coucha contre lui en l'enlaçant de ses jambes glacées. Elle rabattit le duvet sur eux, le borda tant bien que mal. Alors seulement, elle s'aperçut qu'elle était entièrement nue et agitée de longs tressaillements nerveux, presque incoercibles. Elle se serra contre lui. Il n'avait pas très chaud non plus. Elle se serra plus fort encore et il finit par passer le bras autour de ses épaules, tout en posant la bouche sur ses cheveux, dans un geste de tendresse silencieux qui lui était devenu familier. À deux, ils arriveraient peut-être à quelque chose, maintenant qu'ils partageaient un même secret.

12

Manière se tenait à la fenêtre de son bureau, un gobelet de café entre les doigts. Il avait allumé la première des dix cigarettes qu'il s'allouait par jour. *Motu proprio*, il ne surveillait pas l'arrivée de ses troupes, ni d'ailleurs celle des clients qui commençaient à apparaître, en marchant à pas comptés sur la glace. Il regardait, sans plus. Il ne détestait pas observer le flux du matin, non plus que le reflux du soir. Manière se savait désavantagé par son physique de bellâtre. Il n'ignorait pas ce qui se racontait dans son dos. Coiffeur pour dames.

Il lui fallait faire avec. Il comptait moins de succès féminins qu'on ne lui en attribuait, même s'il ratissait large. Un seul homme lui faisait de l'ombre, par sa seule existence, mais il ne parvenait pas à le détester réellement. Schneider était un homme à part, une sorte de reproche vivant, sans qu'il fût possible de savoir à qui s'adressait au juste ce reproche.

Dans la pénombre du matin, Manière le vit s'avancer. Il contrôla l'heure à sa montre : Schneider avait presque une demi-heure d'avance. Et il n'était pas seul. Il y avait une jeune femme accrochée à son bras, sans doute pour éviter de glisser. De loin, leurs silhouettes semblaient n'en faire qu'une. Manière avait vu la jeune femme lever la tête et Schneider baisser la sienne. Un homme et une femme qui s'aiment et s'embrassent avant que chacun aille au boulot de son côté. Quoi de plus naturel, après tout ?

En s'approchant du perron, Schneider leva les yeux. Manière vit qu'il l'avait vu et demeura parfaitement immobile, puis il se retourna vers l'interphone et commanda :

– L'accueil ? Dites à l'inspecteur principal Schneider de monter. Tout de suite.

251

Schneider se tenait debout au centre du bureau. Il portait une épaisse parka de l'armée américaine et un pull de grosse laine à col roulé. Jeans et boots. Rasé de près, les cheveux courts. Impeccable, astiqué. Irréprochable. Tout au plus, Manière remarqua qu'il gardait les mains le long du corps, les doigts souples, comme un soldat aguerri dans une zone hostile. Manière sourit, contourna son bureau et fit signe à Schneider. Dans un coin, il y avait deux fauteuils en cuir, avec une table basse couverte de revues de la police nationale, ce que les flics appelaient le carré VIP du chef de la Sûreté. Manière y recevait régulièrement le beau monde et parfois des femmes du beau monde – ou du moins beau monde.

Manière croyait aux vertus du dialogue.

Schneider était convaincu de celles du silence.

Manière lui laissa le choix du fauteuil et s'assit après que Schneider se fut installé. Il prévint du geste :

– Je sais, on ne copine pas avec l'ennemi. On le combat et, si possible, on le détruit. Sans haine ni violence. Je voudrais qu'on fasse le point ensemble.

– C'est vous le taulier, murmura Schneider.

Il chercha ses cigarettes, hésita, mais Manière lui fit signe d'y aller, en avançant un cendrier.

– J'aimerais, si c'est possible, que nous ayons une discussion d'homme à homme.

Schneider garda le silence.

– Primo, l'affaire Francky Reinart.

– Bouclée, bordée. Le type a reconnu les faits. Les charges sont accablantes. Le témoin l'a reconnu au cours d'un retapissage loyal. Les empreintes sur le gun sont bien celles de l'auteur présumé des faits. Le casque intégral est en cours d'examen. Reinart est au trou. Le groupe criminel aura à charge de poursuivre sur commission rogatoire.

– *Vous* aurez la charge, précisa Manière.

Tout le monde savait les rapports étroits que Schneider entretenait avec le parquet en particulier et la magistrature en général. Ce n'était pas en soi une raison suffisante pour lui jeter des cailloux. Manière se pencha, hésita un instant à son tour, puis fit signe à Schneider qui lui expédia son paquet de Camel. Manière l'intercepta au vol en souriant vaguement :

— Faites gaffe, Schneider, c'est comme ça qu'on commence à sympathiser.

Schneider demeura silencieux.

— Secundo, en ce qui concerne l'affaire Escobar. En votre absence, tout le groupe stupéfiants est passé au tourniquet. Vous ne l'aimez pas et vous vous êtes copieusement foutu de sa gueule, mais Klaus connaît son boulot : chaque flic l'un après l'autre.

Schneider n'avait pas le sentiment de s'être foutu de la gueule de quiconque. Il garda le silence.

— Tout le groupe y est passé, de l'enquêteur Pablo Escobar au commissaire Stern. Votre intervention n'a servi que de détonateur. D'après ce que Klaus a bien voulu me confier, ça faisait déjà un moment que certaines exactions étaient remontées à la direction de la police des polices. D'une certaine façon, je peux même vous dire que votre intervention n'a pas été forcément vue comme une catastrophe.

Schneider ricana. Son regard gris avait quelque chose de pénible.

— Vous savez, dit Manière, en haut aussi, c'est un panier de crabes. Il se fait tout un tas de manœuvres, en prévision de catastrophes futures. Les Renseignements généraux excluent de moins en moins un basculement aux prochaines présidentielles. On joue des coudes, on règle ses comptes. Stern a été convoqué à Paris. Dans le meilleur des cas, on suppose son dégagement en promotion à quelque poste honorifique. Vous connaissez le topo.

Schneider se borna à acquiescer en silence. Il avait la face endolorie et son dos lui faisait mal. Il demanda sèchement :

— Escobar ?

– Pour employer une formule célèbre, Pablo Escobar s'est trouvé au mauvais endroit au mauvais moment.

– Résultat des courses ?

– Klaus propose plusieurs solutions, dont la radiation pure et simple des cadres de la police, avec ou sans pension. De préférence, sans. Escobar se retrouverait dehors et à poil. Il a une fillette de quatre ans et sa très jeune épouse est femme de ménage dans un collège. Autant dire qu'ils ne gagnent pas des mille et des cents.

Schneider eut une courte grimace. Manière l'observa et poursuivit :

– Votre témoignage et celui de vos hommes n'ont laissé guère de marge de manœuvre aux gens des Bœufs, d'autant qu'Escobar s'est allongé et a même reconnu tout seul plusieurs faits similaires.

Il y eut un silence, puis Manière regretta :

– On peut dire que le guignol s'est passé lui-même la corde au cou.

Schneider écrasa sa cigarette. Il semblait ralenti, vaguement absent.

– Secundo : Bugsy. Dans l'instant, existe-t-il une relation quelconque entre sa disparition malencontreuse et l'affaire Reinart ?

– Dans l'instant, rien ne permet de l'affirmer.

– Vous savez pourtant que Bugsy a été le dernier client que Meunier a eu entre les mains, le soir où il a été abattu.

– Oui, dit Schneider.

– Pour autant, vous n'y voyez pas de rapport.

– Non. Dans l'état actuel de nos investigations, aucun élément ne permet de l'affirmer.

– Autre chose : d'après la rue, la mort de Bugsy serait imputable à la bande à Stern.

Tout en allumant une autre cigarette, Schneider répéta avec calme :

– Dans l'état actuel de nos investigations, aucun élément ne permet de l'affirmer. (Il réfléchit et ajouta :) De surcroît, quelque chose cloche dans le mode opératoire. Bugsy a eu l'arrière du crâne défoncé à coups de silex du ballast. Escobar opère à la matraque ou à poings nus. Ou à grands coups de latte. Je ne le vois pas écrabouiller le crâne d'un type à coups de caillou. De plus, Escobar n'est pas un brillant soliste, il n'agit jamais sans ordre de sa hiérarchie et je ne le vois pas capable d'initiative, aussi louable soit-elle.

Il réfléchit un instant et ajouta par souci d'équité :

– Je ne suis même pas sûr qu'il aimait réellement ce qu'on lui faisait faire.

Il y eut de nouveau un très court silence, puis Manière soupira :

– On en vient aux choses qui blessent. Les urgences ont appelé hier soir. Le corps de Meunier est à notre disposition aux fins d'autopsie. Aux termes de la loi, en matière criminelle, cette opération est de règle. On peut trouver naturellement quelque argutie juridique pour passer outre et je vous fais entièrement confiance sur ce point. À vous de voir. Ou pas.

Schneider sentit le froid l'envahir.

– Second point. Autant que vous le sachiez tout de suite : Me Vignes s'est désisté. Trop loin, pas assez médiatique ni sexy, ou il n'aime pas les manouches, ou pas assez ou trop de fric, peu importe. La défense de Francky Reinart sera donc dorénavant assurée par votre ami, Me Thomassot en personne. Oui, je sais ce que vous pensez.

– Je ne pense rien, affirma Schneider.

Il promenait toujours le même regard opaque, presque pénible, sur le visage de son interlocuteur, donnant l'impression qu'il y avait toujours retranché, derrière ses yeux gris, quelqu'un ou quelque chose qui se tenait aux aguets, toujours disposé à laisser filer le discours, toujours prompt à fondre sur sa proie à la moindre incartade. Manière ajouta avec réticence :

– En droit, rien ne s'y oppose. Mᵉ Thomassot n'a pas plaidé aux assises depuis presque dix ans, mais il n'a jamais cessé d'être inscrit au barreau. Dans les faits, je crois savoir que Thomassot entretenait des liens très amicaux avec Reinart et sa famille.

– Amicaux, murmura Schneider sans plus se compromettre.

– Pour autant, cela ne peut servir de motif de récusation. J'ai un service personnel à vous demander, Schneider.

D'instinct, Schneider se mura dans le silence.

– À la demande de la direction générale, à la demande du préfet et à celle du commissaire central, il est souhaité qu'une cérémonie en l'honneur de l'inspecteur principal Meunier ait lieu dans la cour d'honneur de l'hôtel de police, lors des obsèques.

Comme à son habitude Schneider laissa filer. Roule, ma poule.

– Madame la juge Meunier a prévenu qu'elle s'opposerait à toute initiative de ce genre. Son mari l'avait mise au courant de l'état d'esprit détestable de sa hiérarchie à son égard, ainsi qu'à celui de la magistrature en général et de la juge Meunier en particulier. Je ne pense pas que c'est ce qu'il ait fait de mieux, mais c'est un fait. La femme a prévenu qu'elle ferait un véritable esclandre si la cérémonie venait à se produire. C'est une femme résolue et déterminée. Elle est très capable de mettre ses menaces à exécution. Je crois savoir qu'elle a beaucoup d'estime pour vous.

Schneider sourit sans chaleur, commença à se lever :

– Vous attendez quoi ? Que je joue les Monsieur Bons Offices ?

– Nous n'avons rien à gagner dans ce genre de guéguerre entre police et justice.

– Rien à perdre non plus.

Ils se mesurèrent du regard, puis Schneider écrasa sa cigarette, et Manière demanda :

– À toutes fins utiles. Votre cercueil. Honneur de la police. Une idée d'où ça vient ?

– Aucune.

– Vous avez l'intention de déposer plainte ?

– Certainement pas, affirma Schneider en gagnant la porte sans se retourner.

Lorsqu'il pénétra dans son bureau, Dumont était assis dans son fauteuil et se leva aussitôt, en faisant tourner le registre de main courante en direction de son chef. Tous les matins, Schneider se faisait communiquer le registre de main courante et celui des gardés à vue. Chaque matin, le premier arrivé du groupe criminel en prenait connaissance, faisait le cas échéant un bref compte rendu à Schneider, qui l'annotait. Ils avaient ainsi une connaissance assez précise de ce qui s'était produit ou pas dans la ville. Ce matin-là, Schneider n'avait pas quitté sa parka matelassée et ne s'était pas approché de la cafetière, ce qui signifiait qu'il n'allait pas tarder à ressortir. Il avait fait signe à Dumont de se rasseoir. Dumont tâcha de faire vite.

– Référence 19, en date d'hier. Bogart a pris la déclaration. Pas très cohérente.

– Bogart n'est pas toujours très cohérent, remarqua Schneider. Contenu ?

– Entre autres, la femme indique que Bugsy était son dealer. Je ne crois pas qu'elle ait mesuré la portée de ses déclarations. Elle prétend qu'elle est venue parce qu'elle a appris que Bugsy avait été balancé dans le canal.

– Par qui et comment ? Je veux dire : elle l'avait appris par qui et comment ?

Dumont écarta les bras en signe d'ignorance.

– Aucune idée. Elle dit qu'elle avait rendez-vous avec lui et qu'il n'est pas venu. Ensuite qu'elle avait appris que Bugsy

257

était mort, et qu'elle était venue aux flics. (Dumont se pencha et lut.) Déclaration faite à toutes fins utiles. Persiste et signe.

Cela signifiait que tout cela aurait fini par sombrer dans l'oubli. Schneider alluma une cigarette. Il avait de plus en plus l'impression de passer son temps à allumer et éteindre des cigarettes. Les siennes, celles qu'il tapait aux autres. En même temps, son esprit demeurait sans cesse en éveil.

– Rendez-vous où et quand. Réguliers ou occasionnels. Si réguliers, leur fréquence. Elle est logée ?

Elle était logée. Assez curieusement, elle avait fourni une photocopie de sa carte d'identité à l'appui de ses dires. Sur la photo, elle avait l'expression hagarde d'un petit animal fautif surpris en plein milieu de la route dans des phares de voiture.

– Une célébrité ?

– Selon les indications marginales de Bogart, non : ni connue ni recherchée.

– Toxico.

– Selon ses propres dires à elle, oui.

Dumont hésita, puis ajouta d'un ton incertain :

– Sophie Mortier. J'ai connu une Sophie Mortier en fac. Maîtrise de géographie. Elle a fini bibliothécaire au lycée technique. Au début, elle voulait être professeur, mais elle était faite pour ça comme moi pour être artiste de cirque.

Schneider imaginait mal Dumont en artiste de cirque. Il indiqua :

– Dès que Catala est arrivé, vous lui dites de foncer la chercher, qu'il la ramène ici et qu'il prenne une audition en forme. Pour moi, je risque d'être absent une partie de la matinée.

Il saisit le combiné du téléphone et composa un numéro. Il eut aussitôt son correspondant en ligne.

– Inspecteur principal Schneider, groupe criminel. Mes respects, madame la juge. Auriez-vous la possibilité de m'accorder quelques instants d'entretien ce matin. ?

Elle le pouvait, à condition que ce fût tout de suite. Tout le reste de la journée, elle n'aurait pas un moment à elle.

Schneider raccrocha. Un moment, son regard se porta sur l'une des fenêtres du bureau. C'était encore la nuit et la lumière orangée des lampadaires faisait scintiller le givre des vitres. Quelque chose dehors semblait le fasciner. Dumont tourna machinalement la tête : il ne vit rien d'autre que le reflet de deux faces blêmes les regardant. Les leurs.

S'arrachant à son étrange immobilité, Schneider tourna les talons, ramassa un storno au passage et sortit. Il serait en veille radio permanente.

Il prit le bus. Avec un hochement de tête, le conducteur lui fit signe de passer avant même que Schneider eût sorti sa carte de circulation. Il avait vu la photo dans le journal et ça ne le dérangeait pas que les flics cognent sur un tueur de flics. Il roulait lentement, avec précaution, en suivant les ornières de glace. Les gens de la voirie municipale faisaient ce qu'ils pouvaient, mais ils ne pouvaient pas tout. Schneider alla s'installer au fond, sur l'un des sièges en face de la route et d'où l'on surplombait le contenu du véhicule.

Le bus était vide, le conducteur silencieux à l'autre bout.

Malgré ses lunettes sombres, Schneider souffrait de la lumière. Il ferma les paupières et les rouvrit aussitôt, avec, dans la bouche, le goût métallique du canon de l'arme. La dernière chose qu'il aurait emporté avec lui : un goût de métal et de graisse à fusil. Il eut un sourire rentré, tant la chose lui parut à la fois évidente et ridicule. On part pour nulle part avec rien du tout. Dont acte clos. Pourtant, il se sentait encore endolori d'un regret poignant au souvenir de ce qui s'était passé dans la nuit. De ce qui ne s'était pas passé. Puis il vit arriver l'arrêt du palais de justice. Le bus freina lentement, progressivement, et s'arrêta au milieu de la chaussée. Il y eut le bruit de l'ouverture pneumatique des portes et Schneider sortit à la volée.

Comme on se jette dans le vide à la porte d'un C-47.

– Lapsang souchong, dit la juge Meunier en se servant. C'est un thé très sombre, très tourbé. Vous n'en voulez pas une tasse ?

– Non, merci, madame la juge, refusa Schneider.

– Vous n'aimez pas le thé ?

– Pas à en pleurer, murmura Schneider.

Il lui parut singulièrement absent.

– Si ça vous aide, vous pouvez fumer.

Schneider alluma une cigarette. Elle observa le policier :

– Je vous vois mal en missi dominici.

Schneider garda le silence, mais une sorte de grimace amère passa sur son visage.

– Pourtant, vous avez accepté cette mission. Vos chefs pensaient-ils vraiment que vous seriez en mesure d'ébranler ma décision ?

Schneider braqua son regard sur elle et déclara d'un ton aussi neutre que possible :

– Je ne suis pas là pour tenter d'ébranler votre décision. Pour rien au monde, je n'aurais eu l'intention de le faire. Votre décision vous incombe entièrement. Le message de ma hiérarchie dépasse les seules intentions. Selon les princes qui nous gouvernent, nul n'a rien à gagner dans ce genre de guéguerre entre police et justice.

– Guéguerre ? releva la jeune femme.

Elle semblait plus blessée que proprement indignée. Schneider précisa :

– Ce sont les termes qui ont été employés.

– Et vous, vous en pensez quoi ?

– Rien, mentit Schneider. Mon rôle n'est pas de penser. On ne demande jamais ce qu'il pense au troupier qui s'avance en portant le drapeau blanc.

Elle l'observa avec plus d'attention, retira ses lunettes qu'elle posa devant elle, branches écartées, les examina un instant et releva les yeux :

– Meunier avait une opinion contradictoire sur vous. Il admirait le flic, il n'aimait pas l'homme.

– Question sans objet.

– Il avait postulé pour servir au groupe criminel. Sa candidature s'est heurtée à un problème administratif. Meunier et vous étiez tous deux inspecteurs principaux. Il était plus jeune principal que vous et n'aurait vu aucune objection à servir sous vos ordres. Meunier connaissait ses limites : il n'aurait jamais pu diriger un groupe. Votre hiérarchie en a décidé autrement, et il est resté chez Stern.

Schneider garda le silence.

– J'ai appris que Francky Reinart avait reconnu les faits, dit la femme.

Sans ses lunettes, elle semblait plus démunie et son ton était vaguement douloureux. Schneider en inféra que le mal commençait à la ronger. Pas celui qu'on ressent sur le coup du malheur, et qui a souvent un effet anesthésiant et parfois même euphorisant. Il y a dans le choc du deuil, dans le tout premier moment, quelque chose qu'on ressent comme un brusque envol, une sorte de fracas intime, et qui vous sort de vous-même. Ensuite seulement vient l'onde de choc, la vraie, celle qui a sa source dans les profondeurs.

– Meunier n'était pas un flic d'exception, dit la femme. Il n'avait jamais rien prétendu de tel. Il est allé chercher Francky. Il a trouvé la mort. (Elle leva les yeux.) Vous savez ce qu'on dit : on n'épouse pas une infirmière, on épouse un métier. Les flics, c'est pareil. Je ne le voulais pas en me mariant avec Meunier, mais j'avais aussi épousé un flic.

Schneider gardait toujours le silence. Un instant, il avait tiqué, mais n'avait rien objecté. Elle demanda :

– Vous êtes marié ? Vous avez quelqu'un ?

Il se borna à écraser sa cigarette. On ne copine pas. Jamais. Même avec le malheur.

– Je subis un certain nombre de pressions de la part de ma propre hiérarchie, dit la femme en rechaussant ses lunettes, mais ma résolution est inébranlable. Vous ferez donc savoir à la vôtre que je suis résolue à provoquer un esclandre à la moindre rumeur de cérémonie. Rien non plus à l'enterrement. Sans fleurs ni couronnes, dans la plus stricte intimité. Ce n'est pas le flic qu'on enterre, c'est l'homme que j'aimais. Vous pouvez disposer.

Schneider se leva, la salua et sortit.

Dans le couloir, il croisa le procureur Gauthier, qui se trouvait en grand conciliabule avec le juge d'instruction Courtil. Schneider était en terrain de connaissance. Ils avaient souvent travaillé ensemble et toujours en parfaite intelligence. Avec sa froideur habituelle, Schneider leur présenta ses respects, mais Gauthier le saisit par le coude :

— Si vous avez cinq minutes, venez prendre quelque chose aux Deux Clercs.

Plus par lassitude que par entrain, Schneider accepta.

Gauthier ne put s'empêcher de le prévenir, en l'entraînant avec eux :

— Faites attention, Schneider. Vous prenez un mauvais tour. Vous êtes en train de commencer à vous humaniser. Pas d'enthousiasme prématuré. Je dis bien seulement : *commencer.*

Schneider était sur le chemin de l'hôtel de police lorsqu'un appel de Charles Catala était tombé sur le storno. Autorité priée de faire retour rapidement. Schneider avait fait retour, pour trouver la dame Mortier assise sur une chaise dans son bureau, tandis que Charles Catala la dévisageait avec la plus grande attention, installé dans son fauteuil. Tout en cédant la place à Schneider, il lui confia :

— Elle chante une drôle de chanson. Je ne sais pas trop quoi en penser.

— Trop en penser de quoi ?

La dame Mortier était maigre et fumait une extra-longue en regardant ailleurs. On pouvait lui donner la soixantaine, alors que sa carte d'identité indiquait qu'elle avait à peine dépassé les quarante ans. Une toxico au visage ravagé, aux veines noueuses, et qui avait toutes les peines à empêcher ses doigts de trembler, en agrippant ses anses de sac en guise de planche de salut. Une toxico comme bien d'autres.

Catala dit :

– Pas plus de mari mort dans un accident de bagnole que de beurre au cul de la chèvre.

Elle a descendu la pente toute seule comme une grande. L'administration est une mère aimante, on a fini par la confiner dans une bibliothèque. Puis par la réformer.

La femme releva les yeux, rencontra ceux de Schneider et s'y accrocha avec une étrange intensité. Une toxico et une malade mentale. L'une n'excluait pas l'autre. Elle débita d'un ton calme et mécanique ce qui semblait un propos sans cesse ressassé :

– Ils m'ont coincée entre le mur et le bureau. Ils étaient une quinzaine. La moitié de la classe. Ils étaient en section chaudronnerie.

Schneider avait sorti une cigarette. Il était sur le point de l'allumer.

La femme remarqua brusquement :

– C'était vous, dans le journal, l'autre fois ?

– Oui, reconnut Schneider avec lassitude. Il recentra. *Section chaudronnerie.*

Il y eut un silence, puis elle dit, sans le quitter des yeux :

– Ils ont fait le mur autour et ils m'ont déshabillée. J'ai même pas pu me défendre.

– C'est une femme de ménage qui l'a retrouvée dans un cagibi, le soir, précisa Charles Catala. Elle y était depuis le matin, par terre en chien de fusil, avec ses fringues autour d'elle.

La femme cherchait des yeux le cendrier qu'elle avait sur le bord du bureau.

– C'est ce que vous appelez descendre la pente toute seule comme une grande, grinça Schneider.

Il se pencha, prit la cigarette des doigts glacés de la dame Fortier, déposa la cendre et lui rendit la cigarette en demandant sans paraître s'adresser à personne :

– Il y a eu viol ?

– Même pas, dit Charles. Rien que le besoin d'humilier.

– Vous procéderez aux vérifications d'usage auprès de l'établissement. Je suppose qu'il y aura eu un rapport ou quelque chose. Quoi d'autre ? demanda Schneider en allumant sa cigarette.

– Un détail, peut-être, mais un détail quand même. Un détail emmerdant.

Schneider fit signe de continuer, tandis qu'il découvrait la commission rogatoire du juge Emmanuel Courtil qu'on venait de lui faire tenir par la navette.

– Le soir où Meunier s'est fait flinguer, madame avait rendez-vous avec Bugsy. Vous savez où ?

– Non, avoua Schneider sans relever les yeux.

La commission rogatoire le chargeait de tout acte et investigation, recherche ou interpellation, de toute audition ou réquisition à expert, susceptible de conduire à la vérité en ce qui concernait l'instruction menée contre le sieur Francky Reinart, inculpé de meurtre à l'encontre d'un agent dépositaire de la force publique.

– Ils avaient rendez-vous à la station Université. À minuit.

Schneider releva brusquement la tête. Meunier avait été abattu aux environs de minuit.

– Elle est arrivée à la bourre. Bugsy n'est pas venu. Ni ce jour-là, ni le lendemain. En revanche…

– En revanche ?

– En revanche, on a une emmerde.

Charlie se pencha sur la femme, lui toucha l'épaule avec une douceur dont Schneider ne le pensait pas capable. Il murmura :

– Sophie, l'homme que vous avez vu sur la moto…

– C'était pas un homme. C'était une femme, dit-elle d'un ton de grande indifférence.

– Comment vous pouvez en être sûre ?

– Elle ne roulait pas très vite. Elle ne m'a même pas vue quand elle est passée, mais moi je l'ai vue. Elle avait un jean et des bottines jaunes. Des bottines de femme.

La femme se tut. Elle ne regardait plus rien ni personne, seulement le sol à ses pieds.

Lorsque le commissaire Manière entra, Schneider fumait à la seule lumière de sa lampe de bureau. Il semblait plongé dans ses pensées et releva à peine la tête. Manière attira à lui la chaise qu'avait occupée la dame Sophie Mortier, et s'y installa familièrement, jambes ouvertes, talons campés au sol et les mains sur la nuque. Où qu'il se trouvât, Manière donnait l'impression d'y avoir été de toute éternité – et de s'y trouver bien. Globalement, il donnait depuis l'extérieur l'impression d'un homme en paix avec lui-même. Il avait un métier qu'il pratiquait sans beaucoup de brio mais avec soin, il ne connaissait ni maladie grave ni fins de mois qui commencent le quinze. Sa femme était intendante dans un lycée. Sa fille aînée préparait le baccalauréat. Il était peu probable qu'elle ne l'eût pas. Son fils se passionnait pour la mécanique automobile. Et pourquoi pas la mécanique automobile ?

On créditait Manière de conquêtes flatteuses et il ne faisait rien pour démentir.

Schneider savait trop ce que valent les impressions extérieures.

Il avait passé la dame Mortier sur le gril durant presque six heures, avec l'assistance de Charles Catala. Elle avait fini par s'apprivoiser peu à peu. Schneider savait comment tendre patiemment ses filets, en avançant centimètre par centimètre. Charles lui avait été d'une aide précieuse. Lorsque la femme avait souhaité avoir un café, on lui en avait fait un. Lorsqu'elle avait été à court de cigarettes, Charlie était descendu en chercher au tabac du coin. Lorsqu'elle avait jugé bon revenir sur l'incident et ce qu'elle avait subi, ils l'avaient écoutée sans l'interrompre, bien que les faits n'eussent aucun rapport avec l'enquête. Elle s'était souvenue :

– C'est pas que j'étais chouette à voir. J'ai jamais été bien épaisse. Je ne comprends toujours pas ce qui les a pris. J'aurais été quelqu'un d'appétissant, je ne dis pas, mais là. Je n'ai jamais été ce genre de femmes sur lesquelles les hommes se retournent dans la rue.

À la fin, l'audition avait tourné à une sorte de confession pénible, de quelque chose qu'elle n'avait pas fait. Schneider avait conduit l'interrogatoire de manière à la fois souple et obstinée, de manière à en revenir toujours au même et elle avait inlassablement persisté dans ses déclarations. L'homme sur la moto n'était pas un homme. C'était une femme et elle portait des bottines jaunes.

Manière tapa une cigarette sur le bureau de Schneider, l'alluma.

– Vous avez vu la femme ?

– Quelle femme ?

– L'épouse de Meunier.

– Oui, dit Schneider.

– Et ?

– Et rien. Elle fait également l'objet de pressions de la part de sa hiérarchie.

– Personne n'a parlé de pressions, observa Manière avec flegme.

Schneider hocha la tête.

– Et ?

– Elle n'a pas l'intention de revenir sur sa décision. Pas de cérémonie dans la cour d'honneur, pas de minute de silence. Elle menace même de saisir la presse, si d'aventure l'administration persistait dans ses intentions.

– Je suppose que vous n'avez rien fait pour qu'elle change d'avis.

Schneider releva les yeux. Il avait cette curieuse propension à ne braquer son regard sur autrui que durant le temps nécessaire pour s'adresser à eux, puis de se retrancher aussitôt après sur des positions préparées à l'avance. Il remarqua avec réticence :

– Vous n'avez peut-être pas fait le meilleur choix, en ce qui concerne le messager.

– Peut-être qu'on n'avait pas le choix du tout, regretta Manière. Vous avancez ?

Comme Schneider paraissait vaguement perdu, il précisa :

– Dans l'affaire Bugsy, vous avancez ?

Elle avait un jean et des bottines jaunes. Des bottines de femme.

– Plus ou moins, concéda Schneider à regret.

Quel crédit pouvait-on accorder, quelle confiance pouvait-on avoir dans les déclarations d'une personne que tout le monde s'accordait à considérer comme à demi folle ? Il y avait tout de même dans la précision quasi photographique de ses souvenirs, *un jean et des bottines jaunes, des bottines de femme*, quelque chose qui dérangeait Schneider. Rien n'avait pu la faire dévier de ses certitudes. Pas un homme, une femme. *Des bottines jaunes*. Manière écrasa sa cigarette à demi fumée. Il remarqua :

– Vos saloperies sont parfaitement dégueulasses. Vous allez finir par y laisser la peau.

– C'est possible, admit Schneider.

– La peau et les os.

Schneider conserva le silence. Manière se claqua les genoux, comme pour s'inciter soi-même à se lever – et se leva. Le téléphone sonna près du coude de Schneider. Celui-ci consulta sa montre, puis la pendule au-dessus de la porte, décrocha et eut une courte conversation avec la réception, puis il referma la procédure ouverte devant lui et l'enferma dans son tiroir. Tout en se levant, il glissa son pistolet à l'étui. Manière l'observait sans mot dire. Il allait être vingt heures dix. Le petit cercueil trônait toujours sur le bureau. Manière remarqua d'un coup de menton, en s'étirant avec soin :

– On dirait que vous y prenez goût.

– Pas plus que ça, reconnut Schneider.

– Vous avez tort de la prendre à la légère : d'où qu'elle vienne une menace reste toujours une menace.

Pressé de couper court, Schneider se dirigea vers la porte. Manière le précéda :

– Si ça ne vous dérange pas, nous allons descendre ensemble.

Schneider eut un rire étouffé :

– Je ne vois pas très bien comment je pourrais vous en empêcher.

Cheroquee était sagement assise dans l'un des fauteuils du hall, les genoux serrés mais la jupe à mi-cuisse. Elle se leva presque d'un bond, abandonnant à côté d'elle le magazine qu'elle était en train de lire. La police, un métier d'homme. La jeune femme s'était mise sur son trente et un. Elle portait un tailleur sombre et un chemisier blanc, elle avait des talons hauts et des bas noirs. Elle avait un curieux sourire tremblé comme sur une photographie prise à la volée. Elle s'avança vers Schneider – et Schneider seul. Elle portait un manteau plié avec soin sur le bras gauche. Manière salua de loin et fila comme une balle. En talons, Cheroquee était presque aussi grande que Schneider. Sans, elle lui arrivait tout juste à l'épaule. Derrière la banque, on ne voyait du flic en faction que le haut d'un crâne qui commençait à se dépeupler.

Elle lui effleura les lèvres :

– *Long time no see, Schneider.*

La dernière fois remontait au matin, huit heures.

Elle lui prit le bras avec autorité :

– Venez, j'ai une surprise pour vous.

– Moi aussi, sourit Schneider en se laissant entraîner.

Dehors, le froid de glace les saisit aussitôt et ils durent se serrer l'un contre l'autre pour avancer tant bien que mal jusqu'à la petite Austin garée en bataille sur l'emplacement réservé au commissaire central. Elle lui glissa les clés de contact dans la main :

— Tenez, conduisez. Avec ces foutues échasses, je n'y arriverai jamais. Vous, les hommes, vous ne savez pas la galère que ça peut être, conduire avec des talons. Marcher aussi, d'ailleurs.

Des bottines jaunes.

La salle était petite, basse de plafond, avec de fortes et solides poutres en chêne. Il n'y avait presque personne. La table faisait style maison de poupée. Leurs genoux se touchaient. Leurs mains se touchaient. Leurs genoux et leurs mains se disaient entre eux des choses qui ne regardaient personne d'autre. Cheroquee l'avait prévenu d'entrée de jeu :

— C'est moi qui vous invite.

— En l'honneur de quoi ?

— En l'honneur de rien du tout.

Ils avaient terminé le plat principal. Elle remarqua :

— Vous n'avez presque pas touché à votre assiette.

— Pas très faim, esquiva Schneider.

Elle sourit avec calme :

— Il y a une grande différence entre vous et moi, Schneider.

— Une seule ?

— Ne ramenez pas toujours tout à la même chose. Je ne parle pas du truc que vous avez entre les jambes. J'aime manger et vous, vous n'aimez pas.

— Pas à en pleurer, admit Schneider.

S'il avait pu s'en passer, il est sûr qu'il l'aurait fait. Elle l'observa, un peu narquoise.

— Vous savez que vous êtes un drôle de type. Pas facile de faire le tour, même avec les deux bras et un radar.

Schneider sourit. Il avait un curieux sourire, qui n'était pas dépourvu d'un certain charme. Quand il lui souriait, la jeune femme se sentait bouleversée, comme lorsqu'il posait les

269

mains sur sa peau nue. Elle en tressaillait à chaque fois. Pas un conquérant l'arme au poing, même s'il pouvait être redoutable, *l'arme au poing*, seulement un gosse paumé en quête d'un peu de tendresse. Tout en lui caressant le dos de la main du bout des doigts, elle murmura :

– Cette nuit, si je n'étais pas venue, vous l'auriez fait ?

– Sans aucun doute possible, admit-il avec calme.

– Vous seriez mort.

– Sans aucun doute possible, répéta-t-il avec ce froid regard intraitable et distant qu'elle n'aimait pas beaucoup. À bout touchant, ce type de munition ne vous laisse aucune chance.

Il en parlait avec une distance, un détachement qui fit froid dans le dos de la jeune femme. Elle frissonna un grand coup.

– Tout ça, parce que vous pensiez que j'étais partie.

– Oui, reconnut Schneider.

Elle demanda de nouveau, en le regardant droit dans les yeux.

– Vous m'aimez à ce point-là ?

– Oui, déclara Schneider sans faux-fuyant.

Il n'était pas homme à se cacher derrière son pouce. Sans doute par pur automatisme professionnel, il avait adopté ce ton cassant, sans réplique, qu'il avait lorsqu'il s'agissait de témoigner à la barre. Rien que des faits. Oui. Non. Jamais de peut-être ou de je ne sais pas. Jamais de mensonge et plutôt se taire que de ne pas dire la vérité. Ce qui semblait être la vérité et c'est pourquoi, la plupart du temps, il se contraignait à se taire. Elle lui effleurait toujours le dos de la main, du bout des doigts. Il déclara brusquement :

– Il y a une autre différence entre vous et moi. À part les deux choses dans votre chemisier. Vous aimez vivre.

– Oui, reconnut-elle avec un petit air de contentement. Pas vous ?

– Non, dit-il d'un ton abrupt. (Il haussa les épaules.) Vous savez, partir n'est pas bien compliqué. L'instant d'avant on

270

est là, l'instant d'après, c'est fini. J'ai été blessé grièvement dans les Aurès et tenu pour mort. Peut-être parce que c'était le matin et qu'il faisait très beau, je n'en garde pas un mauvais souvenir. J'étais juste en train de m'endormir. J'avais un peu froid et je m'endormais.

Elle lui saisit le poignet. C'était la première fois qu'il lui disait quelque chose, autrement qu'au lit en lui faisant l'amour. Il releva le front :

– J'avais fait une bêtise. Je me croyais plus fort que le type d'en face. Je me croyais plus fort que tout le monde. Il avait été plus patient, il m'a cueilli juste au moment où je me jetais hors de mon trou. Une courte rafale de quatre ou cinq cartouches. Il devait économiser ses munitions et faire mouche à tout coup. Rien de grandiloquent. On part de façon simple et naturelle. Mourir n'est pas compliqué. Ce qui est compliqué, c'est de vivre. Peut-être qu'il faut avoir des dispositions pour ça, ou bien avoir commencé jeune.

– Comme le piano.

Il acquiesça en silence, la gorge nouée.

– Il n'est jamais trop tard pour apprendre, Schneider.

Elle planta les ongles dans son poignet.

– Je ne vous laisserai pas plonger.

Il remua la tête, utilisa sa main libre pour chercher dans l'une des poches de la parka. Il en sortit un petit écrin qu'il tendit à la jeune femme. L'objet portait la marque « Bernstein and Sons », sauf que les fils étaient partis en fumée fin 43, avec pas mal de leurs semblables. Bernstein avait survécu à tout. Il n'avait pas d'âge. C'était un tout petit juif très myope et malingre, et très soigné de sa personne. On le considérait unanimement comme le meilleur joaillier de la ville, bien qu'il tînt une officine plutôt sombre et qui ne payait pas de mine. La façade noire en retrait, embossée entre un pressing et une agence immobilière, semblait avoir été victime d'un incendie dans la semaine. On y trouvait aussi des centaines de pendules qui faisaient un murmure incessant d'eau courante et des disques de jazz d'occasion.

— Si elle ne vous plaît pas, vous pourrez en changer, fit Schneider avec appréhension. Vous n'aurez qu'à dire que vous venez de ma part. Bernstein est un vieil ami de ma mère, il l'a connue à Weimar avant la guerre. Elle vous plaît ?

Cheroquee avait amené la bague dans la lumière. La jeune femme rayonnait.

— Beaucoup. Comment saviez-vous que j'aimais les améthystes, Schneider ?

Il garda le silence. Elle lui tendit le bijou à bout de bras et déclara, d'un ton à la fois moqueur et résolu :

— À vous le soin. (Troublée, elle eut un rire rauque et bas et prévint :) Mais attention, réfléchissez : si vous me passez la bague au doigt, vous n'avez pas fini d'en baver.

L'incident s'était produit presque tout de suite après. Une silhouette en blouson avait surgi de la pénombre d'une encoignure avant qu'ils n'aient atteint la petite Austin. Un homme avait saisi Cheroquee par les cheveux. Il l'avait secouée en l'insultant. La jeune femme avait trébuché en l'insultant aussi. Trapu, la trentaine et passablement alcoolisé. Schneider avait saisi l'homme par le coude, l'avait fait se retourner. Il avait alors reconnu le type à l'extractible. Le jeune homme était fou de rage et avait porté un coup de poing en aveugle à la face de Schneider, qui avait encaissé sans broncher. D'un geste vif et prompt, parfaitement automatique, il avait alors arraché les menottes de leur étui et les avait enfilées à la main droite. Puis, sans porter de coups, il avait tâché d'écarter l'homme. Schneider se méfiait de toute forme de violence, la sienne pour commencer. Il avait assez d'expérience professionnelle pour tenir la situation en main.

Seulement, il avait entendu le type traiter Cheroquee de putain, et quelque chose d'incoercible avait explosé dans sa tête, alors il avait frappé de son poing menotté à quatre ou cinq reprises dans les basses côtes et accompagné la chute du corps. Le type s'était retrouvé assis dos au mur. Schneider s'était penché :

— Tu n'emmerdes plus la dame. Tu l'oublies.

Le type souffrait. Il tâchait de se relever. Schneider lui avait balayé le genou d'un coup de pied.

— Tu oublies.

Il s'était éloigné d'un pas, en restant en alerte. L'homme soufflait fort. Il n'était pas encore tout à fait calmé, alors Schneider l'avait soulevé par les revers et plaqué au mur d'une main. De la droite, il avait cogné plusieurs fois, durement, au même endroit. L'homme avait crié, puis geint. Schneider lui avait murmuré à l'oreille, avant de le lâcher.

— Tu oublies.

Ils étaient retournés à la voiture. Plus loin, Cheroquee avait murmuré :

— C'était mon ex.

— J'avais deviné, dit Schneider, mâchoires serrées.

Ses doigts tremblaient encore sur le volant.

Elle avait posé les doigts sur son épaule. Un animal de combat, rapide, impitoyable. Un loup gris en maraude, prêt à tout pour sa femelle. Elle se rappelait l'expression de haine sur son visage. Une haine froide, glacée, démente. Schneider. Il avait du sang séché au coin de la bouche. Elle avait ressenti un étrange frisson, entre orgueil et jouissance.

Ils étaient rentrés. Schneider avait retiré son fourniment. Cheroquee n'avait jamais vraiment remarqué les menottes dans l'étui, à la ceinture. Schneider leur préparait un verre dans la cuisine. Elle était entrée dans la pièce. Elle s'était passé un bracelet au poignet. Elle ne portait rien d'autre. Elle lui avait dit, en tendant les mains :

— Vous faites comment pour serrer quelqu'un ?

Schneider l'avait considérée de loin un instant.

— Ne jouez pas avec ça, honey.

273

Elle s'était contentée de ricaner :

– Vous faites comment ?

– Les bras dans le dos, dit Schneider. À votre place, j'hésiterais.

Elle avait remué la poitrine :

– Je ne suis pas en sucre, vous savez ? De quoi vous avez peur ?

Il avait posé les verres et s'était approché lentement en la couvant de son regard froid.

– De rien.

– De rien ? On ne dirait pas. En qui vous n'avez pas confiance ? En vous ? En moi ?

Elle s'était approchée, presque à bout touchant. De sa main libre, elle lui avait flanqué une gifle du côté de la tête, une gifle dure, destinée à faire mal. Elle n'avait pas eu le temps de récidiver. Schneider lui avait intercepté le poignet. Elle n'avait rien pu faire. Il avait serré les bracelets dans son dos. Il l'avait poussée contre le chambranle sans ménagement. Elle avait résisté, puis gémi et crié. À ce moment seulement, elle avait compris en se tordant de douleur à quel point il l'aimait.

13

Posté au coin de la fenêtre, Charlie Catala vit la petite Austin arriver et stopper plus ou moins en crabe au ras des marches. La conductrice et le passager penchèrent leurs visages l'un vers l'autre un court instant, puis Schneider sortit de la voiture, qui ne tarda pas à s'en aller à petite vitesse. Quelques instants plus tard, Schneider entra dans le bureau. Il était à l'heure, mais Charlie et Dumont l'avaient devancé. Courapied quant à lui, se tenait engoncé sur une chaise qu'il ne semblait pas avoir quittée depuis des décennies. Il était enveloppé dans sa gandoura et avait la gueule des mauvais jours – celle qu'il arborait lorsqu'il préparait un mauvais coup. Schneider retira son arme de l'étui, la rangea au tiroir. Puis il enleva sa parka, la posa sur le dossier de son fauteuil à roulettes et s'installa à son bureau

Charlie Catala lui apporta sa chope de café, qu'il plaça exactement devant le petit cercueil. Schneider le remercia d'un bref signe de tête. Lui aussi avait sa tête des mauvais jours, mais il ne préparait aucun mauvais coup. Il était seulement préoccupé. Ses flics travaillaient depuis assez longtemps avec lui pour le deviner.

On ne faisait pas chier Schneider pendant qu'il réparait sa Mobylette.

Son regard terne fit le tour de ses hommes et ne s'attarda guère que sur la gandoura de Courapied. Il le prévint cependant :

– Monsieur Courapied, je vous rappelle que votre tête est mise à prix. Dieu n'apprécie pas du tout certaines de vos facéties. On m'a chargé de vous dissuader de toute nouvelle exaction, sous-sol ou pas sous-sol.

Courapied ne tourna même pas la tête dans sa direction. Schneider ne se sentit ni l'envie ni le courage de pousser un coup de gueule. Après tout, chacun avait le droit de vivre dangereusement. Dumont agrippa ses revers de veste, agita le menton pour dégager la glotte et prit la parole en rajustant ses lunettes.

– Dans la caverne d'Ali Baba, chez Bugsy, on a trouvé des négatifs. Saisis pour être placés sous scellés. Format 24 × 36, de marque Ilford. Pellicule haute sensibilité. Les négatifs étaient conservés sous forme de bandes sous papier cristal transparent. Du travail de professionnel.

– On n'a pas trouvé de tirage papier ?

– Non. Aucune photographie. Seulement des négatifs. Bugsy était un chasseur de nuit. À ce que j'ai cru deviner, il avait quelques sujets de prédilection. Les putes de l'Arquebuse, les gens qui traînent la nuit vers le Lac, à deux ou à plusieurs. Mâles ou femelles, et parfois les deux. Quelques images de voitures de flics embossées aux Allées du Parc, avec des dames à côté.

– Faites passer les négatifs à l'Identité judiciaire, je veux un tirage de chaque cliché.

– À vue de nez, il n'y en a pas loin de trois cents.

Schneider garda le silence.

Müller arriva, salua tout le monde et alla se servir un café en demandant :

– J'ai manqué quelque chose ?

– Oui, d'être à l'heure, remarqua sèchement Schneider.

Il était huit heures trois. Chacun comprit que la journée allait être chaude. Pourtant, sur les vitres, le givre faisait à l'extérieur de fascinantes arborescences d'une gaieté factice. Schneider releva les yeux :

– Charles, vous retournez chez la mère de Francky. Je crois que le courant était bien passé entre vous deux. Démerdez-vous pour savoir ce que Chiquito est venu foutre chez elle, la veille qu'on stoppe son fils. Démerdez-vous pour savoir ce qu'il y avait dans le paquet qu'il semble lui avoir remis. Si besoin est, faites savoir que vous agissez sur commission rogatoire générale. S'il le faut, garde à vue. Interpellation. (Schneider sourit à part soi :) Usez de tout le charme et de toute la capacité de persuasion dont je vous sais capable. Exécution.

Charles Catala termina son café et sortit avec sa chope.

– Dumont, vous foncez au rectorat. Je veux tout savoir sur l'agression dont aurait fait l'objet la dame Mortier. Je suppose qu'il y aura eu un rapport. Secouez tout le monde du haut en bas de l'échelle. L'Éducation nationale est une vieille dame qui n'aime pas trop être bousculée. (Il répéta, froidement, pour être bien compris :) Commission rogatoire générale. Pour vous faire entendre de l'ennemi, vous en emporterez copie. Ne vous attendez pas à ce que les choses soient simples. Si on vous fait des misères, je suis en veille radio.

Dumont acquiesça. Il n'était pas sûr d'avoir besoin d'user de coercition. Sa grande force tenait dans son apparence insignifiante, un petit fonctionnaire étriqué en complet de confection, aux lunettes carrées et à la voix douce, et qui paraissait aussi dépourvu de malignité qu'un poisson rouge dans son bocal. Avant de se lever, il précisa cependant :

– Dans la boîte à chaussures, avec les négatifs, il y avait aussi un ticket, en date du 2 janvier. Bugsy a déposé une bobine chez un photographe. Seulement commandé les négatifs.

– Photographe connu ? supposa Schneider.

– Oh, oui, soupira Dumont. Oh, oui. De tout le tout petit monde partouzard de la ville et des environs. Sa réputation de discrétion n'est plus à faire, c'est pourquoi tout le monde le sait. Les Mœurs ont un dossier sur lui, ce qui fait qu'il n'a rien à nous cacher.

Il tendit le ticket à Schneider, qui l'examina avant de décider :

– Commencez par le rectorat. Je veux savoir dans quelle mesure les déclarations de la dame Fortier sont fiables ou pas. Il se peut que son histoire de mise à poil tienne du pur fantasme, il se peut aussi que ce soit vrai. Je veux savoir. Emportez une bécane portable, vous procéderez à audition sur place.

Schneider sortait la grosse artillerie. Dumont acquiesça et sortit à son tour.

Courapied tourna la tête :

– Votre Bugsy c'était une sous-merde. Vous bordurez pas. Il n'a pu se faire rectifier que par des sous-merdes. Si vous permettez, je vais draguer.

Draguer, dans la bouche de Courapied, signifiait qu'il allait passer la journée, et, s'il le fallait une partie de la nuit à traîner de place en place, de poubelle en poubelle, de squat en squat, à chercher les sous-merdes qui avaient bousillé une autre sous-merde. Schneider ne partageait pas entièrement les convictions de Courapied en matière de sous-merde, mais il avait une certaine confiance en lui. Il alluma une cigarette :

– J'aime mieux savoir que vous allez draguer, plutôt que d'imaginer vous êtes encore en train de préparer une de vos conneries.

Courapied se leva en haussant les épaules. Assis, il semblait un paquet de hardes d'une propreté douteuse. Debout, il ne semblait guère plus grand et à chaque mouvement, ses hardes propageaient une odeur aigrelette parfaitement identifiable. Lorsqu'on lui faisait la remarque qu'il puait considérablement, Courapied argumentait avec justesse que c'était à l'odeur que les clodos se reconnaissaient comme tels. Comme les clébards. Tandis qu'il passait la porte, Schneider ne put s'empêcher de prévenir d'un ton aussi ferme que possible :

– Monsieur Courapied, à la moindre récidive de votre part, j'ai pour instruction formelle du commissaire central Alvarez de saisir l'objet du délit.

Sans paraître avoir entendu, Courapied referma silencieusement la porte derrière lui.

— Merde, se résigna Dumont. À dix contre un, on va y avoir droit.

— Tenu, fit Schneider avec un demi-sourire.

Le téléphone sonna près de son coude.

Monsieur Tom se tenait dans l'un des fauteuils stratégiques de la Concorde, lorsque Schneider entra en coup de vent en cherchant des yeux. Il leva le bras et Schneider s'approcha. Le policier était visiblement pressé et se laissa tomber dans le fauteuil en face.

— Elle est revenue, dit Tom de but en blanc.

— Qui est revenue ?

— Anne est revenue. Un périple avec son chevalier servant et elle est revenue. Le patron de la clinique m'a appelé. Quelqu'un l'a déposée à l'accueil le soir du 1er janvier. Tu n'avais pas besoin de te bouger pour la retrouver.

Les yeux de Tom ne s'attachaient à rien de particulier. Ils erraient un peu partout en évitant avec soin le visage de Schneider.

— Son dernier voyage, Schneider.

— Dernier voyage ?

— Le toubib qui la soigne ne m'a pas caché qu'elle est dans un état grave. Il ne s'explique pas sa fugue. Il ne s'explique pas mieux pourquoi et comment elle est rentrée. La personne de l'accueil s'était absentée trois minutes. Quand elle est revenue, Anne était assise dans un fauteuil. Il y a une grande volière dans le hall. Une grande volière avec des perruches.

Il remua les épaules.

— C'est fait pour égayer les visiteurs. Les patients. Des oiseaux qui ne volent pas, qui ne mangent pas, qui ne chient pas. Qui ne font pas de bruit. Des perruches en papier. Tu y aurais pensé, toi ?

279

Schneider se contenta de garder le silence, puis il consulta sa montre.

– J'ai un de mes types qui m'attend dans la voiture, dehors.

– Une visite à faire ?

– Oui, dit Schneider.

– Une visite à qui ?

– Une visite. Motif du présent entretien ?

Monsieur Tom se pencha, les coudes aux genoux, joignit pensivement ses grosses mains.

– Je reprends moi-même la défense de Francky. Je n'avais plus plaidé aux assises depuis la mort de Françoise. J'ai fait le tour des as du barreau, d'ici ou d'ailleurs. L'argent n'était pas une question. Francky n'intéressait personne. Et puis, il y a eu autre chose.

Il releva brusquement les yeux et les planta dans ceux de Schneider. Ils contenaient autant de désarroi que de souffrance.

– La nuit où Francky s'est retrouvé au trou, je me suis réveillé brusquement. J'ai su que j'avais le devoir de le défendre. Je sais ce qu'il a fait et je n'entends pas l'excuser.

Il se tut un instant, puis se rappela :

– Pour moi, Francky, ce sont les jours heureux. Il était plus ou moins palefrenier dans un cercle équestre où j'avais inscrit Anne. C'était une cavalière hors pair. On aurait dit qu'elle était née collée sur un cheval. Il s'est passé un truc entre eux. Rien de sale, rien de crapoteux. Rien de moche. Il avait deux ans de plus qu'elle, il était trapu et costaud et c'était déjà une force de la nature. Le grand frère et la petite sœur. Pour moi, je me rappelle Francky avec Anne à califourchon sur les épaules. Il faisait le cheval tout autour du manège, en piaffant et en hennissant, comme une monture rétive, en caracolant avec elle sur le dos. Je me rappelle Anne riant aux éclats. Même Anne, un jour, a ri aux éclats.

– Tout le monde, un jour ou l'autre, a ri aux éclats, rappela Schneider avec froideur.

Ramsès approchait. Schneider lui fit signe qu'il ne voulait rien. Il n'y a que dans les troquets qu'on veut ceci ou cela, le reste du temps, on se contente de jouer en défense. Ramsès retourna prendre sa faction du côté de la caisse. Tom gardait le silence, le regard par terre. Il dit, de sa voix sourde :

– Tu n'as pas de gosse, Schneider. Tu ne sais pas ce que c'est.

Schneider n'avait pas de gosse. Il ne savait pas ce que c'était.

– J'aimerais être tenu au courant du progrès de ton enquête, ajouta Tom.

– J'agis sur commission rogatoire du juge Courtil. Il suffit que tu t'adresses à lui.

Tom avait parlé sans relever le front. Sans doute se trouvait-il encore au bord de la carrière, en train de les regarder faire les fous, Anne et Francky, car il remarqua avec amertume.

– Si Anne lui avait dit de brouter de l'herbe, Francky se serait mis à quatre pattes – et il aurait brouté.

Schneider consulta sa montre et se leva, en déclarant sèchement :

– Merci de m'avoir fait perdre mon temps. *So long, Tom.*

– Une seule question, prévint Schneider.

– Allez-y, se résigna Bubu Wittgenstein. Après tout, vous êtes ici chez vous.

– N'use pas ma patience, grinça Schneider.

Il ressentait un sourd malaise, dont il ne parvenait pas à déterminer la cause. Il était chez lui dans la casse de Bubu comme il était chez lui dans le monde entier. Le monde entier comporte un certain nombre de trous noirs. L'enquête sur la mort de Meunier n'en contenait pas moins, elle aussi. *Si Anne lui avait dit de brouter de l'herbe, Francky se serait mis à quatre pattes tout de suite et il aurait brouté.* Francky risquait la mort. Schneider se rappela Anne en une fraction de seconde. Elle avait quatre ou cinq ans et Françoise l'avait déguisée en papillon à la fête de l'école. Avec ses ailes en crépon, ses longs cheveux et son rire, Anne faisait un papillon très convaincant. Tout aussitôt, Schneider revint à lui. Bubu attendait la *seule* question. Müller n'attendait rien, silencieux, les pouces dans les poches de gilet et la nuque appuyée à la cloison.

— Une seule question, répéta Schneider, conscient d'avoir commis un break inopportun. Est-ce qu'il t'est arrivé de voir Francky avec une gonzesse ?

— Jamais, se récria Bubu. Jamais.

— Pourquoi ? C'est un pédé ? demanda Müller.

Sa voix semblait ne provenir de nulle part. Son visage n'exprimait aucune émotion. Comme un taulard, il parlait la face immobile. Il avait les yeux fixés sur l'une des pin-up fixées au mur. On ne pouvait dire s'il la voyait ou pas. Dans un interrogatoire, Müller était un précieux instrument de déstabilisation et Schneider s'en servait comme tel.

— Jamais de la vie, dit Bubu. J'ai jamais dit que Francky était pédé. J'ai dit que je l'ai jamais vu avec une femme.

— Jamais ? Il n'avait pas une copine ? demanda Schneider.

— Jamais, affirma Bubu. Il avait peut-être une copine, comme vous dites, mais il ne l'a jamais emmenée ici. (Il réfléchit.) Même, s'il en avait eu une, ça aurait fini par se savoir.

— Francky était donc une sorte de moine-soldat, observa la voix de Müller.

— Putain, les gars, pensez ce que vous voulez, soupira Bubu. Vous me posez une question. Je réponds à la question. Si la réponse vous plaît pas, c'est votre problème, pas le mien.

Schneider l'observait avec attention.

Bubu battit en retraite :

— Pourquoi vous demandez pas à sa mère ? Vous lui avez pas demandé ?

— Pas encore, murmura Schneider.

Il pensait visiblement à autre chose. *Tu n'as pas de gosse, Schneider. Tu ne sais pas ce que c'est.* Il y eut un instant de silence dans le bureau surchauffé, durant lequel on entendit le long meuglement sinistre de la presse hydraulique. Elle servait à compresser les épaves de voiture en cubes d'un mètre sur un mètre. Sans attendre que le mugissement se taise, Schneider hocha vaguement la tête et se dirigea vers la porte, ce que fit également Müller une seconde plus tard, mais sans hocher la tête et en laissant s'attarder son regard sur le visage de Bubu au passage. Le regard de Müller était inexpressif et *par nature* inquiétant.

La voirie avait effectué un travail surhumain sur les principales artères. À force de saler et de gratter la croûte de glace, on pouvait à présent rouler presque normalement, à condition de se déplacer à l'allure d'un cheval de fiacre. Les roues des voitures projetaient un mélange jaunâtre de gadoue et d'eau à des hauteurs prodigieuses. Il fallait mettre en phares au milieu de la journée. Schneider se taisait, faute d'avoir quelque chose à dire dans l'immédiat. Müller se taisait par respect pour son chef de groupe. La Mule respectait Schneider par principe, d'une part, et parce que ce qu'il savait de Schneider en tant qu'homme l'incitait au respect. Le peu qu'il en savait. Non pas le jeune lieutenant qui avait cassé la gueule à un colonel à l'état-major d'Alger en 1959, mais le garçon de vingt-deux ans qui sautait avec la peur au ventre, jour après jour, à la tête de son stick. Un garçon qui avait cessé d'être jeune bien avant qu'il en fût temps. Schneider n'était pas en paix avec lui-même. Il ne le serait jamais.

— Direction Novak, ordonna subitement celui-ci.

Müller acquiesça sans un mot et tourna le volant.

— Pas de bottines jaunes, affirma Novak. Vous voyez Francky porter des bottines jaunes ?

Il était en colère. Schneider l'avait tiré du sommeil pour venir l'emmerder avec une histoire de bottines jaunes. Francky était au trou et c'était bien fait pour sa gueule. Novak était partisan de la peine capitale et ne s'en cachait pas. Le policier fumait, avec la figure de travers et ce regard terne que Novak avait déjà vu quelque part et qu'il n'aimait pas beaucoup. Il essaya de distinguer le ciel de l'autre côté de la baie de lavage. Il était aussi gris, terne et uniforme, que les tôles qui couvraient la station. Pourtant, ses rhumatismes ne le trompaient pas. Il déclara de manière catégorique, comme sous serment, d'une voix rugueuse et mécontente. :

– Personne ne peut conduire une Harley avec des bottines.

Dans son esprit, cette affirmation était de l'ordre de la certitude.

Il ajouta :

– Il va y avoir un redoux.

– Comment pouvez-vous en être sûr ? demanda Schneider.

– À cause de mes rhumatismes.

– Les bottines, comment vous pouvez savoir ?

Novak serra les paupières avec force, ramassa son paquet de cigarettes et en alluma une, en toussant dans le poing.

– Francky ne portait pas des bottines jaunes. Il avait des santiags. Ces bottes aux talons biseautés, comme tous les bikers. Vous avez déjà vu des bikers ?

Schneider avait déjà vu des bikers. Il savait ce que c'était. Il en avait même rencontré personnellement. Quelques dizaines, au cours d'innombrables opérations de police. Une sirène résonna quelque part, ni très près ni très loin. Le policier consulta machinalement sa montre. Il était presque midi, à quelques minutes près. Il n'aurait su dire lesquelles. Novak le vit sortir du bureau, demeurer quelques secondes immobile à l'endroit où l'autre flic était tombé, puis s'éloigner vers la voiture où Müller l'attendait sans impatience, moteur tournant.

À mi-chemin de l'hôtel de police, il se mit à tomber une pluie lourde et grasse, qui ne tarda pas à transformer les rues en fondrières. Les essuie-glaces peinaient à la tâche. Le menton enfoncé dans son col roulé, Schneider fumait, silencieux. Il semblait endormi. Les combats que l'on se mène à soi-même sont des combats inutiles et coûteux dans la mesure où l'on a la certitude intime que l'ennemi, de toute façon, aura perdu d'avance.

Dumont était à la fois satisfait d'avoir mené à bien sa mission et mécontent du résultat. Il était dans la position du tireur qui, allant au résultat, constatait qu'il avait tout mis dans la cible, mais que le groupement des impacts était mauvais. Dumont était un homme qui trompait son monde. À l'entraînement, il était taillé comme un athlète, un athlète de poche, mais un athlète au souffle inépuisable. Il avait couru plusieurs marathons et s'entraînait pour celui qui lui paraissait le Graal, le marathon de Paris. C'était un tireur au pistolet assez remarquable, mais à la différence de Schneider, il se savait incapable de tirer pour tuer, ce qui fait qu'il ne sortait jamais son arme. Dumont déposa une chemise devant Schneider. Pour cela, il dut passer au-dessus du petit cercueil qui faisait maintenant partie des meubles.

– En deux mots ? demanda Schneider en feuilletant les liasses de procès-verbaux.

– En deux mots, dit Dumont en s'asseyant. Je n'ai pas eu à faire les gros yeux. Le rectorat avait bien constitué un dossier sur l'incident.

– Qui a donc bien existé, murmura Schneider.

– Qui a bien existé, mais pas exactement sous la forme que la dame Fortier le chante.

Schneider leva les yeux. Dumont consulta Müller du regard, mais celui-ci ne pouvait lui être d'aucun secours. Il avait repris sa faction, adossé à l'armoire et le visage indolent. La pluie giflait les vitres avec une hargne ancestrale. Tout était en train de dégeler à toute vitesse.

– Le chef d'établissement a bien fait un rapport, se résigna Dumont. La dame Fortier a bien été déshabillée par ses agresseurs. Elle a bien été retrouvée en état de choc dans un placard, plusieurs heures plus tard, par un agent de service.

C'étaient bien les élèves d'une classe de chaudronnerie. Sur tous ces points, tout concorde.

– Sur d'autres ?

– Le chef d'établissement signale qu'à plusieurs reprises, il avait fait des remarques à la femme. Des remarques sur sa tenue.

– Sa tenue ?

– Il lui avait reproché plusieurs fois qu'elle s'habillait un peu court. Que certains pouvaient prendre sa manière de se vêtir pour de la provocation. Dans son rapport, dont j'ai joint copie en annexe, il était fait état de tenue et de comportement aguicheurs.

– Aguicheurs ? s'étonna Schneider.

– Si on apprécie le genre crevette grise, pourquoi pas ?

– En d'autres termes, si j'ai bien compris, la responsabilité de l'incident serait fifty-fifty, s'agaça Schneider. La dame Fortier aurait contribué elle-même à son propre malheur.

– Vous avez bien compris, dit Dumont.

Il consulta Müller du regard. Celui-ci était toujours aux abonnés absents, mais Dumont savait d'expérience que l'autre n'en perdait pas une miette. Schneider avait les yeux fixés sur le cercueil. Il remarqua, sans lever les yeux :

– Torts réciproques, en somme.

– Vous avez tout compris, dit Dumont. L'administration en général est une mère aimante, celle de l'Éducation nationale est encore plus aimante que les autres. Tout le monde a voulu se couvrir. Sauf la dame Fortier. Plus ou moins, elle s'est retrouvée en position d'accusée. On lui a fait remarquer que les crétins lui avaient quand même laissé sa culotte. Pour le reste, elle n'avait à s'en prendre qu'à elle.

– Il y a eu des sanctions ?

– Aucune sanction. Le chef d'établissement n'est pas parvenu à établir qui avait fait quoi, pour la bonne raison qu'il n'a pas cherché. Personne n'a réellement cherché. Tout le monde s'est ingénié à couvrir le feu. C'est tout.

286

– Mais la victime a bien été déshabillée et retrouvée dans un placard plusieurs heures plus tard.

– Prostrée et en état de choc, dit le rapport, précisa Dumont. Je vous ai joint la photocopie.

– Sur ce point, réfléchit Schneider, nous pouvons donc considérer ses déclarations comme fiables.

– Oui, affirma Dumont. La dame Fortier a bien été victime d'une agression à caractère plus ou moins sexuel, quelles que soient les raisons alléguées. Ensuite, elle a descendu la pente. Peut-être que si rien de ce genre ne s'était produit, elle aurait fini par la descendre toute seule comme une grande, mais les faits sont là : il y a bien eu agression.

Schneider garda le silence. Ses hommes en avaient l'habitude. Il se retranchait parfois de longues secondes sur des positions de repli connues de lui seul. Il chercha machinalement une cigarette, l'alluma tout aussi machinalement. Si rien de ce genre ne s'était produit, elle l'aurait peut-être descendue toute seule, comme une grande. La remarque pouvait s'appliquer à bien des humains, à lui-même pour commencer. Mais les faits étaient là. Quelque chose à un moment donné avait détraqué la machine et modifié sa trajectoire.

Schneider consulta sa montre, puis la pendule au-dessus de la porte. Elles donnaient treize heures dix.

– Catala n'est pas rentré ?

– Il a laissé un message, dit Dumont. Il semble qu'il ait eu des difficultés. Il vous ramène la mère à Francky.

Schneider acquiesça sans un mot, saisit son téléphone et composa un numéro de mémoire. Quand on eut décroché à l'autre bout, il dit, comme si cela allait de soi :

– Marina ? Schneider. Vous aurez cinq minutes, dans la journée ?

– La prochaine fois que vous avez à me causer, dit la femme, c'est pas la peine de m'envoyer votre branleur.

– J'ai failli lui foutre sur la gueule, s'indigna Charles Catala. J'ai été à deux doigts de lui mettre ma main dans la gueule.

– Il aurait plus manqué que ça, fit la femme.

– C'est la première fois de ma vie que j'ai failli cogner sur une gonzesse.

– Chochotte, grinça la mère de Francky en douce.

Schneider avait le livret de famille entre les mains. Elle se nommait Maria Madeleine Louise Wittgenstein, veuve Reinart. En mention marginale, il était stipulé qu'elle était la mère de Francky et une inscription manuscrite apocryphe indiquait que l'enfant avait été baptisé le lendemain de sa naissance.

– C'est tout ce que vous avez, comme papier d'identité ? demanda Schneider.

– C'est tout, oui. Je vous signale qu'on n'est pas obligé d'avoir une CNI*.

Elle était visiblement furieuse, ou faisait semblant de l'être. Charlie Catala ne faisait pas semblant : il était réellement hors de lui. Il avait mesuré à ses dépens les limites de son charme naturel, ainsi que celles des droits que conférait une commission rogatoire en bonne et due forme. Il devait reconnaître, et ça ne lui plaisait pas, qu'il l'avait eu dans le cul. Il s'indigna :

– La salope m'a même menacé de lâcher les chiens.

– La salope te dit merde, Charlie.

Elle braqua les yeux sur Schneider. Schneider c'était autre chose. Schneider pouvait comprendre. Elle affirma :

– En plus, j'ai pas de chien. J'ai jamais eu de chien. J'ai horreur des chiens. Vous savez pourquoi je préfère les chats aux chiens ? C'est parce qu'il n'y a pas de chats policiers.

Dumont soupira faiblement. Müller demeura inerte. Une lueur d'ironie passa dans les yeux de Schneider, mais qui ne s'y attarda pas. Schneider faisait un effort frénétique pour conserver son impassibilité de façade.

– J'ai dit à votre merdeux que j'étais prête à m'expliquer, ajouta la femme, mais avec un homme, pas avec un branleur qu'on lui tord le nez il sort du lait. Vous voulez savoir quoi ?

– Comment va votre polyarthrite rhumatoïde déformante, pour commencer, dit Schneider. La dernière fois que nous nous sommes parlé, vous aviez l'air d'être au bord de la tombe. On dirait que depuis vous avez fait un grand pas en avant.

– C'est quand même pas pour ça que vous m'avez fait *viendre*, quand même.

– Venir, rectifia Dumont par pur automatisme.

– Ta gueule, coupa la femme. C'est pas à toi non plus que je cause. C'est à Schneider que je cause. (Ostensiblement, elle s'adressa seulement à lui.) Vous voulez savoir quoi ?

– Chiquito est passé te voir, la veille que Francky se fasse serrer. Chiquito est un homme à Bubu. Pas possible de lui remettre la main dessus : on dirait qu'il est parti pour une autre galaxie.

La femme grogna mais ne dit rien. Charlie Catala n'avait pas décoléré. Schneider sentait bien que le jeune homme était encore disposé à entrouvrir le tiroir à baffes. Dans son for intérieur, il aurait presque été disposé à laisser faire, ne serait-ce que pour voir lequel des deux aurait finalement le dessus. Schneider recelait parfois en lui-même des motifs d'hilarité que nul n'aurait pu supposer. Il savait d'avance lequel des deux allait gagner. Il se borna à avancer, sans trop de conviction :

– On sait que Chiquito vous a apporté un paquet. Qu'est-ce qu'il y avait dedans, Maria ?

La femme gonfla les joues, étrécit les paupières. Plongea le bras dans son sac sans hésiter. Le paquet atterrit devant Schneider, en tout point conforme à la description qu'en avait donnée Courapied.

– Ah, c'est ça qui vous gratte, Schneider ? Tenez. Vous pouvez vous le garder, moi j'en veux pas. Je ne suis pas une pute qu'on achète.

Les policiers comptèrent l'un après l'autre. Les billets étaient neufs, encore enliassés comme au sortir de la banque. Il y en avait pour dix millions de francs.

Schneider rangea la voiture de service devant la boutique de Marina, baissa le pare-soleil de manière que le panneau « Police » soit visible des contractuelles et signala à la radio qu'il quittait l'écoute. Marina était près de la caisse. Elle laissa la vendeuse poursuivre sa tâche et conduisit Schneider à travers la réserve jusqu'à la petite cour derrière, qui faisait comme un puits entre les immeubles sombres. L'été on étouffait, l'hiver il y gelait. Il y avait cependant une table de bistrot et des sièges, ainsi qu'une jardinière dans un coin avec des herbes sèches et craquantes, des graminées pour la plupart. Ils prirent place et Schneider alluma une cigarette. Marina lui trouva le regard fatigué. Elle était au courant, pour Cheroquee. La jeune femme lui avait parlé, pour Schneider. Elle avait toujours cherché un homme comme lui. Maintenant qu'elle l'avait trouvé, elle savait que c'était lui et personne d'autre. Dans sa voix haletante, aux inflexions un peu snobs, un peu maniérées, il y avait à présent autre chose. Comme un tremblement, qui pouvait sembler fait d'autant de crainte que d'excitation, la voix d'une femme qui s'aventure au jugé dans un couloir sombre et peu sûr, et qui en conçoit une étrange fierté, une sorte d'exaltation triste.

Marina regarda Schneider, dans l'expectative. Il dit, en la balayant au passage de son regard gris :

– Qu'est-ce qui ne va pas ?

– Qu'est-ce qui ne va pas, quoi ?

– Tom. Qu'est-ce qui ne va pas ?

Ainsi, il l'avait senti aussi. Elle resta silencieuse, puis tapa une cigarette à Schneider, qui lui donna du feu d'un geste machinal. Il y eut le claquement sec du Zippo, semblable à celui d'une arme dont on actionne la culasse. Elle ne savait pas ce qui n'allait pas. Elle savait juste que quelque chose n'allait pas. Tom s'éloignait. Il avait commencé à dériver sans bruit, un peu comme un navire qui a rompu les amarres sans que nul ne s'en aperçoive tout de suite, mais elle l'avait remarqué. Il avait commencé à s'éloigner à pas de loup, en tâchant que nul ne s'en rendît compte. La jeune femme croisa les doigts sur la table :

– La semaine dernière, mon avoué m'a fait savoir avec réticence que Tom était en train de réaliser ses actifs. Sa situation financière ne l'exige en rien. J'ai répondu que cela ne me regardait pas. L'avoué m'a dit que si : il a fait état de virements sur mon compte personnel. Nous ne sommes pas mariés. Nous n'avons jamais été mariés.

Elle eut une grimace amère.

– Tom est l'homme des longs desseins et des combines tordues. Je ne sais pas à quoi il joue, ni même s'il joue à quelque chose.

Schneider la dévisagea. Ce à quoi Marina faisait référence ressemblait fort à un processus destiné à organiser sa propre insolvabilité. Depuis des années, Monsieur Tom avait la financière au cul. Depuis des années, son intouchabilité semblait aller de soi. Depuis des années, il déambulait sur la corde raide, avec son éternel sourire sarcastique à la bouche, comme une plaie. Si la montagne se mettait à bouger, c'est que quelqu'un, quelque part, avait commencé à le lâcher. On sentait bien l'ambiance des fins de règne, on sentait bien que quelque chose quelque part, s'était remis en secret à brasser les cartes. Schneider n'appartenait pas à la financière. Il avait d'autres préoccupations en tête. Il demanda :

– Est-ce que Tom a revu Francky avant les faits ?

– Quels faits ?

– Le flingage de Meunier.

Le visage de la jeune femme se fit dur et froid. Son regard n'avait plus d'âge.

Elle dit, les mâchoires serrées :

– Pourquoi vous ne le demandez pas directement à Tom ?

– Parce que c'est à vous que je le demande.

Elle eut une sorte de spasme.

– Qu'est-ce que vous savez, que je ne sais pas, Marina ?

– Rien, affirma la jeune femme.

Ses yeux évitaient ceux de Schneider. Elle ne l'aimait pas beaucoup, mais elle en avait peur. Il y avait dans le regard du flic une sorte d'ancienne sagacité, comme s'il avait vu trop de choses mortes et depuis trop longtemps. Schneider n'attaquait jamais directement l'objectif, il prenait de longues bandes. Il procédait méthodiquement pour saper les défenses ennemies, en commençant par les plus faibles. Il demanda :

– Est-ce qu'il est passé avant que Meunier soit tué ?

La jeune femme s'entendit reconnaître, avec une tristesse résignée :

– S'il est passé, Tom ne me l'a pas dit.

– Mais il a pu passer.

– Oui, avoua Marina. Il a pu passer.

Elle écrasa sa cigarette. Elle frissonna. Le froid venait de lui tomber dessus d'un coup, le froid et un profond sentiment d'amertume. Elle ne faisait pas le poids. Elle n'avait jamais fait le poids. Elle dit pensivement :

– Je ne sais pas s'il m'aime ou pas. Quand je l'ai rencontré, c'était un très bel homme, très puissant. Je savais qu'il avait perdu sa première femme. Je n'ai jamais su au juste ce qu'il faisait ou pas. Il avait été avocat.

Schneider la fixait toujours. Il ne semblait pas porter attention à ce qu'elle disait, aux mots qu'elle prononçait de manière mécanique ou même au son de sa voix. De toutes ses forces, il semblait guetter autre chose, de primordial, derrière le mince et pathétique écran qu'elle s'efforçait de tendre entre ce qu'elle disait et ce qu'il savait qu'elle taisait. Elle avait la certitude qu'elle ne serait pas de force dans un interrogatoire en règle. Elle abandonna brusquement :

– Demandez-lui directement.

Schneider garda le silence. Il leva la tête. Tout en haut, très haut au-dessus de la cour, on voyait un carré de ciel, distant et lumineux. Il avait cessé de pleuvoir. Il refaisait froid. Schneider ralluma une cigarette. Marina demanda, les coudes dans les paumes :

— Est-ce que vous allez en parler à Tom ?

— Parler de quoi ?

— Que vous m'avez vue ?

— Je n'en vois pas la nécessité, déclara Schneider en commençant à se lever.

Elle lui saisit la manche et remarqua :

— Vous ne m'aimez pas beaucoup.

Elle ajouta brusquement :

— Je vous en prie, ne lui faites pas de mal.

— À qui ? demanda Schneider avec brusquerie.

— Ne lui faites pas de mal. Elle ne le mérite pas.

Elle détourna la tête, déclara de manière précipitée :

— C'est une gosse. Elle veut juste qu'on l'aime. Elle m'a appelée plusieurs fois. Elle m'a dit qu'elle avait transporté ses affaires chez vous. Deux sacs polochon. Elle n'a jamais eu beaucoup d'affaires. Deux sacs polochon et sa petite Austin. Quand j'ai rencontré Tom, je n'avais pas grand-chose non plus. Je m'en moquais qu'il soit plus vieux que moi et qu'il ait beaucoup d'argent. J'avais juste besoin d'être aimée.

— On a tous besoin d'être aimés, reconnut Schneider avec amertume.

Il était debout, il était plus vieux que Cheroquee et il n'avait pas beaucoup d'argent. Il allait s'en aller. Marina était encore assise, elle le tenait toujours par la manche, comme si elle voulait obtenir quelque chose de lui, sans doute quelque chose d'inaccessible, d'impossible à tenir, comme une promesse qu'on se fait à soi-même.

— Je vous en prie, ne lui faites pas de mal. C'est rien qu'une pauvre gosse avec un trop gros cœur.

Il ne répondit rien, mais ne la quitta pas des yeux, se bornant à desserrer les doigts glacés, s'apprêtant à tourner les talons. Marina releva le front et s'entendit se rappeler lentement, sans savoir si c'était sa propre voix ou non, si elle le voulait ou non, si elle s'était résignée ou non :

– Il est passé un soir. Il faisait déjà nuit. Un ou deux jours avant le réveillon. Il voulait voir Tom. C'était urgent. Je lui ai dit qu'il était dans son bureau. Il est monté quatre à quatre.

Schneider s'immobilisa brusquement, comme lorsqu'on se rend compte qu'on a avancé trop longtemps sur de la glace trop mince. Il demanda soudain :

– Monté quatre à quatre. Quel genre de chaussures ?

– Quel genre ?

Elle réfléchit et se souvint sans difficulté. Il portait des Santiag. Aussi loin qu'elle se rappelait, le jeune homme portait toujours des Santiags. Son côté manouche, certainement. Des santiags et un vieux blouson flight. Elle aimait bien Francky, parce que lui aussi avait conservé quelque chose de propre et de farouche, qui en faisait à tout jamais un gosse de pauvres. Elle dit, sans hésiter :

– Une vieille paire de santiags. Ils ne sont pas restés longtemps ensemble, puisque j'ai entendu redescendre l'escalier presque tout de suite après, et il est parti, parce que j'ai entendu la moto démarrer et s'en aller.

La jeune femme se leva lentement, par à-coups. Elle avait les doigts gourds et son dos lui faisait mal. Schneider était parti. Il faisait de plus en plus froid. Elle se mit à claquer des dents, puis à trembler de tout son corps. En même temps, elle eut la certitude qu'il ne parlerait pas. Schneider était venu et il était reparti, mais il ne parlerait pas de ce qui s'était dit entre eux, à personne. Elle entra appeler Tom depuis la réserve, mais le numéro était sur répondeur et elle raccrocha.

Schneider reprit la voiture de service. Il ressentait une sorte d'amertume. Il avait fait son métier et conduit habilement son affaire. Il avait appris ce qu'il voulait savoir, ou plus exactement, il avait eu confirmation de ce qu'il soupçonnait. Francky avait revu Tom la veille ou l'avant-veille du flingage. Le jeune homme avait besoin d'argent ou d'une arme pour une raison ou pour une autre, que Schneider finirait par découvrir. Les raisons n'intéressaient pas le policier : il se bornait aux faits. Francky avait besoin d'argent et d'une arme et Tom les lui avait fournis. Schneider se foutait des pourquoi. Il savait d'emblée en l'appelant que, d'une manière ou d'une autre, Marina lui donnerait la réponse qu'il attendait. Ils s'étaient vus, la veille de la mort de Meunier. Le soir du réveillon, Tom avait menti. Tom passait son temps à mentir. Tom mentait tout le temps, à tout le monde. Peu de gens le savaient, mais Schneider ne l'ignorait pas.

Tout en roulant, il se rappela brusquement cet instant, le soir du réveillon, où une jeune femme en colère l'avait regardé droit dans les yeux durant plusieurs secondes. Elle semblait au loin et il avait éprouvé une brusque souffrance, comme à l'instant précis où il avait senti la lourde balle de fusil-mitrailleur le frapper de plein fouet. Deux trajectoires s'étaient alors percutées sans vraie raison. Il n'avait rien à faire là. Elle non plus.

Il consulta sa montre à l'intérieur du poignet. La nuit tombait. Encore deux heures avant que la petite Austin n'apparaisse à l'entrée du parking. Encore deux heures avant qu'il ne se laisse tomber dans l'habitacle qui sentait la cigarette blonde, la quinine et son odeur à elle, qui la mettait en rage mais à laquelle elle ne pouvait rien. Schneider avait en charge une enquête criminelle. Au bout de la ligne de mire, il y avait un jeune homme qui risquait la peine de mort et d'un autre côté, il y avait un homme qu'on allait enterrer. Un flic qu'il n'aimait pas particulièrement et qui n'était à tout prendre qu'un policier médiocre. Schneider roulait en fumant avec seulement en tête le moment où elle tournerait le visage vers lui et lui offrirait sa grande bouche sombre et l'éclat de ses yeux rieurs.

C'était devenu comme un cancer qui le rongeait.

Jamais il n'avait eu besoin de personne.

Jamais il n'avait compté pour personne.

Jamais il n'avait été aussi près d'abandonner.

Dès qu'il entra dans son bureau, Nello l'accrocha tout de suite. Il avait retourné le terrain et à présent, il avait la certitude que Bubu Wittgenstein était mouillé dans la combine des lingots. Par téléphone, Nello avait retrouvé la trace de Chiquito du côté d'Aubervilliers. Le quatrième couteau de Bubu négociait un plan avec une bande de bicots. Manouches et bicots ne font pas bon ménage, sauf lorsqu'ils se découvrent des intérêts communs. Ils s'étaient découvert des intérêts communs. Schneider écoutait machinalement. L'affaire en était pour l'instant au stade de ce qu'on appelle *faire un portefeuille* : une affaire qu'on garde au chaud, qu'on laisse mijoter, ne serait-ce que pour le jour où on n'aurait rien de mieux à faire, ou que les statistiques commanderaient d'urgence un coup pour les remonter.

Parmi les messages qu'on lui avait laissés, il y en avait un de la morgue, que Schneider appela aussitôt en regardant la nuit, dehors, et l'éclat orangé des lampadaires au sodium. Terrier lui fit savoir que le corps de Meunier avait fait l'objet d'une autopsie médicale dès son décès et que, dès lors, en tant que médecin légiste, il ne voyait pas l'intérêt de procéder à une autopsie judiciaire, qui de toute façon n'apporterait rien de plus. Le certificat qui accompagnait le corps stipulait noir sur blanc que le décès avait été causé par des blessures par arme à feu. Mais c'était Schneider qui avait l'affaire en main, et c'était à lui de décider, n'est-ce pas ? Comme il agissait en matière de commission rogatoire, Schneider en référa au juge, qui se rendit à l'avis de Terrier, sous réserve que la défense donne son accord. Schneider appela donc Me Thomassot, qui lui déclara qu'il pouvait aller se faire foutre, lui et son autopsie de merde et que la défense n'avait nullement l'intention de s'opposer à la décision que lui, Schneider, prendrait, tout seul avec sa bite.

Schneider raccrocha, consulta sa montre à l'intérieur du poignet. Une heure encore avant la fin de service. Pas le temps de se rendre au tribunal et de revenir. Il appela donc la juge Meunier et lui annonça que, ayant renoncé à une seconde autopsie, le corps de l'inspecteur principal Meunier se trouvait à présent à disposition de la famille au dépositoire municipal. La femme le remercia avec une sécheresse notable et une froideur distante. Elle lui annonça que la préfecture avait renoncé à tout hommage particulier. Schneider lui présenta des respects, auxquels elle ne répondit pas. Elle aussi avait commencé à dériver loin des terres habitées. Schneider se leva, regarda machinalement le parking et les clients qui entraient et sortaient du supermarché en poussant ou en tirant leur caddy, vide, à demi-vide ou plein à ras bord.

Il avait seulement envie de s'asseoir dans le divan avec un verre et de la voir aller et venir comme chez elle, avec seulement une vieille chemise à lui plus ou moins entrouverte et ses mules à talons à elle. Il y avait chez la jeune femme un pathétique désir de plaire, qui rendait son expression presque enfantine et souvent comme boudeuse. Elle voulait qu'il la désire à chaque instant et y parvenait fort bien. Dumont apparut, les lunettes en haut du front et le visage chiffonné. Il dit :

– Le photographe ne veut rien savoir. Il reconnaît que Bugsy lui a donné à tirer un rouleau de pellicule Ilford 24 × 36, etc., mais il refuse de remettre les négatifs. Il exige un mandat de perquisition. Je lui ai dit qu'en droit français, ça n'existait pas. Il m'a répondu qu'il s'en foutait, qu'il ne donnerait rien, sauf à Bugsy.

– Vous lui avez dit que Bugsy était mort ?

– Non.

– Un point pour nous, estima Schneider.

Il consulta sa montre, compara l'heure à la pendule. Dans moins d'un quart d'heure, la petite Austin apparaîtrait en roulant trop vite, comme de guingois. Schneider contempla la nuit un instant. Dumont s'était fait mettre, mais il avait conservé l'avantage. En ne révélant pas la mort de Bugsy, il avait gardé un atout dans sa manche. En temps normal, Schneider aurait ramassé un subordonné, Dumont, en l'espèce, il aurait pris une voiture et déboulé chez le photographe séance tenante. En temps normal. Il ne se sentait pas en temps normal. Il ressentait une immense lassitude et il savait à quoi l'attribuer. Il décida :

— Demain, il fera jour.

L'interphone grésilla et la voix nasillarde du planton se fit entendre.

— Une dame pour vous, à l'accueil.

— Faites monter, commanda Schneider machinalement.

On tapa à la porte, mais ce ne fut qu'une sorte de frôlement. Quand c'est un flic, même de base, on sent une sorte d'autorité, de distance. Un flic tape à la porte parce qu'il le faut bien et agit sans détour. Schneider dit d'entrer à mi-voix.

Elle entra.

Il fut debout d'un bond.

Tout de suite, elle eut l'air de s'excuser :

— Je voulais attendre en bas, mais on m'a dit de monter.

Personne ne prononça un mot. Cheroquee était belle, seulement belle. Ses longs cheveux épais lui allaient presque à la taille, elle portait un pull en mohair noir, un blouson de cuir et un jean qu'on aurait dits peint à même la peau. Elle portait aussi des bottines à talons hauts. Elle avait tout calculé pour lui, elle s'attendait seulement à ce qu'on l'invite à s'asseoir dans le hall où elle se serait installée sans rien dire à l'attendre, au lieu de quoi le planton lui avait dit de monter en la suivant des yeux jusqu'à l'ascenseur. À présent, elle se trouvait dans ce bureau, où des hommes la regardaient avec ébahissement. Schneider fut le premier à revenir à lui et déclara avec gêne, en guise de préambule :

– Cheroquee.

Il chercha ses mots. Les autres ne la quittaient pas des yeux. Elle avait presque l'impression de se trouver à poil devant eux et que cela ne déplaisait pas vraiment à Schneider. Le premier terme qui lui vint à l'esprit fut *ma* femme, *je vous présente ma femme,* mais Cheroquee ne lui appartenait pas. Elle n'appartenait à personne qu'à elle-même. Il dit :

– Voilà. Comme ça vous savez.

Alors seulement, il fit les présentations en règle. Le type qui avait l'air d'un professeur était l'inspecteur Dumont, le bandit corse se nommait Nello. Manquaient à l'appel Charlie, qu'elle connaissait déjà, et Courapied, que personne ne connaissait. Un grand escogriffe en complet gris trois pièces entra, faillit ressortir mais Schneider lui fit signe de rester. Il avait un visage taillé à la serpe et un regard très bleu, presque transparent et parfaitement sinistre, mais s'inclina en un semblant de baisemain devant la jeune femme. Inspecteur Müller, dit La Mule.

Tout en ramassant son arme dans le tiroir, Schneider suggéra que puisqu'on y était, autant aller fêter ça aux Abattoirs. En descendant les marches de l'hôtel de police, il passa le bras autour des épaules de la jeune femme, qui glissa le sien autour de la taille de *son mec*, sous la veste de combat. Elle sentait la crosse du .45 contre sa hanche et éprouva une sorte d'excitation qu'elle connaissait bien. Il faisait un froid de gueux et ils avançaient serrés l'un contre l'autre, à pas vifs, dans la vapeur d'eau de leurs respirations mêlées. Elle parla à l'oreille de Schneider, qui rit distinctement. Par instants, la jeune femme était capable de propos d'une rare obscénité.

Ils prirent une table à l'écart et commandèrent tout à tour. Dagmar les servit puis demanda à parler à Schneider en particulier. Cheroquee les regarda s'éloigner jusqu'à l'autre bout du bar, puis s'accouder et se parler au visage, presque tête contre tête. Il y avait dans ses yeux ardoise l'expression endormie mais féroce du doberman femelle auquel un imprudent, sans doute passablement irresponsable, aurait eu l'intention même fugace de piquer sa gamelle. Dagmar dit d'une voix sourde, qui n'était destinée qu'à Schneider :

— Faites gaffe : vous avez un contrat au cul.

Schneider l'observa. Elle avait le regard inquiet. Elle n'avait jamais caché à personne ce qu'elle ressentait pour lui. Elle savait ce qui les séparait, surtout lorsqu'elle avait aperçu entrer, au bras de Schneider, la fille en blouson qu'elle ne parvenait même pas à haïr vraiment. Il suffisait de voir comment ils se regardaient l'un l'autre pour comprendre que personne n'avait plus la moindre chance alentour, tout simplement parce qu'il n'y avait plus d'alentour pour eux à des kilomètres à la ronde. Elle insista :

— Prenez pas les choses à la légère. Stern est un sale con, mais il a des amis.

— Grand bien lui fasse, déclara Schneider.

— Le groupe stups est par terre. Ils disent que c'est votre faute.

— En partie, exact, reconnut Schneider d'un ton amer.

Il se rendit compte qu'ils se parlaient à voix basse, de côté et la bouche presque immobile, comme les taulards condamnés aux longues peines. Elle murmura, avec autant d'amertume :

— On en entend des drôles, quand on rend la monnaie.

Schneider remua les épaules. C'était pas dans la règle que des flics s'en prennent à un autre flic. On pouvait se rentrer dans la gueule, éventuellement se foutre sur la figure, mais les choses allaient rarement plus loin. Rarement. Dagmar dit :

— Ils sont en train de se monter le bourrichon les uns les autres. Il y aurait des additions qui vont se payer. Faites gaffe, Schneider.

— On lui en parlera, promit celui-ci en se redressant.

Il entendait signifier ainsi que l'entretien était terminé et que tout avait été dit. Dagmar resta près de la caisse et le suivit des yeux jusqu'au moment où il se rassit à côté de la jeune femme, l'attira contre lui et posa le front dans ses cheveux. Avec une grimace de souffrance, Dagmar eut la certitude qu'il n'y avait plus personne autour d'eux à des années-lumière, alors elle alla à la machine se servir un verre d'eau glacée et le but debout lentement, à petites gorgées, le temps que la douleur s'estompe presque complètement et redevienne presque supportable.

Dans la nuit, elle se réveilla et sentit qu'il ne dormait pas. Il sembla à Cheroquee qu'il montait la garde. Au jugé, elle lui frôla la jambe. Puisqu'ils étaient réveillés, autant allumer la veilleuse et en fumer une, ce qu'ils firent. Cheroquee remarqua d'un ton paresseux, mais néanmoins menaçant :

– Votre gonzesse, tout à l'heure, j'ai eu envie de lui arracher les oreilles à coups de dent. Si j'en avais pas des plus beaux qu'elle, je lui en voudrais à mort.

– Pas de raison de lui en vouloir.

Il lui frôla le sein du bout de l'index. Elle trembla de pied en cap.

– Recommencez pas, ou il va falloir vous y remettre, prévint Cheroquee.

Schneider rit. Lorsqu'il riait, il avait l'air plus jeune, mais aussi plus démuni et comme rempli de désarroi. On aurait dit qu'il éprouvait de la gêne, ou de la crainte. Il écrasa sa cigarette et se mit en chien de fusil contre elle, nichant le nez sous son aisselle. Il n'avait rien contre le fait de s'y remettre, il était même fin prêt, mais il avait aussi envie de sentir son odeur et la lourde pulsation de son sang sous ses lèvres. Il avait fait du chemin, beaucoup de chemin, il lui semblait à présent être arrivé en vue de la terre promise.

Souvent, dans la pénombre, il parlait à mi-voix. Il parlait à sa jugulaire, il parlait à son flanc ou à ses genoux, ou à son ventre plat et nu. Il ne lui parlait jamais en face. Il ne savait pas parler en face. Il se souvenait parfois de choses qu'il avait crues oubliées pour toujours. Il lui raconta comment son père et sa mère s'étaient rencontrés à un concert spirituel, dans une église où il devait faire dix degrés sous zéro. C'était alors une jeune pianiste qui donnait des concerts dans toute l'Europe et lui était instituteur. Ils avaient eu le coup de foudre, disait-elle d'un ton toujours distant. En juin 1940, l'homme avait pris sa femme et son fils sous le bras et avait gagné Londres en chalutier. Il avait fait de l'acrobatie aérienne avant guerre pour arrondir les fins de mois. Il avait donc été l'un des premiers pilotes des Forces françaises libres. Par rapport aux autres, c'était déjà un vieil homme puisqu'il avait déjà presque trente ans. Il avait survécu à la guerre. Fin 1953, il avait décollé d'une piste indochinoise sur son Corsair à bout de souffle. Schneider dit d'une voix sourde :

– Il savait qu'il était foutu et l'avion aussi. Pendant la bataille d'Angleterre, les pilotes faisaient jusqu'à sept ou huit missions par jour. Ils tournaient tous à la benzédrine. C'étaient des gosses, des gosses de dix-huit ans qu'on envoyait se faire tuer l'un après l'autre. À cause de l'oxygène pur qu'on leur faisait respirer en altitude, il avait eu les poumons brûlés. Il avait donc décollé avec un ailier pour sa dernière mission. Ensuite, ce serait le médecin chef et l'interdiction de vol. L'hôpital.

Cheroquee retint son souffle en le serrant plus fort contre elle.

Elle comprenait mieux à présent les comprimés qu'elle avait trouvés dans l'armoire de toilette de Schneider. Elle ne les avait pas cherchés. Ils venaient de loin et Schneider rejouait une vieille histoire. Le risque majeur était celui du passage à l'acte. Il reprit avec lenteur :

– Vol horizontal. Temps splendide, cinq nœuds de vent. La jungle en bas à perte de vue. À un moment, l'ailier a remarqué que l'avion du chef d'escadrille commençait à grimper à plein moteur vers le soleil. Il a tenté de le joindre mais la radio avait été coupée. Il a vu distinctement le pilote tourner la tête dans sa direction. Il n'avait donc pas perdu conscience. Il a ensuite vu le Corsair monter presque jusqu'au moment du décrochage, puis le pilote avait anticipé et effectué un long virage à gauche avant de se mettre à piquer droit vers le sol. Le temps de comprendre et de faire demi-tour, l'appareil s'était écrasé quelque part sans laisser la moindre trace.

Schneider se tut, et reprit bien plus tard :

– On n'a jamais rien retrouvé, ni de l'avion, ni du pilote. L'armée lui a fait des *obsèques synthétiques*, c'est-à-dire qu'il n'y avait rien dans le cercueil. J'avais quatorze ans, j'étais en pension. Le proviseur m'a fait convoquer pour m'annoncer la disparition du colonel Schneider. Je devais être fier, mais il ne m'a jamais dit de quoi.

Il eut un long silence pensif, puis Cheroquee ne put s'empêcher de demander :

– Vous avez toujours votre mère ?

Schneider garda le silence. Si elle était morte, il l'aurait su, ne serait-ce que par le notaire. Cheroquee lui caressait doucement le visage et il lui happa le bout des doigts. Il se rappela avec une fierté sans mélange comment ses hommes l'avaient regardée lorsqu'elle avait pénétré dans son bureau. Il rit doucement et se souvint :

– Quand vous êtes rentrée, j'ai failli dire *ma femme. Voilà ma femme.*

– Pourquoi vous ne l'avez pas fait ?

Il hésita.

– Je ne m'en suis pas senti le droit.

– Le droit ? Comment ça, le droit ?

Elle avait balancé le duvet et enjambé *son mec*. Tout en l'installant en elle, Cheroquee avait grogné d'un ton farouche, les mâchoires soudées :

– Je vais vous montrer, moi, si vous n'en n'avez pas le droit.

14

Il y eut d'abord au loin, dans les tréfonds de l'Usine plusieurs borborygmes hésitants, des pets grognons et peu articulés et dont on pouvait penser qu'il s'agissait d'illusions acoustiques. Dont chacun dans le bureau pouvait espérer qu'il ne s'agissait que de pures et simples illusions acoustiques. Sauf Schneider, qui demeura impassible, le visage absent, chacun rentra la tête dans les épaules, lorsque, après quelques trilles d'une insolence calculée, commença à se développer puis à sinuer dans le lointain, assourdi mais distinct, le sublime glissando de la magnifique intro de la *Rhapsody in Blue* de Gershwin.

– Il a recommencé, déclara laconiquement Müller.

– C'est encore sur nous que ça va retomber, regretta Charlie Catala avec abattement. Vous allez voir que Dieu va encore nous tenir pour responsables.

– Merde, fit Nello. Ça faisait longtemps.

– Personne n'a jamais pensé à lui confisquer son instrument ? s'inquiéta Dumont.

– De quel droit ? demanda sèchement Schneider en relevant les yeux. Monsieur Dumont, pouvez-vous me citer un seul article du code pénal qui donne autorité pour procéder à confiscation, je vous prie ? Même dans le code de la Santé publique, ou celui des Douanes, rien ne prévoit le cas.

Son ton sévère, presque professoral, indiquait clairement que Schneider se foutait du monde. Il s'accouda et ajouta :

– Je dois vous signaler également que toute confiscation que ne prévoit pas explicitement le code peut s'assimiler à un vol. Un vol aggravé s'il est commis par un dépositaire de la force publique. Donc.

– Donc, pas de saisie possible, ricana Charles Catala.

304

L'inspecteur Courapied détenait en toute légalité une clarinette en *la*, dite clarinette soprano, pourvue d'une anche dure, qui lui permettait une sonorité rauque et incisive, adaptée à son usage dans les sous-sols de l'Usine. Au cours de ses incessantes pérégrinations, l'inspecteur Courapied avait découvert tout un tas de gaines montantes, en tôle comme en fibrociment ou en matière plastique, lesquelles conduisaient un grand nombre de tuyaux et de câbles, depuis les soutes du navire jusqu'aux ponts supérieurs. Il avait repéré l'une d'entre elles en particulier, qui conduisait directement le son jusqu'à la suite de Dieu. Pour des raisons personnelles sur lesquelles il n'avait jamais entendu s'expliquer, l'inspecteur Courapied éprouvait une haine muette et farouche pour le commissaire central Alvarez.

De temps à autre, de manière imprévisible, Courapied se postait donc à la trappe de la gaine montante, se chauffait les lèvres en même temps que son instrument, lâchait quelques perles comminatoires, puis se lançait dans un long solo déchirant. À l'étage, Alvarez bondissait de son fauteuil. Le son semblait provenir de nulle part et sonnait clairement et nettement comme une provocation. Alvarez surgissait dans le secrétariat en hurlant. La secrétaire ne prenait même pas la peine de lever le nez. Elle n'avait aucune idée de qui avait pu faire quoi. Dans la partie qui se jouait, elle entendait demeurer d'une stricte neutralité. En furie, Dieu fonçait dans le couloir et débarquait chez le chef du groupe criminel. La porte s'ouvrait au large et claquait contre le mur. Parfois, elle manquait lui revenir dans la figure. Alvarez bafouillait, s'étranglait de colère. Schneider levait à peine le visage et s'enquérait avec une courtoisie indiscutable, mais quelque peu sarcastique :

– Oui ? C'est à quel sujet, monsieur le central ?

Schneider en tête, ils tendaient tous l'oreille. Courapied semblait doté d'un souffle inépuisable et d'une détermination sans faille. Il en était aux dernières notes du pathétique

glissando ascendant, menant du *do* au *mi* aigu, et lui conférait une sorte de rude désenchantement, que Schneider appréciait à sa juste valeur, tout en guettant la porte. D'un instant
à l'autre, Dieu allait faire son apparition en vociférant.
Schneider lui opposerait son exaspérante civilité. Alvarez parlerait de révocation, d'indignité, d'atteinte à la notion même
de service public, le tout dans le plus parfait désordre. Brusquement, le silence se fit et chacun put craindre que Courapied se fût fait serrer par les kébours. Dumont revint à lui le
premier et tendit le ticket à Schneider.

— Le photographe.

— Oui, se rappela Schneider, les sens aux aguets.

Déjà, des portes battaient au loin. On sentait la maltrai-
tance. Schneider prit le parti de se lever, de glisser son pistolet à l'étui et de ramasser sa veste de combat sur le dossier
de son fauteuil. Il laissa errer son regard sur le petit cercueil
posé devant son sous-main. Il laissa donc tout le temps à Dieu
d'arriver. Celui-ci fit irruption à l'instant même où Schneider
se dirigeait vers la porte en enfilant sa veste, tout en conser-
vant tout de même une distance de sécurité entre le battant qui
n'allait pas manquer de s'ouvrir à toute volée et sa propre personne. La porte parut exploser. Alvarez ouvrit la bouche pour
hurler — il était tout de même Commissaire central et Directeur départemental des Polices urbaines —, mais il n'en eut pas
le temps. Le visage préoccupé, Schneider lui fila devant en le
saluant au passage et ses troupes le suivirent comme un seul
homme. Ils avaient du taf, et entendaient le faire, envers et
contre tous. À mi-couloir, Schneider se retourna brusquement
et se souvint :

— Soyez sympa : refermez la porte en sortant, monsieur le
central.

Le photographe s'appelait Salmson. Comme les voitures
Salmson, oui. Non, il n'y avait aucun lien familial, du moins
à sa connaissance. Son officine était petite, étroite et basse

de plafond. Salmson portait de grosses lunettes d'écaille aux verres très épais qui lui faisaient de gros yeux de grenouille, une blouse grise de quincailler tenue à la taille par une ceinture de cuir usagée. Il avait les doigts jaunis d'hyposulfite. Il menait un combat perdu d'avance contre la calvitie et campait sur des positions solidement établies : pas de mandat, pas de négatifs.

Ceux-ci étaient la propriété d'un certain Bugsy, dont il ignorait tout, y compris le patronyme exact. Schneider soupira faiblement. Dumont le vit sortir une liasse de clichés Polaroïd de sa poche de poitrine et les étaler comme une donne de poker sur le comptoir. Le choc des mots, le poids des photos. Schneider croyait peu aux vertus des mots. Il arrangea les clichés avec une minutie sadique. Il dit, avec flegme :

– Bugsy. Bugsy en pièces détachées. Ce que vous voyez là, c'est un morceau de son pariétal gauche. Une partie de la face demeure cependant reconnaissable.

Schneider releva les yeux, transperça l'autre d'un regard inflexible.

– Reconnaissez-vous le soi-disant Bugsy, sur la photo que je vous présente ?

– Ou-i, articula Salmson avec difficulté, le regard fuyant dans toutes les directions.

– En êtes-vous certain ? Regardez bien. Il me faut une identification formelle, susceptible d'être utilisée devant un jury d'assises.

En même temps, il lui mit le cliché sous les yeux, à moins de vingt centimètres. Les flics ont l'habitude des photos d'autopsie, pas les civils. N'y tenant plus, Salmson alla vomir dans la corbeille à papier. Lorsqu'il se retourna en s'essuyant avec la manche, il clignota plusieurs fois en code phare et demanda au jugé :

– Il est mort, c'est ça ?

– Très mort, admit Schneider en tendant la main, paume en l'air.

307

Salmson fourragea dans un bac sous le comptoir, laissa tomber une pochette cristal dans la main de Schneider en prévenant :

– Me demandez pas ce qu'il y a là-dedans, je n'en sais rien.

– C'est ça, grinça Dumont.

– Garde à vue, soupira Schneider en sortant les menottes de sa ceinture.

Il était dix heures dix à sa montre, neuf heures moins cinq à la pendule de la boutique.

Quand il rentra à l'Usine avec Salmson en remorque, Schneider apprit que le stand de tir avait appelé. En contrôlant les registres, il apparaissait que les gens du groupe criminel n'avaient pas effectué leur tir annuel réglementaire. Schneider fit le tour des volontaires et n'en trouva pas. Il confia Salmson pour audition, aux bons soins de Müller. S'il y avait quelque chose à savoir, celui-ci l'apprendrait du seul fait de son étrange regard spéculatif, qui semblait s'attacher à localiser chez le suspect chaque organe ou fraction d'organe, chaque articulation, chaque centre nerveux, le moindre tendon dont la manipulation méthodique et raisonnée était susceptible de provoquer une intolérable souffrance.

Müller n'avait jamais torturé personne et d'ailleurs n'y songeait pas.

Son étrange regard flegmatique suffisait.

Schneider avait chargé Charles Catala de déposer les négatifs saisis au laboratoire photo de la PJ, avec pour mission de les faire tirer d'urgence en format 13 × 18 et d'en constituer un classeur aux feuillets numérotés, destiné à être éventuellement joint à la procédure. Il avait ensuite récupéré trois boîtes de cartouches, ramassé un storno sur le rack de rechargement et annoncé en sortant qu'il restait en veille radio.

Routine.

Au stand, normalement, on ne tire pas de la cartouche .45 et surtout pas de la munition à ogive blindée. On ne tire pas non plus entre les heures d'ouverture et en l'absence d'un moniteur directeur de tir. Normalement, seul celui-ci pouvait mettre à jour les carnets de tir des fonctionnaires de police. On ne tirait pas non plus à l'arme de guerre. Le Colt .45 est une arme de guerre. Le planton avait néanmoins laissé entrer Schneider, puis verrouillé la porte blindée derrière eux. Il avait allumé le pas de tir et vérifié le mécanisme des cibles de tir rapide. Durant deux ou trois secondes, la cible apparaissait brusquement, représentant la silhouette menaçante d'un homme de face avec les zones létales que l'on devait toucher, soit la tête et le plastron. Avec un claquement sec, le porte-cible pivotait, la cible disparaissait.

Puis réapparaissait.

Durant le bref laps de temps qu'elle se présentait de face, le tireur devait aligner son arme, faire feu et toucher.

Schneider avait une manière de procéder qui n'appartenait qu'à lui. Il demeurait debout, les deux pieds parallèles campés au sol, à l'aplomb des épaules. Il gardait le dos et les épaules droits. Schneider tirait comme il conduisait, les mains gantées. Au top de départ, il remuait les doigts comme pour les dégourdir et son visage revêtait un air absent.

Dès que la cible apparaissait, le .45 grondait. Schneider tirait à bras tendu, la main droite dans la paume de la gauche afin de compenser le recul. Il tirait coup sur coup, aussi vite que le mécanisme semi-automatique le permettait. Pas la moindre simagrée, rien de chorégraphique. Schneider tirait rapidement, presque avec dédain. Rapide, méthodique et précis. Puis la cible s'effaçait et il changeait de chargeur et remettait l'arme à l'étui jusqu'à la prochaine fois.

Schneider tirait dans les conditions de combat, sans casque sur les oreilles.

Il remplissait chaque chargeur à sept cartouches et non cinq, comme le prévoyait le règlement. Schneider tirait pour tuer, doublant systématiquement chaque impact. Ceux-ci finissaient par faire dans le papier de la cible une plaie aux bords déchiquetés de la taille d'une boîte d'allumettes de ménage. Contrairement aux règles du tir de police, il tirait à vingt-cinq mètres, soit la distance habituelle du tir sportif, très au-delà de la zone de mort d'un flic en civil qu'on estime à dix mètres.

En fin de séance, il ramassait les douilles une par une, les remettait entre les croisillons de leurs boîtes. Puis il allait récupérer la cible, qui ne comportait généralement pas de surprise majeure, la froissait en boule et la jetait à la corbeille. Ensuite, il passait dans la petite pièce qui servait à l'entretien des armes, signait lui-même les carnets de tir en toute illégalité, démontait, nettoyait, graissait et remontait son pistolet. Il en vérifiait ensuite le fonctionnement à vide – deux coups de sécurité, actionnant posément la glissière deux fois de suite en direction du plafond, afin de s'assurer que l'arme était vide, aussi bien la culasse que la crosse. Enfin seulement, il remplissait son chargeur à sept cartouches, le renfonçait dans la crosse et mettait l'arme à l'étui. La fête était finie, pour autant qu'il y ait eu fête. Le planton déverrouillait, saluait et Schneider s'en allait sans avoir ajouté quoi que ce soit. À aucun moment, il n'avait manifesté le moindre entrain, la moindre satisfaction, le plus petit contentement de soi.

Au stand, Schneider avait l'air d'un zombie, dont le regard était en permanence tourné vers l'intérieur. Il avait les yeux morts. Ce qu'ils semblaient voir, nul ne se serait senti incité à en connaître la nature, de près ou de loin.

À mi-chemin entre le stand et la voiture de service, au moment où il allait regagner celle-ci, le storno retentit. Une grande brassée de corbeaux tournoyait au-dessus d'un bosquet dénudé faisant office de décharge sauvage, criaillant dans l'air froid et se disputant sans doute quelque charogne décharnée et raide de gel. Comme Schneider tardait à répondre, la voix de Catala se fit plus pressante :

310

– Autorité, autorité, faites retour immédiatement au service.

Pour faire bonne mesure et en dépit de la discipline radio qui interdisait tout commentaire superflu, le jeune flic ne put s'empêcher d'ajouter avec précipitation :

– *Faites retour, on a une emmerde...*

Le silence régnait dans le bureau, tandis que les photos se tendaient de main en main, encore raides tièdes d'être passées à la glaceuse. Bugsy valait ce qu'il valait en tant que dealer, mais c'était un photographe de grande qualité. Il travaillait avec du matériel de grande qualité et un téléobjectif au piqué exceptionnel. Nikon-moteur avec dos dateur. Du matériel de professionnel, qui avait fait l'objet d'une déclaration de vol des mois auparavant. L'appareil pouvait tirer à quatre images par seconde, ce qui lui donnait une autonomie de neuf secondes par bobine. Bugsy avait utilisé une seule bobine, qui comportait trente-huit et non trente-six vues. Salmson avait fait un travail d'une qualité remarquable, il se faisait une fierté de développer chaque bobine une par une et non à la machine automatique.

C'était l'empilement de toutes ces qualités qui mettaient les flics dans une merde noire, Schneider pour commencer en tant que chef de groupe de la Criminelle. Schneider s'était planté dans les grandes largeurs. Ces putains de photos en faisaient foi. Bugsy avait utilisé de la pellicule haute sensibilité, mais l'éclairage cru de la station garantissait à soi seul une luminosité exceptionnelle. On voyait bien la Harley avancer, le type béquiller. On voyait bien l'Alfa paraître dans l'image. On voyait bien Meunier s'approcher du soi-disant Francky. Montrer quelque chose à bras tendu. Et subitement, les images semblaient procéder par saccades. Pour une raison inconnue, Francky remontait du poignet la visière de son casque. Sur l'image suivante, on le voyait reculer d'un pas, sur la suivante encore, il avait un pistolet au poing, on voyait une flamme de départ au bout du canon. On voyait surtout qu'il avait détourné un instant le visage dans la direction générale de l'appareil, sans doute surpris par le fracas de la détonation et la puissance du recul.

À l'évidence, le soi-disant Francky n'était pas Francky. Sous le casque, dans le blouson de Francky se tenait une femme au visage émacié d'une effrayante maigreur. L'image même de la mort avec à la bouche un rictus immobile, immémorial, oublié sur place comme une preuve à charge. En silence, on se passa et se repassa les quatre photos prises en rafale où on voyait la femme de manière claire, distincte, évidente. Francky n'était pas Francky. Le jeune homme n'avait pas pu tuer Meunier. Quelqu'un d'autre l'avait fait à sa place.

Il y avait un innocent au trou et quelque part une criminelle en liberté.

Personne ne se sentit le courage de parler avant que Schneider n'eût dit quelque chose. Celui-ci semblait hébété, sonné, comme compté K-O. Il ramassa une cigarette à tâtons, la porta à ses lèvres et l'alluma. Il contemplait encore et encore l'image devant ses yeux. On aurait presque dit que la morte et lui se parlaient. En un sens, c'était le cas : Schneider avait l'horrible certitude de connaître la femme de la photo. Il comprenait peu à peu que, où qu'on aille et quoi que l'on fasse, on n'en finissait jamais de payer certaines additions. Qu'aussi haut que l'on volait, qu'aussi loin qu'on allait, on finissait toujours par tomber.

Qu'on ne faisait jamais qu'aller à une fin prochaine.

Au bout d'un long moment, il décrocha son téléphone avec beaucoup de lassitude et demanda à parler au procureur Gauthier. Il lui fallait le voir dans l'instant.

Le procureur Gauthier avait en main le procès-verbal de renseignements relatant les recherches que le groupe criminel avait effectuées immédiatement lors de l'interpellation de Francky. Le document était signé de l'inspecteur Schneider et la manière systématique et détaillée dont il était rédigé portait sa marque. C'était un rapport destiné à faire connaître à l'autorité judiciaire ce que l'on savait sur le suspect au moment des faits. Il en ressortait que l'inculpé avait quitté son dernier domicile connu plus de deux ans auparavant. Parti sans laisser d'adresse. L'enquête de voisinage avait établi que le jeune homme occupait alors le studio bourgeoisement, et qu'il n'y recevait guère.

Il était alors employé en tant que jardinier-paysagiste à la ville. Il avait subitement abandonné son emploi sensiblement en même temps qu'il avait quitté son dernier domicile connu. Il n'était même pas venu récupérer son chèque de fin de mois. Selon les renseignements recueillis à l'ANPE locale, il n'y était pas inscrit en tant que demandeur d'emploi.

Aucun élément ne permettait d'établir de manière tangible que le sieur Francky Reinart entretenait des relations criminelles ou délictuelles avec des éléments connus de la délinquance ou de la criminalité locale. Les consultations d'archives, tant locales que nationales, avaient établi que le sieur Reinart était connu des services de police, pour des faits d'homicide volontaire, faits entièrement couverts par l'état de légitime défense. Il n'y avait pas eu de condamnation. Par la suite, le jeune homme n'avait jamais été entendu par les services de police ou de gendarmerie, aussi bien en qualité d'auteur, que de complice ou de témoin, ou poursuivi pour infraction à la législation sur les stupéfiants.

Il n'était cependant pas douteux qu'il connaissait l'inspecteur principal Meunier et ne pouvait ignorer sa qualité de policier. Rien ne pouvait expliquer son geste. Ils étaient quatre dans le cabinet du procureur Gauthier. Il y avait Schneider assis, les épaules basses et qui fumait en silence en regardant à ses pieds. Nul n'aurait songé à lui interdire de fumer, tant il semblait las et accablé. Il y avait Gauthier, mais il y avait aussi le magistrat instructeur, le juge Courtil et la juge des enfants, la dame Meunier. Elle tenait entre les doigts l'une des photos sur laquelle la femme au visage grimaçant et sans âge tirait sur l'inspecteur principal Meunier. On voyait Meunier accuser le coup. La netteté glaciale du cliché ne laissait aucun doute. Elle releva les yeux, Schneider fumait en silence.

Un autre homme perdu. Un homme perdu pour lui-même.

À l'égard de cette sorte de perdition, il n'existe pas de salut possible.

Gauthier déclara d'un ton sec :

– Arrêtez de vous flageller, Schneider. Vous n'avez rien à vous reprocher. À votre place, n'importe qui aurait conclu la même chose.

– N'importe qui, souligna Schneider d'une voix sourde.

– En tant qu'OPJ, vous êtes n'importe qui, ajouta Gauthier. En tant qu'homme vous n'êtes personne. Une pièce grise et anonyme dans une machine sans âme. Vous avez fait ce que vous aviez à faire, et ni vous ni nous n'avons rien à nous reprocher.

Schneider secoua lentement la tête. Bien sûr, qu'il n'était personne. Il n'en avait jamais douté un seul instant. Il avait seulement tenté de tracer un chemin droit et juste. Il s'était tout de même trompé. À cause de cette erreur, qui n'était qu'une simple faute, un homme avait risqué la mort. Dagmar, dans sa longue et amère sagesse de putain, Bubu, dans sa rude sagacité de truand qui s'y connaissait en hommes pour avoir commencé chez M. Lafont, dans les sous-sols de la Gestapo, la mère même de Francky le lui avaient affirmé sans détour. Francky était ce qu'il était, mais certainement pas un tueur de flics.

Il ne les avait pas écoutés. Pour invraisemblable que cela parût, il pouvait y avoir deux blousons flight, deux casques intégraux, deux motos du même type dans l'ensemble de la galaxie. Schneider n'avait écouté personne, même pas son intime conviction, qui chuchotait à part soi que lui non plus ne croyait pas tout à fait que Francky fût un tueur de flics.

Il tourna la tête vers le juge Courtil et déclara, droit dans les yeux :

– Monsieur le juge, eu égard aux circonstances, je demande à être relevé de l'enquête.

– Pas question, coupa Courtil. C'est vous qui avez commencé, c'est à vous de finir.

Schneider secoua la tête, écrasa sa cigarette.

– On a une idée de la femme ?

– Non, dit Schneider. Entre trente et quarante ans. Cancer ou toxico. Ou les deux.

– On peut supposer cependant qu'il s'agit d'une proche de Francky Reinart.

– À ce stade, on peut tout supposer, murmura Schneider.

Il réfléchit et ajouta, contre son gré :

– De l'avis commun, Francky n'avait pas de petite amie. Personne ne lui a jamais connu de relation féminine.

La juge Meunier se pencha, fit en sorte de capter son regard :

– Je crois savoir que Francky Reinart ne vous était pas inconnu.

– En effet, madame la juge, reconnut Schneider d'une voix sourde.

– Je crois savoir, insista-t-elle, qu'à un moment donné vous en avez été assez proche.

– En effet, répéta Schneider.

Pour des raisons mystérieuses et sur lesquelles il aurait refusé de s'expliquer, même devant une cour de justice, Schneider avait ambitionné de tirer Francky de l'ornière. Il avait senti dans le jeune homme les *restes d'une colère ancienne*, pour employer la formule de Rilke. Outre ses qualités de cavalier d'exception, Francky transportait dans ses fontes, sans y prendre garde, une sorte d'innocence candide, de fidélité à soi et de sauvagerie, qui lui venaient peut-être du fait qu'il était un fils du vent – ou peut-être simplement du fait qu'il était Francky.

Schneider avait tenté de le *sauver*, mais de qui et de quoi, lui qui était bien incapable de se sauver lui-même. La juge Meunier le scrutait toujours. Il comprit alors brusquement que la femme savait. Elle l'avait à présent rejoint de l'autre côté du monde. L'extrême douleur suscite parfois cette sorte de lucidité qui va droit au fond des choses et des êtres et les met aussi nus et sans excuse qu'on l'est sur une table d'autopsie. Sous son regard inflexible, Schneider faillit renoncer. Oui, il savait qui avait tiré. Il ne savait ni le pourquoi ni le comment, mais il savait qui. La chose était d'une limpide imbécillité. Même les aveux de Francky, que Schneider avait pris pour argent comptant, avec cependant un fond de réticence qu'il ne s'expliquait pas bien, ces aveux peu circonstanciés et abrupts s'entendaient brusquement avec une implacable évidence. Francky avait voulu la couvrir. Pour cela, le jeune homme était disposé à aller jusqu'au bout. Schneider se prit la face dans les mains, coudes aux genoux. La juge Meunier sentit sa souffrance et retint la question qu'elle entendait lui poser.

Et à laquelle il n'aurait de toute façon pas répondu.

En le reconduisant dans le couloir, elle demanda :
— Votre hiérarchie est au courant ?
— Pas encore, reconnut Schneider.
— Permettez-moi de vous souhaiter bon courage.

Schneider se borna à hocher la tête. Toutes les additions finissent par se payer un jour ou l'autre. À l'égard de la hiérarchie, la sienne était lourde. Stern venait d'être admis dans une clinique de désintoxication alcoolique et d'un jour à l'autre Escobar allait être révoqué.

— Il paraît que vous avez reçu des menaces, dit-elle lorsqu'ils furent devant l'ascenseur.

— Les nouvelles vont vite, sourit Schneider.

C'était un sourire lent et incolore, comme un sourire d'enfant attardé.

– Les mauvaises toujours, dit la juge Meunier. Les bonnes n'intéressent personne.

Au moment où il entrait dans la cabine, elle lui fit signe de s'attarder :

– On enterre Meunier après-demain dans le caveau de famille. À titre personnel, j'attacherais un certain prix à votre présence, Schneider.

Le policier acquiesça en silence, puis la porte se referma sur lui et la cabine commença à descendre. La juge Meunier resta à l'écoute des grincements de poulie, des cliquetis, des claquements de câble, jusqu'au moment où elle entendit le moteur se couper et la cabine s'ouvrir en bas. Schneider en avait fini de descendre – et peut-être pas.

Lorsqu'il pénétra dans son bureau, le commissaire principal Manière était déjà là, renversé sur la chaise dévolue d'ordinaire aux clients, jambes écartées et les mains croisées derrière la nuque. Il s'enquit, d'un ton qui se voulait indolent :

– Plantage, on dirait.

– Plantage, reconnut Schneider.

Il retira son pistolet de l'étui, le rangea dans le tiroir et prit place à son bureau. Son visage maigre ne trahissait aucune émotion particulière, tout au plus une sorte de lassitude distante qui ne lui était pas inaccoutumée. Il avait réduit sérieusement la dose des saloperies qu'il absorbait d'ordinaire et la descente se révélait plus difficile que prévue. Il prit le temps d'allumer une cigarette. Le Zippo émit son bruit de culasse habituel, comme une sorte de rappel à l'ordre. On était dans un local de police et pas ailleurs. Le regard de Schneider n'évitait pas celui de Manière. Il ne le recherchait pas non plus. Manière s'étira avec calme. C'était un homme très soucieux de son corps et un tennisman de premier ordre. Il demanda :

– Comment vous entendez expliquer à la presse ?

– Rien à expliquer, murmura Schneider.

– La roche Tarpéienne et le Capitole, sourit Manière. Vous allez devoir rendre des comptes, Schneider. Il y a longtemps que vous agacez avec vos grands airs. Il y a longtemps que pas mal de gens vous attendent au tournant.

Il donna un petit coup de menton en direction du cercueil miniature.

– Vous êtes maintenant au tournant.

Schneider n'eut pas le temps de répondre. Peut-être n'en avait-il pas l'intention non plus. Charles Catala entra avec la femme Mortier, qui se tenait les yeux rivés au sol, avec l'air de chercher un chemin quelconque tout en n'ignorant pas qu'elle n'irait plus jamais nulle part. Sans un regard pour Manière, Charlie Catala claironna :

– Votre convoquée, chef. Vous l'opérez à chaud, ou c'est moi ?

– Je prends, décida Schneider.

Il y eut un bref chassé-croisé au cours duquel Manière partit sans politesse, un patron n'a pas à être poli, la dame Mortier prit sa place dans le siège des clients et Charlie Catala se dirigea vers la porte. Tout en attirant la machine à écrire près de lui, Schneider le rappela :

– Charlie, restez, je vous prie.

Il était quatorze heures dix à sa montre – quatorze heures treize à la pendule au-dessus de la porte. Schneider mentionna l'heure de la pendule pour indiquer le moment de début d'audition de la dame Mortier, entendue itérativement en qualité de témoin.

Schneider aurait pu border l'audition en un quart d'heure, et personne ne lui en aurait voulu. Il suffisait de présenter les photos prises par Bugsy sur les lieux du crime à la dame Mortier. Elle aurait pu répondre : je ne sais pas, je ne reconnais pas cette personne. Ou bien : la personne figurant sur ces photos n'est pas celle que j'ai vue quittant les lieux sur sa moto. Ou bien encore : la personne figurant sur ces photos est bien celle que j'ai vue quittant les lieux. Pour traduire les décla-rations des témoins, aussi bien que celles des suspects, les flics utilisent des termes et des formules qui leur sont propres et constituent des sortes d'automatisme. Elles ont pour effet de tendre entre la brutalité des faits et leur traduction sur le papier une sorte de décence involontaire qui, sans trahir les contours, tend à rendre les choses plus supportables.

Schneider avait avancé un cendrier à la dame Mortier, lui permettant implicitement de fumer, ce qui n'est pas toujours le cas dans des locaux de police. Il ne lui avait pas aboyé dessus comme le font les flics aux carrefours. La femme avait remarqué :

— Je ne leur en veux pas, vous savez. Ils font leur métier. Des fois ça m'arrive de traverser en dehors des clous. Des fois, je ne fais pas attention, vous savez.

Il y avait aussi ce jeune flic, que l'inspecteur principal Claude Schneider (elle le savait parce que c'était inscrit sur le cavalier devant lui, à côté de ce drôle de petit cercueil qu'elle n'avait pu s'empêcher de frôler comme à tâtons), que son chef appelait Charlie. La dernière fois, Charlie était descendu lui chercher des cigarettes au tabac et il avait oublié de lui faire payer. Cette fois, elle n'oublierait pas : elle avait serré exprès un billet de dix francs dans son porte-monnaie. Elle tendit de nouveau les doigts.

— C'est quoi ? C'est un jouet ?

— En quelque sorte.

— Je peux ?

— Oui, dit Schneider.

Elle prit le petit cercueil, sentit quelque chose de lourd ballotter à l'intérieur.

— C'est joli, vous l'avez acheté où ?

— Un cadeau, dit Schneider.

— Ah, fit la femme en le reposant avec soin à l'endroit précis où il se trouvait. C'est quand même bizarre, vous ne trouvez pas ? Offrir un cercueil, c'est quand même bizarre.

Schneider garda le silence.

Il lui tendit les photos. Elle les examina lentement, minu-tieusement. Il avait fait chaud, dans la voiture de police, et le jeune flic (Charlie) conduisait avec beaucoup d'adresse dans la circulation du matin. Lorsqu'il avait sonné à sa porte, la femme lui avait juste demandé cinq minutes pour se pré-parer, sans demander *ni quoi ni qu'est-ce.* Souvent, des types au bout du rouleau qu'on vient arrêter au petit matin suivent ainsi sans faire d'histoire. Ils savent que c'est la fin. Pour la plupart, ils le savaient depuis le début. Brusquement la dame Mortier affirma, sans l'ombre d'une hésitation, et même avec une certaine force :

— C'est elle, c'est bien elle sur la moto.

— Vous en êtes sûre ?

— C'est elle, vous savez.

Schneider tapa rapidement, des dix doigts : la personne que vous me présentez sur la photographie est bien celle que j'ai aperçue alors qu'elle quittait la station Université au guidon de la moto, peu après que l'inspecteur principal Meunier eut été abattu. Indifférente au cliquetis précipité de la machine à écrire, la femme demanda du feu, Charlie lui en donna avec son briquet jetable. Pour elle, Charlie n'avait pas l'air d'un flic. On aurait dit un jeune, plutôt beau gosse et qui devait avoir pas mal de succès avec les femmes. Elle-même avait été une femme, que ses élèves avaient appelée « la limande » en lui quittant ses vêtements. Blanche et maigre comme une limande. Avait été. En le remerciant du front, elle confia :

— Je l'avais déjà vue.

— Vous aviez vu qui ?

— Cette femme. Je l'avais déjà vue.

Subitement en alerte, Schneider releva le front :

— Vous l'aviez vue où ?

— Plusieurs fois. C'était une amie de Bugsy.

— Vous voulez dit que Bugsy la ravitaillait ?

— Oui, dit la femme.

— Une cliente, en somme.

— Oui. Ils ne savaient pas que j'étais là. J'étais arrivée en avance.

Il y eut un silence. L'inspecteur principal Claude Schneider la fixait, mais sans avoir vraiment l'air de la voir. Lui aussi devait avoir du succès avec les femmes. Il était plus mûr, plus taciturne. Elle l'avait vu en photo dans le journal, mais sur la photo on ne voyait pas ses yeux. Il portait des lunettes noires et avait l'air furieux. Une nouvelle fois, elle tendit les doigts et frôla le petit cercueil. Drôle d'idée d'offrir un cercueil. Le jeune flic (Charlie) lui tendit le cendrier. Elle n'eut pas besoin de tapoter sa cigarette, la cendre tomba toute seule, un mince cylindre gris et net. Un radiateur de chauffage chantonnait quelque part.

La dame Mortier était bien. Elle avait chaud. Chez elle, il faisait seize parce qu'elle n'avait pas fait remplir sa cuve à fuel depuis des années. Non pas qu'elle manquât d'argent. Sa pension tombait chaque trimestre, mais elle n'y avait pas pensé en temps utile. Elle n'y pensait jamais quand il le fallait, ensuite quand il faisait douze ou seize degrés, il était trop tard. Certains hivers, les vitres de la petite cuisine gelaient à l'intérieur et ça faisait comme des fougères de glace irisée où se prenait la faible et douce lumière de la rue.

— Je l'ai vue aussi dans la zone piétonne. Elle allait de boutique en boutique. Il y avait avec elle un jeune homme qui portait les paquets.

Elle balaya Charlie du regard.

— Un jeune homme de votre âge, avec des boucles noires comme vous. Plus trapu et sombre de peau, avec des poignets de débardeur. Il la suivait comme son ombre. En portant les paquets.

Dans une autre vie, elle aussi aurait pu aller de boutique en boutique, avec un beau jeune homme attaché à ses basques. À porter les paquets. Après tout, elle aussi était une femme, avait été une femme, au moins sur le papier. Elle sortit sa carte d'identité, la montra aux policiers. Un jour, un homme aurait pu. Sur la photo, elle avait l'air d'un petit rongeur affamé et malingre aux yeux durs et luisants comme des boutons de bottine. Aucun homme n'aurait jamais pu.

– Elle avait un manteau en cuir, un peu comme une sorte de redingote. Vous voyez. Du très beau cuir, très souple. Très souple. Je me suis même approchée. C'était vraiment du très beau cuir. Je l'ai touché. Elle s'est retournée vers moi, elle m'a regardée. Elle ne m'a pas crié dessus, ni rien. Elle m'a regardée, elle s'est retournée et elle est partie. On aurait dit qu'elle ne m'avait pas vue.

Schneider alluma une cigarette. Le claquement sec du Zippo fit tressaillir la femme.

– C'était il y a combien de temps ?

Elle réfléchit, déposa la cendre dans le cendrier, remarqua pour soi-même :

– Je ne comprends pas comment quelqu'un peut offrir un cercueil à quelqu'un d'autre.

– Peut-être parce que c'est un objet intime et confortable, supposa Schneider.

– Un vrai, je ne dis pas, reconnut la femme, mais un cercueil miniature.

– C'était quand ? demanda Charlie Catala en se penchant sur son épaule.

Elle le dévisagea en reculant pas à pas dans sa tête. Le visage du jeune homme, le radiateur qui fredonnait, même l'homme qui se tenait le visage attentif à la machine à écrire, l'univers entier commençait à s'enfoncer dans les ténèbres. Au dernier moment, elle se rappela avec une hallucinante netteté.

– C'était juste avant Noël. Les vitrines étaient allumées et il y avait des pères Noël et des santons. Je les ai vus s'en aller. Il y avait une jeep garée sur le trottoir. Une jeep de l'armée américaine avec une grosse antenne. Le jeune homme

322

a déposé les paquets derrière, il est monté au volant. Elle est montée à côté de lui. Ils sont partis.

Contact radio rompu.

Schneider alluma une cigarette et cessa de taper. Il était à la ramasse. Une jeep de l'armée américaine, avec une antenne radio sur sa grosse embase. Il ne devait pas y en avoir des dizaines dans la région, et encore moins dans la ville. La dame Mortier était loin, à présent. Il fallait juste la faire revenir le temps qu'elle signe son procès-verbal de déclaration, puis Charles Catala serait chargé de la reconduire chez elle. Chaque homme, chaque femme, dans sa propre solitude. Schneider regarda par la fenêtre. Sans qu'il s'en rendît compte, la nuit était déjà en train de tomber. La face blême dans la vitre sombre était la sienne. Elle semblait interroger du fond des ténèbres, tout en étant résignée d'avance à ne jamais recevoir la moindre réponse de quiconque.

L'audition de la dame Mortier avait finalement duré plus de deux heures quarante.

Le reste fut d'une tristesse infinie. Les réverbères s'allumaient, les vitrines aussi. D'un coup de voiture, ils raccompagnèrent la dame Mortier à son domicile, dans une vieille rue sur la zone. Il y avait des garages, des lambeaux de jardinets et de-ci, de-là une lumière vacillante. De longues palissades indiquaient que l'endroit était promis à la démolition et qu'il y aurait bientôt à la place de grands immeubles modernes, clairs et aérés, à la population jeune et exaltante. Les promoteurs avaient commencé à s'abattre, comme des vols de choucas. On entrevoyait des squelettes de grues et des silhouettes sombres de scrapers tapis dans l'ombre. La dame Mortier habitait une masure de deux étages, au-dessus d'un café qui s'appelait, sans doute par quelque secrète dérision, le Café de la Paix. Le rideau métallique rouillé faisait comme une vilaine taie brunâtre sur un œil mort.

C'était chez elle. Elle avait hérité la masure de ses parents. Son grand-père paternel avait été le dernier patron du bar, quand les routiers s'y arrêtaient sur le chemin du Sud. C'était avant la rocade et les grands immeubles tranchants comme du verre blindé. Catala abrégea en faisant ronfler le moteur. Elle partit dans la nuit. Assis à la place du mort, Schneider se taisait, le storno entre les doigts. Ils retournèrent en ville au gyrophare pour faire plus vite.

Dans la rue marchande, ils ne mirent que vingt minutes pour tomber sur la patronne d'une boutique de maroquinerie. Elle se rappelait parfaitement la jeune femme sur la photo. Elle était venue faire quelques emplettes au moment de Noël. Elle était accompagnée d'un jeune homme trapu en blouson de pilote et qui la suivait comme son ombre. La jeune femme était exagérément maigre, elle portait des lunettes de soleil bien qu'il fût déjà tard. C'était une personne élégante qu'elle avait prise pour une étrangère, anglaise ou américaine à cause de l'accent. Elle s'en souvenait d'autant plus que, compte tenu du montant des achats, elle avait pris la précaution d'appeler la banque émettrice de la carte de crédit. L'adjoint du chef d'agence lui avait fait savoir assez sèchement que le compte de sa cliente était largement (très largement) créditeur et que la transaction pouvait avoir lieu sans risque. Un homme au ton très désagréable et même suffisant.

Non, sur le moment, elle n'avait fait aucun lien entre la cliente élégante, taciturne et un peu snob, qui avait fait des achats d'un montant très considérable, et Me Thomassot. Elle n'avait aucune raison de le faire, pas vrai ? Les homonymies, ça existe. Charlie Catala le reconnut. Schneider regardait dehors, quelque chose qu'il était seul à voir et c'était tant mieux pour tout le monde. Des gens allaient et venaient, une voiture de patrouille passa au ralenti. Le temps ne se décidait pas clairement entre le redoux et le gel. Le policier avait mal dans les os. Charlie Catala demanda communication du reçu de carte bleue, ainsi que copie de la facture. La maroquinière fit mine de s'exaspérer. Schneider se borna à tourner le regard vers elle. Il n'était ni menaçant ni hostile, il était parfaitement vide. Il dit :

– Nous agissons sur commission rogatoire du juge Courtil.

– Ah, fit la femme. Il va falloir que je voie avec ma comptabilité.

Elle affecta de sourire.

– Ça va demander un jour ou deux.

Schneider n'était pas pressé à la journée. Il n'était plus pressé du tout. Il savait ce qui l'attendait au bout. Ils firent encore deux boutiques. La jeune femme en manteau de cuir et son comparse avaient écumé la rue. Elle avait acheté plusieurs cardigans sans les essayer, des bougies odorantes *new age* comme il s'en vend sur tous les sites plus ou moins touristiques, une perruque ardoise bon marché, des bijoux clinquants qui tenaient de la verroterie, ainsi que deux paires de chaussures de marque. Selon la vendeuse, la cliente avait l'air d'acheter plus ou moins au petit bonheur la chance.

– Des bottines jaunes, déclara Schneider.

– Des bottines jaunes, oui, de marque Levi's. Deux paires en même temps. Personne n'achète deux paires de chaussures de la même pointure, deux paires en même temps, n'est-ce pas ?

C'était une jolie petite brune aux courbes voluptueuses en robe noire à mi-cuisse avec des collants Lurex et des ballerines en vernis, et qui tentait désespérément de bien faire. Elle regardait alternativement chaque policier, le jeune et le moins jeune, avec une sorte de bonne volonté pathétique. Elle aussi devait avoir envie d'être aimée. Elle reconnut sans difficulté la personne sur la photo. C'était bien celle qui, aux environs de Noël, s'était présentée accompagnée d'un jeune homme pour acheter deux paires de bottines jaunes. Schneider la convoqua au commissariat pour le lendemain, à l'heure qui lui conviendrait, aux fins de témoigner. Elle promit. Elle aurait tout promis, ou presque.

Dans la rue, Schneider alluma une cigarette, tout en remontant son col de veste. Charlie Catala lui trouva l'air souffrant, mais ne fit pas la moindre remarque. Après tout, il se pouvait que ce fût sa jeune et récente compagne qui l'épuisât. Cependant, Schneider n'était pas si vieux que ça, après tout. Il se tenait encore bien, pour ses quarante-six ans. Avec le col de sa vieille veste de combat remonté, les traits de son visage, à la lumière douce des devantures, trahissaient même, par instants, à son insu, quelque chose d'étrangement juvénile.

Une sorte de curieuse vulnérabilité.

Charlie avait suffisamment vu son chef en action pour douter que cela fût possible.

Schneider consulta sa montre. Il allait être dix-neuf heures.

– On sait qui c'est. Demain, il va falloir la loger.

– Le guignol avec elle, c'est Francky ?

– Qui voulez-vous que ce soit ? articula Schneider, en regardant ailleurs.

– La femme, quel rapport avec votre ami Tom ?

Schneider s'abstint de répondre. Le froid l'avait envahi. Il avait hâte d'un verre et de la chaleur de Cheroquee contre lui. Il avait hâte de sombrer dans le sommeil. C'était bien le gel qui venait, il le sentait dans ses os qu'il rendait cassants. Il se dirigea vers la voiture et ne desserra pas les dents jusqu'à ce que Charlie emprunte la rampe du parking souterrain de l'hôtel de police. Alors, les cahots du ralentisseur lui firent durement savoir qu'il était revenu dans le monde des morts, et qu'il allait devoir faire face.

La femme, quel rapport avec votre ami Tom ?

Lorsqu'ils sortirent de l'ascenseur, une joyeuse pétaudière régnait dans le petit hall du groupe criminel. Il y avait deux gardiens de la paix en uniforme de flics qui houspillaient deux clodos en uniforme de clodos. L'un des deux clodos houspillait l'autre en le tenant par une oreille et en le secouant. Un grand type en bleu de travail, un gigantesque

326

rouquin, houspillait tout le monde en gueulant qu'il avait autre chose à faire que venir se faire chier après le boulot dans des locaux de police, qui avaient tout l'air d'une maison de fous. Schneider se fraya un chemin et reconnut la gandoura de Courapied. L'inspecteur portait des spartiates de cuir marron et ses orteils étaient noirs de crasse.

D'un instant à l'autre, les gardiens allaient lui foutre sur la gueule, au motif que le bique à la gandoura se foutait de la leur, de gueule. Il se prétendait flic. On n'avait jamais vu de flic en gandoura. Schneider s'interposa à grand-peine. Charlie Catala fit mouvement pour séparer les belligérants qui menaçaient d'en découdre dans la plus grande confusion. Il se fit un bref instant de trêve, durant lequel Schneider déclara sur un ton sinistre :

– J'aimerais comprendre.

Le feu faillit reprendre instantanément. Le grand rouquin, drapé dans une dignité d'emprunt, décida de foutre le camp, puisque c'était comme ça. Sans lâcher l'oreille du clodo qu'il triturait à loisir, Courapied lui aboya de rester. Le rouquin demeura sur un pied. Courapied se tourna vers Schneider, tandis que Charlie Catala faisait barrage aux gardiens. Il dit à Schneider, d'un ton résolu :

– Je vais avoir besoin de vous pour notifier la garde-à-vue de Monsieur.

En même temps, il secouait le clodo qui glapissait en fléchissant les genoux.

– Motif de la mesure de garde à vue, je vous prie, s'enquit Schneider avec une courtoisie de pure façade.

Au vrai, il hésitait entre une franche colère, parce qu'il fallait bien que celle-ci s'abattît sur quelqu'un ou quelque chose, et la plus parfaite hilarité, qu'en tant que Schneider en particulier et que chef du groupe criminel en général, il ne pouvait décemment se permettre.

– Homicide volontaire commis en réunion sur la personne du soi-disant Bugsy, récita Courapied d'un trait.

– Je confirme, déclara d'une voix forte le rouquin qui dominait tout le monde de la tête et des épaules. Je les ai vus se battre. Ça a commencé pas loin de la cabine d'aiguillage.

– Vous êtes qui, vous ? demanda Schneider de but en blanc.

– Le chef-aiguilleur, dit Courapied sans cesser de secouer sa proie. De son poste, il les a vus se chicorer près des voies. Guignol a reconnu spontanément les faits. Il m'a donné le nom de ses deux complices. Tous trois sont très défavorablement connus des services de police pour des faits de vol avec violence, tentative d'extorsion de fonds sous la menace, usage et trafic de stupéfiants. Tous trois étaient détaillants du soi-disant Bugsy. Moitié détaillants, moitié clients. C'est ce qui a causé sa perte.

– Les deux autres ?

– Logés, grinça Courapied avec une férocité certaine. Deux sédentaires, qui peuvent pas aller bien loin. Courte-patte et Patachon. L'un des deux a un pied en moins et l'autre n'a jamais eu toute sa tête. Plus qu'à aller les cueillir au nid quand on voudra.

– Tout le monde dans mon bureau, décida Schneider, puis s'adressant aux hommes en uniforme : sauf vous deux, messieurs.

Au moment de s'en aller, l'un des gardiens se retourna vers lui, avec l'air d'un gosse grognon injustement pris en faute dans la cour de récré.

– Comment on pouvait savoir que votre type, c'était vraiment un flic ? Il n'avait pas de carte de flic, pas de rondelle, ni rien.

– Oui, reconnut Schneider à tout hasard.

Il en aurait presque grincé des dents. *Lui-même, parfois...*

Bien que policier, l'inspecteur principal Claude Schneider n'était pas tout à fait un être rudimentaire et inculte. Il savait plus ou moins ce que le terme de « Golgotha » pouvait signifier. Plus ou moins. Il lui semblait en appréhender le sens, ne fût-ce que de manière schématique, indirecte et globale.

Selon les bons auteurs, Golgotha voulait signifier de manière métaphorique la lente et pénible ascension de quelque mont sans espoir, à moins qu'on le prît pour une parabole de toute existence humaine. Chacun avait à gravir son propre Golgotha, lentement, minutieusement, jour après jour, avant de se décharger enfin un jour de son existence dans le néant, à l'image de ces conteneurs qui se vident inexorablement chaque matin dans les camions-poubelles qui embouteillent les rues de leur pestilence.

Schneider avait ainsi un Golgotha personnel qu'il s'agissait de gravir sans rechigner puisque tel était le sort commun. Ce Golgotha s'ornait de tout un tas de petits Golgotha tout aussi personnels, irritants et cocasses, qui en faisaient des sortes d'appoggiatures ou parfois seulement de trilles et de variations subtils et inopportuns sur la trame du malheur.

Le commissaire central Alvarez était l'un de ceux-ci. Schneider balançait sur la question d'y inclure ou non Manière. Stern en avait fait partie, mais à présent il se battait avec ses propres démons, dans une cellule en psychiatrie. Parmi ses Golgotha personnels, Schneider classait sans hésiter Bubu Wittgenstein et sa bande. Me Thomas Thomassot, dit Monsieur Tom. En tête de liste, *es qualités* de *Golgotha de proximité*, il y avait l'inspecteur de police Courapied et sa maléfique clarinette. Celui-ci avait fait signer le procès-verbal de garde à vue à Schneider et conduit aussitôt sa proie dans son antre. Non, Courapied n'avait besoin de personne pour opérer *son* patient.

Personne, *pas même en Harley-Davidson.*

C'était *sa* viande à lui et à personne d'autre.

De même, le lendemain, il n'aurait besoin de personne pour aller stopper les deux autres guignols qui gîtaient dans le labyrinthe sous le marché couvert. Schneider n'était utile que pour signer les registres, les procès-verbaux de fouille et de garde à vue que l'autre lui présentait en marquant l'emplacement de l'index avec la froide autorité d'un commis aux écritures sourcilleux et quelque peu tatillon. D'aussi loin qu'il se souvînt, Schneider ne se rappelait pas un seul commis aux écritures duquel il n'émanât de subtils relents de suint, de poubelle et d'urine.

Il ralluma une cigarette. Consulta sa montre.

Un autre Golgotha serait de procéder le lendemain aux ultimes vérifications, puis de chercher et de trouver la personne qui avait abattu Meunier. Ensuite, il lui faudrait apprendre à un père que sa fille était une meurtrière passible des assises. Une autre sorte de Golgotha, dont il aurait aimé pouvoir retarder l'échéance. Il était tard, Dumont, Catala et Müller étaient allés rejoindre Nello à l'abreuvoir. Schneider n'en présageait rien de bon, mais il n'avait pas réellement le moyen d'interdire en dehors des heures de service. Lui-même n'aurait pas détesté l'idée d'un verre ou deux, même si sa seule présence avait pour effet de refroidir et de guinder l'ambiance.

Ses yeux balayèrent le cercueil miniature que nul ne remarquait plus vraiment à présent. Pourtant, un être humain avait passé pas mal de temps et investi beaucoup de lui-même pour le fabriquer et à ce titre, l'objet, dont l'assemblage revêtait un caractère minutieux et complexe, méritait au moins un certain respect. Celui qui l'avait fabriqué montrait qu'il savait réellement comment était fait un cercueil et ce à quoi il servait.

Le téléphone sonna non loin de son coude. Schneider décrocha.

– Votre dame est arrivée depuis un bon moment. Elle vous fait dire qu'elle vous attend aux Abattoirs.

Il y avait une sorte de jubilation suspecte dans la voix du planton.

Dès qu'elle vit entrer Schneider, Dagmar quitta la caisse pour s'interposer :

– Lui gueulez pas dessus, c'est pas elle qui a commencé.

Schneider s'avança. Cheroquee lui tournait le dos, accoudée au comptoir. Sa noire crinière, qu'elle secouait en cadence, lui dévalait jusqu'à la taille. Elle portait un de ses jeans qui semblaient peints à même les fesses, qui s'agitaient elles aussi en cadence, et son blouson court qui s'arrêtait au-dessus de la taille.

– C'est pas elle, c'est les autres, plaida Dagmar, à peine audible.

La jeune femme menait le chœur à pleins poumons. C'était un chœur passablement hétéroclite, avec une partie de la bande à Schneider, auquel s'étaient joints des pue-la-sueur du coin et quelques anonymes qui s'étaient contentés de sauter dans le train en marche. De sa voix à la fois rauque et enjouée, elle racontait à tue-tête, avec un trémoussement de consentement qui n'avait rien de feint, la triste histoire de la fille du bédouin qui, jour après jour, suivait la caravane et se mourait d'amour pour un jeune bédouin de la caravane. Il était question de petit ânier, qui, dans les bananiers, chipait des bananes que la fille du bédouin rangeait avec soin dans son petit couffin. Peu à peu, la fille du bédouin avait fini par connaître tous les bédouins de la caravane. Le caractère égrillard du propos ne pouvait échapper à personne.

Écartant Dagmar d'un revers de bras, Schneider s'avança. Brusquement, Cheroquee aperçut le visage blême du policier dans la glace du bar. Elle se retourna d'un bloc en lâchant :

– Ah, merde.

Schneider ne perdit pas une seconde. Comme il l'eût fait d'un individu stoppé en flagrant délit, il la saisit par le coude et l'entraîna dehors. Aux Abattoirs, où le silence était tombé d'un bloc, chacun rentra un instant la tête dans les épaules. On se doutait bien que, connaissant Schneider comme on le connaissait, ça allait camphrer sévère.

Marchant à grandes enjambées, il l'avait conduite un peu plus loin et poussée dans la première encoignure disponible.

Il l'avait plaquée au mur, écrasant son bas-ventre sous le sien. Une autre sorte de Golgotha. Elle avait tenté une ultime vaine défense, non sans une certaine indignation :

– Vos andouilles, ils m'ont prise pour une lapine de six semaines. Ils ont essayé de m'enterrer au Ricard. Vous vous rendez compte !

Outrée, elle semblait n'en pas revenir. Schneider ne se perdit pas en attendus. Il lui ouvrit le blouson, glissa les mains sous son pull et lui prit la taille en même temps que ses lèvres cherchaient sa bouche chaude et tout de suite entrouverte, qui sentait la cigarette et l'alcool, tout en avertissant la jeune femme d'un ton sourd :

– Attendez qu'on soit rentrés, vous allez voir ce que vous allez prendre.

Au briefing du matin, il y eut un instant de gêne que Schneider laissa filer volontairement. Il arborait volontairement sa tête des mauvais jours. Comme promis, la jeune femme avait bien pris et ça avait duré jusque tard dans la nuit. Ou jusque tôt sur le matin. Charlie Catala avait fini par rompre le silence en déclarant, plus ou moins en guise de diversion :

– Quatre jeeps en carte grise collection. L'une d'elles appartient à un vétérinaire en retraite. Deux autres à un club de fêlés qui défilent tous les 4 août drapés dans le drapeau US et font les festivals de country dans toute l'Europe. La dernière est celle de l'Écurie des Monestiés.

Müller ricana distinctement. L'un des plus fameux baiso-dromes de l'endroit. On y louait des bungalows, des cara-vanes et des roulottes aménagées, à l'heure, à la nuit aussi bien qu'à l'année. Il y avait aussi des cours d'équitation et un vaste manège couvert, plus ou moins pour la façade. Pis-cine. Tennis. Les Monestiés fermaient de novembre à mars. Officiellement. Officiellement, aucune personne de l'un ou l'autre sexe, ou de tous les sexes possibles, n'arpentait la rue de l'Arquebuse, passé la tombée de la nuit. Les personnes qui se penchaient aux vitres des voitures provisoirement à l'arrêt le temps de s'entendre sur les prix, l'endroit et la nature des prestations n'avaient aucune existence officielle. Schneider se leva, glissa son revolver à l'étui et balaya ses troupes d'un dernier regard lourd de sens.

La fille du bédouin, hein ?

En réalité, à l'intérieur, Schneider n'était pas loin de jubiler : elle les avait tous pris sous son charme comme elle l'avait capturé lui-même dans ses rets, sans coup férir ni démériter. À la loyale. Cheroquee n'avait rien d'une lapine de six semaines. Seulement une voix rauque et juste, des hanches montées sur roulements à billes et un abattage d'enfer. Schneider ramassa des clés de voiture et un storno, et sélectionna Charlie et Müller pour une visite aux Monestiés.

Il fit signe :

– Embarquez tout de même le pompe, on sait jamais sur qui on peut tomber.

– Aperçu, fit Müller en déverrouillant l'armoire forte.

Plus que tout autre, il était fondamentalement convaincu de la valeur dissuasive que procurait le bruit de culasse complexe et saccadé d'un fusil à pompe dont on actionne le mécanisme de manière décomposée, sans précipitation excessive. *Schlak. Schlak.*

L'opération prit moins de deux heures. La jeep avec une grande antenne radio stationnait devant le bureau. Dans le bureau, un type maigre au regard aussi franc que celui d'un âne borgne commença par les envoyer au bain. Dehors, il faisait moins dix et à peu près la même température à l'intérieur. De la buée s'échappait de toutes les bouches, excepté celle de Schneider qui s'astreignait à ne pas grincer des dents. Le type avait loué une caravane pour un mois à un couple, qui avait payé en liquide. Un mâle et une femelle.

Pas demandé de papiers.

Il était seulement gérant, pas flic.

Müller le fixait de son regard terne. On voyait bien que Charles Catala mourait d'envie de retourner le bureau sur la sale gueule du type. Connu des services de police, pas recherché.

— Vous avez vu la tronche du mec dans le journal, supposa Charlie.

— Francky ? Oui.

— Vous le connaissiez d'avant ?

— Francky ? Oui.

— Et la fille ?

— La fille, non.

— Pas pensé à appeler les flics ?

— Les flics ? Pour quoi faire ? Je parle pas aux flics.

— C'est pourtant ce que vous faites en ce moment, constata Schneider.

— Je vous parle pas, fit le type avec hauteur. Je réponds aux questions, c'est tout.

Schneider alluma une cigarette dans ses paumes. Comme s'il se fût agi d'un signal, Charlie Catala allongea au type une baffe qui le fit bouler de son siège. L'homme se releva pour protester, mais sans paraître y mettre de hargne particulière, Charlie lui allongea la même claque de la même main. L'homme se releva en prenant appui sur le bord du bureau.

— Par exemple, réfléchit Schneider, vous auriez pu nous apprendre que Francky n'était pas seul. Qu'il louait ici une caravane avec une jeune femme. Une jeune femme dont vous ignorez tout.

— Allez vous faire foutre, suggéra le type avec une platitude parfaite.

Il n'ignorait rien. À la fin des années cinquante, il avait figuré parmi les étoiles montantes de la pègre locale, jusqu'à ce que sa chance tourne. Il avait ensuite passé les deux tiers de sa vie d'adulte entre quatre murs. Il se foutait d'y retourner. Il n'en voulait à personne de ne pas avoir eu sa chance. Celui qui parle ne sait pas. Celui qui sait ne parle pas. Il cracha par terre, de côté, de la salive mêlée de sang. Sous ses allures de lope insouciante, le jeune flicard dissimulait une redoutable force de frappe. Le type se promit de se le rappeler.

Schneider se borna à tendre la main, la paume en l'air.

– La clé, ou on délourde par nos propres moyens.

Afin d'ajouter un certain poids à ces propos, Müller tapota la culasse mobile du fusil, qu'il tenait canon braqué vers le plafond. Le type haussa les épaules, ramassa une clé au tableau et la laissa tomber dans la main du policier. Avec un rictus, il souhaita :

– Bonne chance, les gars. À votre place, j'aurais pensé à emmener une benne à gravats. Et une paire de masques à gaz.

Charlie le ramassa par l'épaule, lui passa les menottes dans le dos et le poussa devant eux. Pas très loin, dans un maigre bosquet de bouleaux dépeuplés, une bande de freux se disputaient les lambeaux de chair d'un renard à la dépouille lacérée. Schneider s'approcha. Les freux prirent leur envol pour se reposer un peu plus loin, vigilants et résolus. Du bout de sa chaussure, Schneider tria les restes. Il découvrit la tête de l'animal. Elle avait éclaté sous l'impact d'une balle de fort calibre.

Dans la caravane, ils découvrirent des vêtements féminins, des produits cosmétiques, plusieurs dizaines de paires de collants, plus de dix mille francs en billets de cent, une chaîne stéréo complète dans son emballage d'origine. Un assortiment de cartes accréditives et un stock d'analgésiques à usage vétérinaire, ainsi qu'une boîte de cartouches de calibre .45 ACP pleine. Par radio, Schneider demanda du renfort, ainsi que le passage des techniciens de l'Identité judiciaire. Il sollicita également un passage fichier sur la personne de leur hôte.

Assis sur un billot de bois, les talons plantés à force dans le sol gelé, il surveillait du coin de l'œil les freux qui se rapprochaient en sautillant en silence, mètre par mètre, du renard mort. Le fichier le rappela. L'homme s'appelait Albert-Louis Legendre, né le 19 juin 1940 à Paris XIIIᵉ de Sylvie et de père inconnu. Pourvu d'un pedigree surabondant, l'homme n'était pas recherché actuellement des services de police et de gendarmerie.

Charlie Catala surgit de la caravane, la figure de travers et un carton de chaussures à la main. Comme Schneider allumait une cigarette, il lui en tapa une en déclarant avez dégoût :

– Vous allez rigoler. La gonzesse devait se chier dessus, parce qu'il y a une dizaine de collants en vrac avec de la merde partout, à divers stades de solidification. Des collants et des pantalons. Elle devait prévoir le coup, parce qu'il y en avait tout un stock d'avance.

– Il ou elle, murmura Schneider.

Sans le quitter de l'œil, les freux s'étaient rapprochés et faisaient cercle, attendant que le plus hardi donne le signe de la curée. Pour l'instant, nul n'avait osé s'aventurer hors du périmètre de sécurité. Schneider n'était pas peu fier de les tenir en respect à soi tout seul. Charlie Catala tendit la boîte à chaussures à son chef. Des bottines jaunes de marque Levi's.

Schneider se réchauffait dans son fauteuil, buvant un café brûlant à toutes petites lampées, en tenant la chope à deux mains pour se désengourdir les doigts. Ses troupes étaient parties casser la croûte aux Abattoirs, sans doute en commentant le concert de la veille. Cheroquee s'arrangeait pour porter des chandails ou des pulls à col cheminée qui avaient pour avantage d'atténuer plus ou moins l'opulence de sa poitrine, mais elle avait l'art subtil de se glisser de force dans des jeans qui moulaient ses formes sans discrétion. Elle avait avoué à Schneider qu'elle le faisait exprès, parce qu'elle adorait la façon dont il matait ses jolies fesses rebondies. Schneider n'avait pas pris la peine de démentir. Il regarda par la fenêtre. Un froid grésil tombait silencieusement. On n'en finirait donc jamais. Il reporta les yeux sur le sachet plastique posé devant lui.

En agrandissant le rayon de battue, les hommes de Schneider avaient trouvé des étuis percutés, dans une petite combe resserrée à proximité des Monestiés. Des douilles de calibre 22 long Remington, de la 44 × 40 et de la .45 ACP. Plus d'une cinquantaine de douilles de .45. Il y avait aussi des tessons de bouteille, et des emballages de cartouche éventrés, jetés au petit bonheur. Les bourrelets de terre étouffaient les détonations et l'endroit avait servi de stand de tir. L'Identité judiciaire avait procédé aux saisies, ainsi qu'aux relevés d'empreintes dans la caravane. De l'avis du technicien, il y en avait autant qu'un curé pouvait en bénir. Le couple qui avait habité là n'entendait manifestement pas effacer ses traces.

C'était plus fréquent qu'on ne le pensait.

Schneider attendait les résultats, dont il ne doutait guère.

Pour ce qui concernait les traces papillaires, il s'agissait de simples comparaisons, puisque les deux suspects étaient connus. Francky avait été passé au piano lors de sa précédente incarcération, quant à sa compagne, il n'avait pas été difficile d'obtenir copie de la demande de carte d'identité aux services de la préfecture. Sur la photo d'archive, c'était alors une gamine grincheuse avec les oreilles écartées, des couettes et un vilain appareil dentaire. Schneider attendait sans impatience. Le technicien de l'Identité judiciaire avait promis de faire vite et Schneider savait pouvoir lui faire confiance.

Il était resté seul dans son bureau à se réchauffer les os et à attendre sans impatience.

Puis le téléphone avait sonné.

Les empreintes correspondaient sans le moindre doute possible. Les traces de percuteur ainsi que celles laissées sur le flanc des douilles par l'extracteur de l'arme établissaient sans conteste qu'il s'agissait bien de la même munition que celle qui avait servi à abattre l'inspecteur principal Meunier. Le technicien était en train de rédiger son rapport et de constituer les dossiers photographiques à l'appui de ses dires, mais il avait tenu à avertir Schneider dès qu'il avait pu établir les résultats d'examen.

Schneider raccrocha. Un planton tapa et il lui dit d'entrer.

Le fonctionnaire lui fit savoir que le gérant des Monestiés, qui marinait en geôle depuis un bon moment, demandait à lui parler.

– Je peux ? demanda Legendre en tendant les doigts vers le paquet de Camel.

– Bien sûr, dit Schneider.

Legendre prit une cigarette, Schneider lui donna du feu. Le Zippo fit son bruit de culasse. Legendre se mit en arrière, souffla la fumée vers le plafond. Dehors, le grésil crissait aux fenêtres. Legendre se souvint :

– Le pire, au trou, c'est le froid et le bruit. Le bruit, les cris jour et nuit, les clés des matons le long des grilles. Les cinglés qui gueulent des fois toute la nuit. Qui appellent leur mère.

Schneider l'observait par intermittence et finit par allumer une cigarette lui aussi. Le flic avait une réputation de peau de vache et d'enculeur. Il avait un curieux regard clair qui se posait sur vous par intermittence, sec, froid, incisif, et qui se reportait ailleurs dès lors qu'il décidait qu'il avait vu ce qu'il avait à voir. Legendre dit :

– Vous avez eu mon dossier.

– Oui, dit Schneider.

Il l'avait fait remonter du sommier dans son intégralité. Il l'avait parcouru rapidement tout en retenant l'essentiel. Legendre déclara, les yeux au sol :

– C'est Me Thomassot qui m'a défendu la dernière fois que je suis passé au falot. J'aurais dû prendre vingt ans ou perpète. Il a réussi à réduire la peine à huit.

– Tu as tiré six ans. Réduction de peine pour bonne conduite.

– C'est long, six ans, dit Legendre.

Schneider n'en doutait pas. Il connaissait également les méthodes de Monsieur Tom, les deals occultes qui se passaient entre avocats ou entre avocats et magistrats qui s'apparentaient parfois à du pur et simple chantage. Tu me donnes Machin et je te donne Chose. Ou tu me donnes Machin, ou bien Chose retrouve la mémoire, et se rappelle où et quand tu t'es envoyé en l'air avec une mineure dans ton bureau. Et l'identité de la mineure. Ou du mineur.

– C'est pour ça que tu ne pouvais pas appeler les flics ?

– C'est pour ça, reconnut Legendre.

– C'est pour ça, ou parce que tu avais la trouille de Monsieur Tom ?

– Les deux.

Il y eut un silence, puis il remua la tête :

– Vous pouvez pas imaginer l'enfer qu'elle a fait vivre à Francky. Cette gonzesse, c'était comme un tube au néon avec le starter qui merde : des fois il y a de la lumière, des fois il n'y en a pas. Des moments, il fallait qu'il la lave, qu'il l'habille. Comme il n'y avait pas d'eau chaude dans la caravane, je lui prêtais les douches. Il fallait qu'il se batte pour la déshabiller. Il fallait qu'il se batte pour la coller sous l'eau. C'est un costaud, Francky, on dirait pas, mais des fois il avait tout juste le dessus, surtout qu'il pouvait pas la cogner. Jamais il lui aurait cogné dessus.

– Ils couchaient ensemble ? demanda brusquement Schneider.

Legendre releva le front, abasourdi :

– Eux ? Jamais de la vie. C'était comme sa sœur. Jamais il aurait couché avec elle.

Il secoua la tête, avec une expression accablée :

– Il y avait rien entre eux. Sauf qu'elle lui aurait dit de bouffer sa merde à la petite cuillère, il l'aurait fait.

Le regard gris, qui avait fixé Legendre un court instant, était reparti se poser ailleurs. Depuis longtemps, Schneider avait abandonné la prétention stupide d'imaginer ce qui pouvait bien agiter le cœur des hommes. Il ne croyait ni en Dieu ni au diable, seulement en cette immense lame de bulldozer qui poussait les corps sans vie, nus, blêmes et désarticulés, dans la grande fosse abrupte et sans fond qu'il y avait au bout du monde connu, en silence, jour après jour. Un planton apporta les résultats du laboratoire de l'Identité judiciaire, ainsi que les scellés *y afférents*. Schneider remercia en silence.

Dans leur sèche neutralité, les comparatifs étaient accablants.

Legendre demanda et obtint une nouvelle cigarette.

Retranché quelque part dans des contrées ignorées de tous, y compris peut-être de lui-même, Schneider composa plusieurs numéros de suite. Chacune de ses correspondantes successives lui répondit la même chose : Mᵉ Thomassot était parti pour Genève le matin même et rentrerait sans doute tard dans la nuit ou le lendemain matin. Il appela Marina, qui lui affirma avec aigreur ignorer où se trouvait Tom. Tom n'avait pas pour coutume de l'informer de chacun de ses faits et gestes. Il appela les urgences et obtint Cheroquee. Il lui demanda de ne pas passer à l'Usine. Il rentrerait tard et peut-être pas du tout. Elle accusa réception, puis, brusquement, elle murmura en hâte dans l'appareil qu'elle l'aimait. Pris au dépourvu (et puis il y avait Legendre assis en face de lui, coudes aux genoux et les mains ballantes, le regard levé et brusquement attentif), Schneider raccrocha sans répondre.

– Le trio infernal, fit Courapied en poussant ses prises devant lui. Une grande et belle affaire de police judiciaire.

Il avait retrouvé figure humaine en jean, pull à col roulé et boots. Il avait trouvé le temps de se doucher et de se raser. Ses prises regardaient le sol à leurs pieds. Ils n'étaient ni douchés ni rasés. Ils étaient loin de faire bonne figure. Rien que trois cloches comme il y en avait tant et qui avaient échappé une fois pour toutes au champ de tout radar social. Les membres anonymes et crasseux de la brigade des invisibles qui sévissait un peu partout à la nuit tombée – et parfois même en

340

plein jour sans qu'on les vît. Schneider les considérait d'un regard éteint. Müller ne disait rien, appuyé de l'arrière du crâne à l'armoire forte, les pouces dans les passants de ceinture. Chacun savait qu'il était inutile de presser l'inspecteur Courapied. Celui-ci marchait à son rythme, pas à pas, mais de manière inexorable. Il avait pour réputation de ne jamais lâcher prise, ne serait-ce que de par sa propre inertie. Il déclara :

– Le grand, Jacob Tellier, dit Patachon. Sans profession ni domicile fixe. Connu des services de police, mais non recherché. Le petit, Yvon Sanchez, dit Double-Patte. Sans profession ni domicile fixe. Connu des services de police mais non recherché.

– C'est parce que je suis grand invalide civil, argumenta Sanchez.

– Ta gueule, coupa Courapied. Celui du milieu, le crâne de piaf, la tête pensante. Edmond Louis. Sans profession ni domicile fixe. Pas de pseudo ni d'alias. Connu des services de police, recherché pour attentat à la pudeur et coups et blessures volontaires. Les trois cloportes vendaient de la came pour Bugsy. Ils lui en achetaient aussi.

– L'enculé, grommela le soi-disant Edmond Louis. Vous savez ce qu'il faisait, ce fils de pute ?

– Ta gueule, répéta Courapied. Ta gueule ou tu en prends une. Vous savez ce qu'il faisait ce fils de pute ?

– Non, murmura Schneider.

Une grande et belle affaire de police judiciaire. Un homme était mort noyé dans le canal après qu'on lui eut fracassé le crâne à coups de pierre. Schneider regarda le grésil qui s'accrochait à présent aux vitres en crissant faiblement, comme si chaque grain de glace était pourvu de milliards de petites pattes griffues.

– Bugsy avait une clientèle à la fois large et diversifiée. Il vendait de la cocaïne, de l'héro ou du crack à sa clientèle la plus huppée. Il avait aussi une clientèle plus basique. Il leur vendait de l'herbe, du pollen ou de la résine. En fonction des arrivages. Quand il était à court, il vendait un produit de sa composition.

Schneider leva un sourcil.

– De la graine de laitue concassée avec de l'extrait de patchouli.

– L'enculé, grommela le soi-disant Edmond Louis. Le fils de pute.

– De la graine de quoi ? fit Schneider.

– Graine de laitue. Ce con de Bugsy s'en est vanté auprès d'un autre con, qui a répété à un autre con, qui s'est empressé d'aller le chanter sur tous les toits, qu'il vendait de la graine de laitue à ses clients bas de gamme, dont nos trois crétins. Bugsy s'était même vanté qu'il risquait rien, vu que s'il se faisait serrer, on pouvait rien contre lui. Graine de laitue, résine de patchouli. Rien de prohibé. Les trois cons ont fini par apprendre que Bugsy les avait entubés.

– Ils l'ont emmené faire un petit tour du côté du triage, soupira Schneider.

– Comme des grands. Ils ont commencé à se chicorer. Bugsy a réussi à se tirer. Pas loin, parce qu'un train de marchandises est passé avant qu'il ait pu traverser les voies. Il a trébuché, il est tombé. Ils l'ont frappé avec ce qu'il y avait le long du ballast. La neige s'était mise à tomber. Le témoin confirme qu'il les a aperçus en train de traîner Bugsy vers le canal.

– De la graine de laitue, murmura Schneider.

C'était la première fois qu'il apprenait qu'on avait tué quelqu'un parce qu'il trafiquait de la graine de laitue. Décidément la vie était tissée de minuscules et chatoyantes merveilles, et c'était sans doute ce qui la rendait si palpitante et digne d'être vécue. Courapied déposa la procédure devant Schneider.

– Vous appelez le parquet, ou je m'en charge ?

Schneider poussa le téléphone vers lui.

– À vous le soin, dit-il avec une lassitude certaine.

342

En fin de service, Schneider alla se doucher et se raser au sous-sol. Puis il se changea et remonta prendre son pistolet, des clés de voiture et un storno dans son bureau. En passant devant la salle de commandement, il signala qu'il sortait mais qu'il se tiendrait en veille radio. Il savait qu'il allait bien falloir en finir. Il commença par prospecter dans toute la ville et ne trouva personne. En fonction des lieux où il passait, personne n'avait vu Tom, ou Thomas, ou Me Thomassot depuis la veille. Personne ne savait où le trouver, sinon qu'il avait parlé d'un déplacement à Genève. Ou à Paris. Ou n'avait parlé de rien du tout. D'une cabine de la gare, il appela Marina mais la ligne était sur répondeur et il ne laissa pas de message. C'était une nuit froide aux rues vides et distantes. Schneider alla faire un tour au phare. La surface du lac n'avait pas dégelé. La glace diluait la lueur de la ville. Un grand moment, Schneider demeura immobile dans la voiture. Un équipage de la BAC signala sa sortie. Le permanent de la salle de commandement accusa réception avec son laconisme habituel.

Pour une raison impénétrable, le phare était demeuré allumé depuis les fêtes. Tous les marins vous le diront : en code européen, on reconnaît la direction à leur couleur à l'entrée d'un port. Bacirouge, tricot vert. Bâbord, cylindrique, rouge. Tribord, conique, vert. S'entend depuis port en direction du large. Dans une autre vie, Schneider avait été un bon marin, plus à l'aise dans le gros temps que lorsqu'il faisait calme. Ce que l'on appelait ici le phare était une construction cylindrique de dix mètres de haut, avec une lanterne et un abat-jour qui émettait une lumière verte continue de très faible portée. Autant dire qu'il s'agissait d'un phare d'opérette.

Schneider fuma une cigarette et relança le moteur. Tom ne se trouvait pas loin, dans un rayon de moins de cent kilomètres. D'une manière ou d'une autre, il avait été avisé de

343

la descente aux Monestiés. Il avait les moyens de disposer d'un scanner dans sa voiture. Il n'ignorait pas que le nœud coulant se resserrait autour de sa gorge. Avec certains clients, Schneider avait l'impression de marcher dans leur tête. De cheminer en silence à leur côté. Il avait été le témoin muet de leur ascension, il serait, impassible, celui de leur chute. Monsieur Tom avait toujours su se faire des amis, des amis souvent coûteux. Il s'était fait autant d'ennemis.

Si Françoise n'était pas morte, il serait resté l'impitoyable avocat d'assises à la solide clientèle, qu'il était déjà, un homme riche et important, que chacun respectait autant qu'il le craignait, et aurait sans doute fini par attendre un jour la mort dans son fauteuil de bâtonnier. Au lieu de quoi, il avait quitté la route, ce qui lui avait permis de devenir un homme encore plus riche, plus important encore et beaucoup plus craint.

Si Françoise n'était pas morte, Anne n'aurait pas fini par faire ce qu'elle avait fait.

Schneider roulait lentement. Il n'avait pas envie d'aller où il fallait qu'il aille.

La surface de la route était vitreuse et il y aurait des risques de verglas sur le petit matin. Il prit le chemin de la pinède en avançant au pas, longea de loin le perron et alla se ranger à distance après les garages, en tournant le museau de la voiture en direction de l'arrivant. Il baissa les vitres de quelques centimètres pour équilibrer la température avec l'extérieur et coupa le moteur. Rien ne trahit autant un homme en planque que le gel sur les vitres ou la vapeur de l'échappement. Il réduisit le volume de la radio au minimum, consulta sa montre et jugea qu'il pouvait fumer une cigarette.

Il venait d'être onze heures.

Cheroquee était rentrée directement. Elle était passée faire quelques courses au petit supermarché du coin et elle était rentrée. Elle était contente de rentrer, même si elle savait que

Schneider ne serait pas là. Elle avait rangé les courses puis semé ses fringues un peu partout. Elle avait pris une douche brûlante, s'était séché les cheveux à la serviette. C'était la première fois qu'il risquait de ne pas rentrer de la nuit. Elle chassa la peur en buvant une bière brune. Elle avait ses petits rites de conjuration bien à elle, mais la peur était un animal tenace qui savait se tapir dans un coin en silence pour bondir de nouveau à l'instant où on s'y attendait le moins. Entièrement nue, elle mit leur linge dans la machine à laver, qu'elle alluma.

Leur linge. Ils avaient donc quelque chose en commun, à part l'air qu'ils respiraient. Elle ne comprenait pas bien : Marina lui avait souvent parlé de lui, elle lui avait montré cette photo dans *Match*. À l'instant même où elle avait aperçu ce type (Schneider) qui attendait ses clés de voiture, au moment où leurs yeux s'étaient rencontrés, elle avait compris. Mais elle ne comprenait toujours pas bien ce qu'elle avait compris. Elle alla chercher une de ses vieilles chemises militaires dans le placard. Le simple fait de l'enfiler procurait à la jeune femme un véritable plaisir physique. Comme il n'était pas là, elle se fit un café et des tartines. Elle fuma une cigarette en regardant la nuit. Quelque part dans la nuit, il y avait son mec qui tournait. C'était le boulot d'un flic de la Criminelle de tourner la nuit. En tentant d'escalader, la bête tapie dans son dos lui planta les griffes dans les épaules. La jeune femme se secoua, comme pour s'en débarrasser.

Elle erra dans le petit deux-pièces. Elle s'assit sur le lit, s'enveloppa dans le duvet. Elle remarqua que la malle en osier qui servait de chevet était une vraie malle en osier. Elle fit coulisser la tringle, souleva le couvercle de quelques centimètres. Elle aperçut ce qui avait l'air d'être des vêtements pliés avec soin, plusieurs classeurs et un gros album photographique en cuir sombre qui semblait ancien. Le père de Cherokee en avait un, assez semblable, et qu'il tenait de sa mère. Il disait que c'était là toute la mémoire d'un homme, quand bien même il ne savait ni lire ni écrire, et que, chaque fois que quelqu'un s'en allait, le monde subissait une perte minime, certes, mais irréparable. Elle glissa la main dans l'entrebâillement, saisit l'album et le posa sur ses cuisses nues. Elle hésita un grand moment avant de l'ouvrir. Il en glissa une pochette de papier cristal, avec un étrange objet à l'intérieur. Un curieux bijou terne au bout d'une mince cordelette de cuir craquelé, cassant.

Schneider aperçut le reflet des phares bien avant que la voiture apparût au bout de l'allée. Il demeura immobile, la laissant s'avancer. Tom roulait en feux de croisement. Il n'allait pas tarder à remarquer la voiture embossée plus loin dans la pénombre. S'il la remarqua, il n'en fit rien. Schneider alluma en pleins phares au moment précis où Monsieur Tom mettait pied à terre. D'instinct, celui-ci leva le bras pour se protéger les yeux. D'instinct, il plongea son autre main dans la poche de manteau. Monsieur Tom n'était pas homme à se laisser surprendre sans rien tenter. Il ne s'agissait pas simplement d'autodéfense, mais de pure et simple rage. S'il devait se retrouver par terre, au moins, Monsieur Tom ne partirait pas seul.

Schneider actionna brièvement le gyrophare, descendit de voiture et s'approcha.

Il n'avait pas éteint les phares. Monsieur Tom baissa le bras, sortit la main de sa poche. Il montrait un visage blême aux traits creusés, les paupières serrées. Il venait de prendre vingt ans d'un coup et Schneider ressentit quelque chose qui ressemblait à une brusque sensation de pitié, peu susceptible cependant de durer.

— Dis-moi où elle est, Tom.

— Pas maintenant. Pas ici.

— Tu savais ce qui s'était passé.

— Seulement dans les grandes lignes.

— Tu le savais depuis quand ?

– Depuis que Francky me l'a dit. Le lendemain.

– Et vous avez organisé son évacuation. Ensuite, pour brouiller les pistes, Francky a changé de tanière. Jusqu'où il était disposé à aller ?

– Jusqu'au bout, reconnut Tom avec lassitude. Tu ne peux pas comprendre.

– Non, dit Schneider en sortant une cigarette. Non : je ne *veux* pas comprendre.

– Tu en es à quelques heures ?

– Non, avoua Schneider avec réticence.

– Demain matin, à neuf heures, je suis dans ton bureau. Cette nuit, je voudrais seulement dormir.

Dormir. Schneider eut un étrange rictus, puis se ravisa :

– Neuf heures, demain matin. Dans mon bureau. Si tu n'y es pas, je lance un avis de recherche général. Individu dangereux, susceptible d'être armé. Prendre toute précaution nécessaire en cas d'interpellation. Tu sais ce que ça veut dire pour elle.

Monsieur Tom savait. Ça voulait dire, en termes administratifs et dans un style détourné mais finalement très clair, ça voulait seulement dire : tir à vue. Chasse libre. C'était de sa propre fille qu'on parlait. Schneider observa un instant le lourd visage dont le regard fuyait le sien, puis il retourna à sa voiture et s'en alla. En jetant un coup d'œil dans le rétroviseur, il aperçut la silhouette de Monsieur Tom. Il n'avait pas bougé de place et la portière de la Jaguar était restée entrouverte comme il l'avait laissée.

Il était déjà mort et personne, pas même lui, ne le savait.

Schneider était rentré sans bruit, non pas pour surprendre la jeune femme, mais parce qu'il pensait qu'elle dormait déjà. Il avait suivi avec amusement la piste de ses vêtements, qui indiquaient qu'elle était bien rentrée et les avait ramassés un à un avant de les poser sur le divan. Schneider avait appris à se déplacer sans bruit. Il avait retiré sa veste de combat qu'il avait accrochée sur un dossier de chaise. Il avait hésité à aller prendre une douche. Il avait surtout envie de la regarder dormir, roulée en boule dans la petite lumière de la veilleuse. La Terre promise. Tout en retirant son pistolet de l'étui, il avait doucement poussé la porte.

Cheroquee ne dormait pas.

Assise en tailleur dos au mur, le duvet sur les épaules, elle avait l'album ouvert sur les genoux. Elle portait le bijou entre les seins, à même la peau. Elle releva aussitôt la tête. Schneider vit qu'elle avait pleuré.

— Je ne voulais pas, dit-elle.

— Vous ne vouliez pas quoi ? murmura Schneider en déposant le pistolet sur la malle.

— Je ne voulais pas, je ne sais pas. Je ne sais pas. Depuis que je vous ai rencontré, je ne sais plus rien. Je ne sais même plus qui je suis ni où j'habite.

Schneider s'approcha, s'installa près d'elle, passa le bras autour de ses épaules.

— Quelle importance, dit-il en souriant.

Schneider était très capable de sourire. Il était même capable de douceur, ce qui était encore pire. La jeune femme éclata en sanglots contre son torse. Des sanglots silencieux, durs et cassants. Elle savait d'où provenait le curieux bijou terne. Du cou d'une femme momifiée qui tenait contre elle un petit enfant, momifié lui aussi. Schneider la berça doucement, le temps qu'elle s'apaise, puis il se mit à tourner les pages une par une en lui expliquant à mi-voix de quoi pouvait être faite une vie. Ou de quoi pouvaient être faites des vies.

Et lorsqu'elle tomba épuisée dans le sommeil, il l'étendit, la couvrit avec soin et alla passer le reste de la nuit dans le fauteuil du salon, les yeux grands ouverts, à contempler au loin les lumières glacées de la ville. Dans son sommeil, Cheroquee tenait toujours le bijou touareg entre les doigts. Elle semblait instinctivement craindre qu'on ne le lui arrachât.

15

Dès l'aurore, il s'était remis à neiger doucement, comme à regret. Monsieur Tom avait été exact à la minute près, il avait rangé la grosse Jaguar le long du perron, laissant tourner le moteur jusqu'à ce que Schneider apparût. À présent, il conduisait avec prudence sur des chemins de neige. Schneider semblait somnoler dans le siège du passager. Tom avait choisi de mettre de l'Addinsell dans le lecteur de cassettes et Schneider ne trouvait rien à y redire du moment que c'était en sourdine et que cela dispensait de parler. Schneider n'avait pas envie de parler. Il ne savait pas trop comment s'y prendre avec les mots, ni avec les hommes et les femmes.

La mère de Schneider était une grande femme brune et élancée, au front haut et aux grands yeux sombres, curieux de tout. Sous le pseudonyme de Maria Grantz, elle avait été une assez bonne concertiste, qui avait tourné un peu partout en Europe et même joué devant un parterre d'officiers allemands en 1937 à Weimar. Elle avait été très impressionnée par la stricte élégance de leurs uniformes noirs et l'extrême distinction avec laquelle ils l'avaient traitée. Peu de gens en France et ailleurs savaient pratiquer le baisemain avec une telle courtoisie, la casquette serrée sous le bras gauche et les talons joints, de même que bien peu d'hommes et de femmes sont aptes à distinguer le contrepoint sous l'aria et à mesurer l'effet dévastateur d'une quinte diminuée.

Maria Grantz Schneider vouait une haine totale et largement irraisonnée à Addinsell en général, au *Concerto de Varsovie* en particulier. Pour elle, le concerto n'était rien d'autre que de la musique de film, un pur et simple pastiche sans autre relief ni plus de portée qu'un programme électoral. Dans son esprit, la musique de film était à la vraie musique ce que la médecine militaire était à la vraie médecine. Sans doute à cause de la fatigue, l'image de Maria Grantz revint derrière les paupières de Schneider. C'était vraiment une très belle femme, avec une grande auréole de cheveux frisés. Pour peu qu'ils se fussent réellement rencontrés et connus, peut-être auraient-ils pu finir par s'aimer.

Schneider alluma une cigarette. Il avait du mal à garder les yeux ouverts. Dehors, il tombait par instants une neige grasse, éparse et sans vigueur, que les balais effaçaient sans peine. Schneider se pencha pour monter le chauffage.

Monsieur Tom avait rangé la voiture sur le parking de la clinique, un bâtiment moderne et plat à flanc de colline. Derrière il y avait des bois noirs et nus. De la neige intacte et des bandes de freux. Ils étaient restés quelques secondes immobiles, puis Tom s'était décidé le premier et ils étaient sortis dans le froid. Il y avait un sas d'entrée commandé électriquement, un vaste hall occupé par un comptoir central depuis lequel on pouvait surveiller simultanément chacune des trois ailes en étoile. Il y avait des caméras partout et des écrans de contrôle. Ce qui frappa d'abord Schneider fut l'étrange silence, comme intemporel, qui régnait dans les lieux. Puis il remarqua la volière aux perruches immobiles. Des perruches en papier.

Un homme en complet gris les attendait à l'accueil et les conduisit immédiatement dans son bureau. Il les invita du geste à s'asseoir, mais ils restèrent debout. Il s'installa derrière son bureau. C'était un homme froid et distant dans la cinquantaine, avec des lunettes carrées et un regard où ne se lisait aucune sorte de bienveillance. Tom alla jusqu'à la baie vitrée, contempla la neige lisse et terne qui allait, de colline en colline, jusqu'à d'autres bois noirs plus loin, comme à perte de vue. Sans se retourner, il déclara :

– L'homme qui m'accompagne est officier de police. Il agit sur commission rogatoire du juge Courtil. L'inculpée est accusée d'assassinat sur la personne d'un dépositaire de l'autorité publique. J'attacherais le plus grand prix à ce que vous répondiez aux questions qui vont vous être posées.

– Dans la limite du secret médical, précisa le médecin.

Monsieur Tom se retourna d'un bloc.

– Foutez-moi la paix avec vos conneries de secret médical, Robin. Je sais le droit mieux que vous. Je sais aussi qui vous êtes et combien vous me coûtez. Je sais aussi combien cette turne rapporte, puisque j'en suis actionnaire majoritaire. Tout professeur que vous êtes, un directeur d'établissement, ça se change.

Robin montra les dents, mais il n'était pas de taille. Il se pencha sur l'interphone, demanda communication du dossier d'Anne Thomassot. Il releva les yeux. Le policier n'avait pas cessé un instant de l'observer de ses yeux gris. Robin savait reconnaître un camé quand il en rencontrait un. Un camé ou un malade. Il était payé pour ça. Le flic portait une veste kaki avec de nombreuses poches comme une veste de chasse. Il ne donnait pas l'impression de manger tous les jours à sa faim. Un camé et un malade. On ne décelait pas la moindre trace de vie dans les yeux couleur d'étain poli.

Une femme maigre aux cheveux lisses déposa le dossier devant Robin, qui l'ouvrit et demanda au flic :

– Vous voulez savoir quoi ?

– Tout, dit Schneider.

C'était la première fois qu'il ouvrait la bouche. Robin en demeura une seconde interloqué, puis réfléchit et déclara, sans consulter la moindre note :

– Manie avec épisodes psychotiques. Le diagnostic ne fait aucun doute.

– Votre diagnostic ne fait aucun doute, observa Schneider.

Il sortit un paquet de Camel de sa poche de poitrine, Robin sortit un cendrier du tiroir, ce qui revenait à une sorte d'entente tacite, ou de paix armée. Schneider alluma sa cigarette. Robin poussa une chemise en carton gris dans sa direction.

– Mon diagnostic ainsi que celui de deux experts commis d'office convergent dans le même sens. La patiente est atteinte de troubles psychiatriques d'une extrême gravité, qui nécessitent un placement d'office. Ils se sont déclarés lors de la puberté, ce qui n'est pas un phénomène exceptionnel. Puberté, grossesse, parfois une forte grippe.

Il se tut sous le regard fixe du policier. Dans son dos, Monsieur Tom s'était retourné et contemplait dehors la neige, les bois noirs et peut-être même rien du tout. Son silence, encore plus que sa silhouette massive, lui donnait un poids insupportable.

– Dans le cas qui nous occupe, dit Robin, l'historique de la patiente semble indiquer que la maladie se serait déclarée à la suite d'un choc traumatique subi peu avant l'adolescence.

– Choc traumatique, coupa Tom sans se retourner. Elle venait d'avoir douze ans quand elle a vu sa mère se tirer une balle dans la bouche. C'était une petite fille précoce. Elle avait eu ses premières règles un mois auparavant.

– Schématique, contra Robin. Le choc a pu se borner à révéler un état pathologique latent, qui aurait pu finir par se manifester de lui-même à n'importe quelle autre occasion, ou pas. (Il appuya le menton à ses doigts joints. Il se trouvait sur son propre terrain, où il régnait en maître et entendait en profiter, actionnaires ou pas. Il ajouta pensivement :) Tous ceux dont un proche se suicide sous leurs yeux ne développent pas *ipso facto* un syndrome schizophrénique. Ce qui complique tout…

De nouveau, il se donna le temps de réfléchir avant de reprendre avec ce qui semblait fort à de l'embarras, ou à une sorte de mécontentement qui se portait aussi bien sur les autres que sur lui-même :

– Ce qui complique tout, c'est que les crises sont sporadiques, intermittentes et imprévisibles. Aucune fréquence statistique ne peut les rendre prédictibles. Entre les crises, la malade connaît des périodes de prostration totale, ou bien peut sembler parfaitement normale. Elle tient des discours sensés, fait profiter le personnel aussi bien que les autres patients de conseils juridiques très précis et avisés, ou bien peut être atteinte de logorrhée. Parfois, elle peut être sujette à des crises de violence. Pour ainsi dire, il s'agit d'une personnalité intermittente.

– Comme un tube au néon avec le starter qui merde, se rappela Schneider. Des fois il y a de la lumière, des fois il n'y en a pas.

– Si vous voulez, reconnut Robin.

Il lui avait semblé surprendre l'ombre d'une brève souffrance dans le regard du policier. Peut-être après tout y avait-il une forme d'être humain sous la veste de combat, quelque chose capable de souffrir et d'aimer, pourquoi pas de vivre, à sa manière.

– Les troubles de l'alimentation et la négligence des soins personnels peuvent conduire à une incurie et à la déshydratation. La malade souffre également de problèmes d'image et ne semble pas se reconnaître à tout coup. Nous avons ici une jeune psychothérapeute qui paraît avoir trouvé une solution à ce problème particulier.

Schneider gardait le silence. Tom, derrière, pesait plusieurs tonnes.

– Avec infiniment de douceur et de patience, elle a fini par établir le contact et imaginé une sorte de diversion. Elle est parvenue à faire admettre à la patiente qu'il valait mieux se maquiller autrement, se déguiser, entrer dans diverses peaux. Cette jeune femme a mis sur pied des cours de théâtre et les malades ont joué une pièce en fin d'année. Anne avait choisi de se déguiser en vampire.

Robin haussa les épaules :

– Pourquoi pas en vampire ?

– Comment elle a fait pour sortir ? demanda Schneider d'un ton abrupt.

353

– Son état était stable depuis plusieurs mois. Nous lui avons donc accordé une permission de sortie.

– Nous ?

– Avec l'assentiment du juge, *je* lui ai donc accordé une permission avec une ordonnance de deux jours pour ses médicaments. Un de ses amis est venu la chercher. Un jeune motard. Ils sont partis. Elle devait rentrer dans les quarante-huit heures. Elle est revenue seulement dans la journée du 1er janvier, soit quarante jours plus tard.

– Et personne n'avait songé à signaler sa disparition au magistrat ? grinça Schneider.

– Et personne n'avait songé à signaler sa disparition, déclara Monsieur Tom sans se retourner.

Robin secoua les épaules. Il était aux ordres et ne songeait pas à le dissimuler. Il reprit avec distance :

– À son retour, la patiente se trouvait dans un état de prostration duquel elle n'est pas sortie depuis. Elle a été mise immédiatement dans une chambre à l'isolement. Elle s'y trouve encore. Si vous voulez la récupérer, il vous faudra une ordonnance du juge et les instructions écrites du procureur.

Schneider écrasa sa cigarette, Tom se retourna. Robin se sentit pris sous le feu croisé de deux regards qui ne témoignaient pas la moindre bienveillance, ni l'un ni l'autre. Il commit un brusque dérapage. Lui aussi était une forme d'être humain, après tout. Il déclara d'un ton où perçait une étrange amertume :

– Toute la vie est peut-être une maladie. La vie mentale est une maladie aux contours indécis et aux limites tout aussi floues et imprécises. La médecine psychiatrique n'est peut-être qu'un palliatif et il n'y a peut-être pas d'autre remède que la mort.

– Vous citez mal, Robin, grinça Monsieur Tom, implacable. Le texte est un aphorisme de Chamfort. La citation exacte est : « *La vie est une maladie, le sommeil en est le palliatif. Son seul remède est la mort.* »

Il avait fondé une partie de sa carrière (de ses multiples carrières) sur une mémoire qui tenait de l'hypermnésie. Il était capable de citer des pages entières de Virgile dans le texte, aussi bien que le contenu du code pénal, ou la liste de tous les participants au Tour de France, depuis sa création. Sans tenir compte de la présence du médecin, il s'adressa directement à Schneider :

— Tu tiens toujours à l'arrêter ?

— Je n'en vois pas la nécessité, murmura Schneider.

Tournant les talons, il se dirigea vers la porte et sortit.

— Dans le cul, Schneider, dit brusquement Tom. Celle-là, tu ne l'accrocheras pas à ton tableau de chasse. Tu pourras prouver tout ce que tu veux, trouver autant de témoins que tu voudras. Moi vivant, il y aura toujours tout un tas de spécialistes pour la déclarer mentalement irresponsable. Moi vivant, personne ne la traînera jamais devant un tribunal. Moi vivant, jamais elle ne connaîtra les hauts murs.

Monsieur Tom roulait lentement. La neige s'était remise à tomber à profusion. Schneider consulta sa montre, puis celle du tableau de bord. Il allait être midi. Il remarqua :

— Toi, vivant. Les hauts murs, elle y est déjà. Et peut-être qu'elle sortira un jour et qu'elle recommencera. Ou pas.

— Ou pas.

Schneider chercha dans sa poche intérieure, en sortit une photo.

— Ton détective de merde jouait sur tous les tableaux. Il balançait à un flic des Stups. Quand il s'est fait flinguer, Meunier trimballait cette photo sur lui.

Il déposa le cliché sur l'accoudoir entre eux. Aussitôt, Monsieur Tom reconnut sa fille.

— C'est elle, qu'il cherchait, dit Schneider. Me demande pas pourquoi, je n'en sais rien. Je ne veux pas le savoir.

— Je savais qu'elle était partie, dit Tom. (Il parlait lentement, d'une voix sourde, comme quelqu'un qui arpente inlassablement tout le champ de sa propre souffrance.) Je lui ai offert des vacances. Quarante jours de vacances. Francky était censé la couvrir. Une sorte de garde du corps. Comment j'aurais pu penser que ça finirait par la mort d'un homme ?

– Aucune idée, reconnut Schneider. C'est toi qui as fourni le .45 à Francky ?

Tom avait gardé le silence, puis il avait ramassé la photo qu'il avait glissée dans sa veste.

– Il ne me reste plus qu'elle, maintenant.

– Et Marina ?

– Oh, Marina, fit Monsieur Tom. Marina…

Il n'en dit pas plus, peut-être parce qu'il n'y avait pas plus à en dire. En fixant la route devant, il déclara soudain :

– Elle m'a dit que tu t'étais mis en ménage.

Schneider garda le silence à son tour. Il savait que, pour des raisons qu'il ne souhaitait pas connaître, Tom n'aimait pas Cheroquee. Celle-ci ne l'aimait pas beaucoup non plus. Un partout, balle au centre. Schneider n'avait pas envie de parler de la jeune femme, à quiconque. Tom observa avec amertume :

– Tu es foutu. Rien qu'à la gueule que tu fais quand on te parle d'elle, ça se voit que tu es accroché à mort. Je pensais pas que ça t'arriverait un jour. C'est arrivé. Tu es foutu, dans tous les cas de figure. Qu'elle se casse et tu es mort, qu'elle reste et tu es mort. Les gosses, le pavillon de banlieue. Un jour, la piscine. Pourquoi pas, tous les ans, les vacances d'été en caravane à Palavas ?

Au lieu de répondre, Schneider se contenta d'allumer une cigarette. L'autre lui adressa un bref coup d'œil incisif :

– Toi et moi, on n'était pas taillés pour ça.

– Pour ça, quoi ?

– Ces vies de merde. Une fois dans ton existence, tu as eu ta chance. Le jour où le Chaoui t'a flingué au vol. Une chance de t'en tirer les cuisses propres. La grande fenêtre, Schneider. Tu as eu ta chance et on ne t'a pas laissé la saisir.

Ces connards d'infirmiers sont allés te ramasser. C'est jamais les vivants, qu'on ramène. Tu ne fais plus partie des vivants, Schneider. Tu es rayé du monde des vivants. Et ta gonzesse, un jour ou l'autre, il faudra bien que tu en fasses ton deuil.

Schneider savait bien qu'il était accroché. Il savait trop de quoi était faite la vie pour ne pas redouter qu'un jour ou l'autre Cheroquee s'en aille. Il savait aussi que lui-même ne se laisserait pas une seconde chance. Il murmura en direction du pare-brise :

— Comme si je ne le savais pas.

Puis, se tournant vers Tom :

— Je prends le risque.

Au moment où il le laissait sur le parking de l'hôtel de police, Monsieur Tom rappela Schneider par la vitre entre-bâillée.

— Donnant-donnant.

— Pas preneur, Tom.

— À force de se rencarder partout ton flic a fini par taper à la bonne porte. Des fois, c'est en posant des questions qu'on en apprend le plus, non pas à soi, mais à l'ennemi. (Il rit entre ses dents.) Tu vas recevoir un message sur ton répondeur, chez toi. Je suis sûr que ça va te passionner. Il est question de vingt kilos de jonc en lingots et de Ford Granada blanche. Il est question d'un aller simple Aubervilliers-Tlemcen.

Sans laisser à Schneider le temps de répondre, la vitre était remontée, la Jaguar s'était ébranlée en silence. Schneider l'avait suivie des yeux jusqu'au moment où le véhicule avait disparu au coin de la rue des Abattoirs, laissant derrière elle la trace nette et précise de ses pneus dans la neige fraîche. Il n'avait pas attendu longtemps avant que la petite Austin vert anglais apparaisse et que Cheroquee ne vienne la laisser mourir à quelques centimètres de ses tibias. Elle descendit pour lui céder le volant. Elle portait un manteau sombre au col relevé.

La neige tombait à grands bouillons. Par habitude de flic, Schneider avait rangé la voiture le museau vers la sortie de manière à pouvoir décrocher rapidement, sitôt la cérémonie terminée. Ils avaient fumé une cigarette en attendant, moteur tournant. Cheroquee avait demandé :

– C'était votre ami ?

– Non, dit Schneider.

– C'était quel genre de flic ?

– Jusqu'à ce qu'il se fasse flinguer, quelconque. Très bel homme, mais un type quelconque.

Elle le dévisagea :

– Vous êtes un très bel homme aussi.

– Jadis, déclara Schneider en direction du pare-brise, *jadis nous fûmes riches.*

– Riches ?

Il lui sourit un court instant. L'habitacle était tiède, dehors il tombait une neige dense et silencieuse, qui étouffait les sons et les isolait de l'extérieur. Elle ne tarda pas à boucher le pare-brise et les vitres. Cheroquee était bien, elle avait *son mec* avec elle, ils étaient ensemble, même si c'était pour assister à un enterrement. Elle allongea les jambes, autant que cela pouvait se faire dans un habitacle aussi exigu. Depuis quelques jours, une étrange idée lui était venue en tête et n'avait cessé de grandir. Elle allait avoir vingt-sept ans dans quelques semaines. Elle s'était fait faire un bilan à l'hôpital et tout le monde en était convenu, le gynéco compris, elle était en excellente santé. Ce n'était pas parce que le taxi était assis au bord du trottoir que le compteur ne tournait pas.

Dans son plan de vie, la jeune femme avait intégré comme allant de soi qu'un jour elle aurait un enfant. Un jour, lorsqu'elle aurait trouvé *son mec*. Elle ne se voyait pas faire un gosse à la sauvette, avec un type de passage. Un enfant, c'est quelque chose de sérieux. Elle y pensait avec une sorte de tressaillement intérieur, fait d'envie et de crainte.

La pendule tournait. Schneider gardait obstinément les yeux fixés sur le pare-brise opaque. Il était souvent capable d'une immobilité presque minérale, le visage vide. Elle posa la main sur son épaule et il tourna les yeux vers elle, l'enveloppa d'un regard gris et lointain. Par instants, la jeune femme avait l'impression d'un abîme qui s'ouvrait sous ses pas. Il y avait tout un pan de Schneider qu'elle ne connaissait pas – qu'elle ne connaîtrait jamais.

Elle ne savait pas comment lui dire. Elle avait peur de ce qu'il répondrait. Ils n'avaient pas fait attention en faisant l'amour, mais peut-être Schneider se reposait-il sur elle pour qu'elle prît les précautions nécessaires. Après tout, elle était infirmière et une infirmière devait savoir ce genre de choses. Elle ressentit brusquement une violente tristesse, à laquelle rien ne l'avait jamais habituée. Dieu, comme c'était difficile, parfois, de dire les choses les plus simples, comme par exemple, je vous aime et j'aimerais que vous me fassiez un enfant. *Comme ça, si jamais vous partez un jour, il me restera toujours quelque chose de vous.*

Pourquoi était-ce si difficile de parler ? Elle demanda à mi-voix :

– Il avait un enfant ?

– Oui, dit aussitôt Schneider. Ils venaient d'avoir un enfant.

– Petit mâle ou petite femelle ?

– Petit mâle.

(J'aimerais avoir un enfant de vous, Schneider, et j'aimerais que ce soit un petit mâle, comme vous. J'aimerais que vous soyez là lorsqu'il naîtra. J'aimerais qu'il ait vos yeux et vos mains, et le reste aussi. Ce n'est pas une question de pendule qui tourne, mais de vous et de moi.)

Schneider entrebâilla la vitre pour jeter sa cigarette. À travers le rideau de neige, des phares avançaient au ralenti. Le cortège ne comportait que quatre véhicules, corbillard compris, et il n'y avait ni fleurs ni couronnes.

Schneider se tenait à courte distance du caveau ouvert, Cheroquee serrée contre lui. Ce qui rendait les choses supportables, c'était justement la neige, qui estompait les contours et tendait un voile de silence sur la ville. Meunier était venu et était parti. *Just like swallow*, pensa Schneider. Il avait froid, il avait les pieds gelés. Cheroquee avait trouvé malin de mettre des escarpins et des bas et tremblait contre lui. Elle lui serrait le bras comme si elle craignait qu'il ne s'envole. Puis la cérémonie s'était achevée, et ils s'étaient avancés tous deux. Comme à son habitude, Schneider s'était incliné sèchement.

– Mes respects, madame la juge.

– Pas de ça, Schneider. Pas de ça et pas ici.

– Ma femme, dit-il en présentant Cheroquee.

– J'ignorais que vous étiez marié, Schneider.

La magistrate se reprit aussitôt.

– Je vous remercie, madame, d'être venue.

Cheroquee balbutia quelque chose que personne ne comprit au juste. Schneider sentit ses ongles plantés dans son bras. Cheroquee était dotée d'une poigne féroce. La magistrate reporta un regard d'une épouvantable nudité sur Schneider. Elle n'avait pas jugé bon de s'affubler de ces lunettes noires, qui, censées masquer la douleur, ne font que donner aux choses une allure d'enterrement de chefs mafieux. Elle murmura :

– J'aimerais que vous veniez un jour de la semaine, votre dame et vous, dîner à la maison. Vous pourriez faire la connaissance de Meunier Junior.

Schneider avait hoché la tête en guise d'acquiescement. Il faut contenir en soi d'inépuisables réserves de tristesse pour avoir ne serait-ce qu'une idée vague de celle des autres, pour éphémère et fugace que soit celle-ci. Il avait présenté ses condoléances avec laconisme, puis ils s'étaient éloignés et avaient disparu dans la neige, en direction générale du parking. À mi-chemin, Cheroquee lui avait agrippé brusquement le bras. Aussitôt inquiet, celui-ci avait craint qu'elle n'eût trébuché. Elle grinça :

– Ma femme. Depuis quand je suis votre femme ?

Elle semblait en colère. Schneider battit en retraite, conscient de s'être avancé plus ou moins à l'aveuglette. Il tenta confusément d'expliquer. Il avait cédé à l'émotion et s'en voulait. Elle poursuivit d'un ton lourd de ressentiment :

– Ce genre de chose ? Vous ne croyez pas que c'est à l'intéressée de les savoir en premier ? Avant d'aller les clamer sur tous les toits ?

– Je vous prie de m'excuser, dit Schneider avec embarras.

– Imbécile, s'exclama Cheroquee.

Brusquement, son visage rit. Juchée sur la pointe des pieds, elle lui posa un baiser rapide sur les lèvres en l'entraînant en hâte. Elle était sa femme. Schneider lui-même l'avait dit : *ma femme*. Elle était sa femme, elle était gelée jusqu'aux os, et elle crevait de faim. Sa femme.

Ils rentrèrent manger sur le pouce, puis Cheroquee s'installa sur le divan. Elle avait obtenu une journée de congé et entendait en profiter. Schneider alla ensuite consulter son répondeur. Une voix inconnue détaillait le programme des réjouissances, le lieu (Aubervilliers) et l'heure de départ de la voiture avec les accompagnateurs à bord, trois hommes avec du fer sur eux. L'heure d'arrivée probable à l'endroit où la marchandise serait transférée dans la Peugeot break à destination de Tlemcen (Algérie). Schneider l'écouta deux fois de suite, puis retira la cassette qu'il glissa dans sa poche de poitrine. Si l'information était bonne, le groupe criminel avait trente heures devant lui pour organiser la souricière.

Trois hommes avec du fer sur eux, lequel indiquait que les hommes seraient armés.

Il était question de vingt barres d'or. Schneider appela Catala, qui lui annonça que le commissaire Manière le cherchait partout la bave aux lèvres et qu'il n'allait sans doute pas tarder à carillonner. Schneider avait à peine raccroché que Manière appelait.

– Réunion au parquet dans une heure.

– Aperçu, fit Schneider en consultant sa montre.

– Vous avez une voiture en bas de chez vous qui vous attend.

– Aperçu, répéta Schneider.

Ils raccrochèrent en même temps. Cheroquee le scruta, les sourcils serrés :

– Des ennuis ?

– Pas plus que ça.

Elle n'en crut rien. Schneider alla ramasser le pistolet sur la malle en osier, le glissa à l'étui. Il avait le visage sombre et paraissait préoccupé. Drôle de vie, que celle d'une femme de flic, mais elle avait choisi, après tout. Elle s'était emmitouflée dans un peignoir, elle ne portait rien d'autre et avait très envie de *son mec*. Schneider se pencha :

– Ça peut durer une heure comme jusqu'à minuit. Vous serez là ?

– Non, dit Cheroquee d'un ton qui se voulait frivole. (Elle lui tira la langue.) Bien sûr que je serai là, mon tendre idiot. Il faut que je me fasse les sourcils, que je m'épile partout, que je prenne un bain. Que je me fasse les ongles de pieds. J'ai trouvé un grenat superbe. Vous ne pouvez pas imaginer. Après j'irai au cinéma, voir un film avec Bette Davis. Vous ne vous êtes jamais demandé si Bette Davis n'était pas un peu gousse sur les bords ?

– Non, reconnut Schneider.

Elle le regarda par en dessous. Il y avait des tas de choses qu'elle ne pouvait pas (ne savait pas) dire, en particulier qu'elle adorait l'attendre et pas seulement parce qu'elle savait pertinemment ce qui allait se passer à son retour. Elle ne pouvait quand même pas lui dire qu'à seulement l'attendre, il lui arrivait parfois d'éprouver un orgasme aussi violent qu'imprévisible, debout et les genoux serrés. La vieille histoire des deux chiens et du baquet d'eau glacée.

– Tirez-vous, si vous voulez pas être en retard, supplia-t-elle de sa voix rauque, un peu maniérée. Tirez-vous vite. Vite !

La voiture avait mis un temps infini à gagner le palais de justice et s'était rangée dans la cour intérieure. Schneider était arrivé le dernier dans le cabinet du procureur général. Le procureur général Bertin était présent, ainsi que le juge Courtil, et le procureur Gauthier. Rien que des figures connues, à l'expression fermée, implacable. Un homme d'une quarantaine d'années en complet gris, qu'on présenta comme un conseiller technique venu de Paris et qui demeura silencieux et pensif tout le temps, se tenait un peu à l'écart. Il portait des lunettes à monture en acier et Schneider lui trouva une ressemblance certaine avec le chanteur américain Dean Martin. Le policier savait reconnaître un *consigliere* quand il en rencontrait un. Le procureur général était un homme mince et bien mis, au visage inexpressif et aux manières calmes et réfléchies. Il fit signe à Schneider de prendre place, en déclarant de but en blanc :

– Le commissaire Manière m'a fait savoir qu'il ne jugeait pas sa présence utile, compte tenu que son directeur d'enquête était présent. Pour ma part, je pense que le commissaire Manière ne souhaitait pas participer à cette réunion. Je pense que c'est sa façon de ne pas insulter l'avenir.

Il consulta Schneider du regard, mais celui-ci demeura silencieux.

– Il a préféré envoyer son premier couteau à sa place. Le commissaire Manière n'est pas ce que j'appellerais un imbécile.

Schneider garda le silence.

– Vous voyez, Schneider, qu'on ne vous cache rien.

Celui-ci se borna à remuer la tête. Autant de magistrats sur une même affaire en si peu d'espace, sans le moindre greffier ni aucun témoin, excepté Dean Martin et lui-même,

363

Schneider pressentit aussitôt le coup fourré. Manière était un politique, Schneider ne l'était pas.

– Il s'agit de l'affaire Meunier et de ses derniers prolongements, déclara Bertin. Quoique le terme de prolongement ne soit pas tout à fait le terme adéquat. Nous n'ignorons pas qu'il y a eu une première interpellation, celle du sieur Reinart. L'individu présentait tous les traits du coupable idéal. (Il hésita.) Je qualifierai cette interpellation de malheureuse, bien qu'elle fût juridiquement motivée. Une simple péripétie. La presse en a fait momentanément ses choux gras.

Il eut un sourire neutre et appliqué :

– Il faut bien que tout le monde vive.

À son tour, il garda le silence un instant, consulta le jeune conseiller technique du regard. Le jeune homme demeura impassible, comme absent. Une autre sorte d'animal à sang froid.

– Selon ce que je sais, Schneider, vous avez à présent identifié l'auteur des faits de manière indiscutable. Les preuves dont vous semblez disposer à présent ne souffrent plus aucune contestation. Je ne reviendrai pas sur l'arrestation du sieur Reinart, ainsi que son incarcération. À aucun moment, personne, ni dans la police ni au sein de la justice, personne n'a commis la moindre erreur, la plus petite faute professionnelle.

À son ton, chacun comprit qu'il s'agissait là d'une affirmation à caractère péremptoire contre laquelle il n'était pas question d'aller, à quelque titre que ce fût. Schneider sortit ses cigarettes et les rempocha. Chacun comprit qu'il ne s'agissait là que d'un préambule. Le procureur Bertin s'accouda, posa le menton sur le dos des mains jointes.

– En tant que directeur d'enquête, monsieur le principal, vous pensez-vous en mesure de conduire la demoiselle Anne Thomassot devant le juge Courtil ? J'entends : pensez-vous être en mesure, techniquement, d'amener les éléments positifs et convergents de nature à motiver son inculpation ?

– Oui, dit Schneider avec une extrême froideur.

– Vous êtes donc certain des preuves et témoignages recueillis par vous-même et vos hommes ?

– Oui, répéta Schneider.

– Savez-vous où elle se trouve actuellement ?

– Oui.

Bertin laissa filer du temps, puis porta ce qu'il considérait comme l'estocade :

– Dans ces conditions, pourquoi n'avez-vous pas procédé immédiatement à son interpellation ?

Schneider garda le silence plusieurs secondes, puis sortit ses Camel.

– Vous pouvez fumer, si cela vous aide, déclara Bertin.

Schneider alluma sa cigarette. Toujours le claquement sec du Zippo, comme un bruit d'arme automatique. Il chercha un cendrier des yeux. Pourquoi. Si on savait toujours pourquoi. Il dit lentement d'un ton sourd et inadéquat qu'il n'aima pas du tout :

– La demoiselle Anne Thomassot se trouve actuellement à l'isolement, hospitalisée en psychiatrie. Elle y subit un traitement extrêmement lourd, adapté à son état.

– Avez-vous quelque qualité pour juger du traitement, ainsi que de l'état de la mise en cause, persifla Bertin. Êtes-vous médecin, monsieur le principal ?

– Non, reconnut Schneider.

– Le fait que la suspecte soit la fille d'un de vos proches a-t-il influé en quelque manière sur votre décision de ne pas procéder à son interpellation, fût-elle simplement formelle ? En d'autres termes, vous seriez-vous comporté de la même manière à l'encontre du citoyen lambda ?

– Sans aucun doute possible, dit durement Schneider.

Il sentit la colère monter.

– Vous voulez quoi ? La traîner aux assises ? Elle est foutue. Autant vouloir faire comparaître une mule empaillée.

Force doit rester à la Loi et toutes ces conneries. Il se leva pour s'en aller. Bertin l'observait avec une sorte d'amusement dans le regard.

– Vous aussi, vous auriez fait un formidable avocat d'assises, Schneider. Rasseyez-vous, nous n'en avons pas fini. (Il décida, avec une sorte de négligence :) Pour ce qui concerne l'affaire Meunier, vous allez clôturer immédiatement votre enquête et la transmettre en l'état. Je ne doute pas que le juge Courtil fera siennes vos conclusions. Je dois ajouter que madame la juge Meunier n'a pas l'intention de se porter partie civile. Il y aura non-lieu à statuer. On ne pourra donc pas nous reprocher d'avoir manqué de bienveillance à votre égard.

Schneider eut un bref rictus.

– Autre chose, dit ensuite le juge Bertin en attirant un dossier à lui : pouvez-vous nous apporter quelques éclaircissements sur les rapports que vous entretenez avec Mᵉ Thomassot, monsieur le principal, *ainsi que sur certains de ses agissements supposés* ?

Donnant-donnant, avait proposé Tom. À présent, Schneider commençait à comprendre et ce qu'il entrevoyait ne lui plaisait guère. D'autant moins qu'en lui confiant clés en main l'affaire Wittgenstein et ses vingt kilos de jonc, Monsieur Tom s'était acquitté par avance de sa part de marché. *C'est ainsi que nous avançons, frêles esquifs luttant contre le courant, sans cesse rejetés vers le passé.*

Schneider n'avait rien à déclarer et garda les dents serrées jusqu'à ce que l'on jugeât bon mettre fin à l'entretien.

La voiture bardée d'antennes le reconduisit sous une véritable tempête de neige. Signe que les choses étaient graves, le chauffeur l'avait installé à l'arrière droit au lieu de le prendre à côté de lui, sur le siège du passager avant. Schneider regarda les rues passer à la perpendiculaire l'une après l'autre. Chacun roulait au pas, comme tous ceux qui redoutent des lendemains incertains. À plusieurs reprises, le conducteur avait dû faire brièvement usage du gyrophare pour se dégager. Il avait déposé Schneider là où il l'avait pris, au ras du perron, et le policier était descendu sans attendre qu'on lui eût ouvert la portière. Schneider ne faisait pas partie des huiles.

Cheroquee était assise en tailleur sur le divan, le peignoir entrebâillé, avec des petits tampons de coton entre les orteils. Elle releva une frimousse amusée en interceptant le regard posé sur sa poitrine :

– Vous savez comment ils sont faits, depuis le temps, non ?

Schneider sourit. Elle lui tira la langue. Un peu.

– Qu'est-ce que je dois dire ? Déjà ou encore ?

– Les deux, murmura Schneider. Vous voulez un verre ?

– Pourquoi pas ? Il est quelle heure ?

– L'heure d'un verre.

Il retira sa veste qu'il posa sur un dossier de chaise et alla les servir, gin sec pour lui, martini blanc pour elle, déposa les verres sur la table basse et vint s'asseoir à côté d'elle. Immédiatement, elle sentit que quelque chose n'allait pas :

– Un problème ?

– Oui, dit Schneider.

– Grave ?

– Oui. (Il regardait par terre.) Tom va tomber. Ce n'est plus qu'une question de jours ou de semaines, mais il va tomber. Ça faisait trop longtemps qu'il tirait sur la corde.

– Monsieur Tom a toujours tiré sur la corde, observa Cheroquee. Il ne s'en cachait pas.

Il y avait quelque chose qui ressemblait à de la haine dans la voix de la jeune femme. Schneider la dévisagea. Elle eut une grimace qui la vieillit un instant.

– Si c'est ce que vous vous demandez, il n'y a jamais rien eu entre nous. Comme pas mal d'autres, il m'a vue à poil dans sa piscine, mais il ne s'est rien passé entre nous. Il ne s'est jamais rien passé non plus entre Marina et moi, si vous voulez le savoir.

Schneider ne voulait rien savoir. Son passé n'appartenait qu'à elle, comme son présent, d'ailleurs. Cheroquee n'appartenait à personne qu'à elle-même. Des mots lui montaient à la gorge, qu'il ne parvenait pas à prononcer à haute voix. Schneider n'était pas plus fait pour parler qu'il n'était fait pour vivre. Il dit, d'une voix sourde :

— Non, il ne s'en cachait pas. Cette fois, Paris a décidé de lâcher les chiens. On parle de grand ménage. La banquise est en train de bouger. Ils veulent sa peau et ils l'auront.

— Comment vous trouvez la couleur ? demanda Cheroquee.

Elle agita les orteils, retira les petites boules de coton. Schneider admit :

— Originale.

— C'est tout ce que vous trouvez à dire ? J'avais le choix entre ce grenat-ci et un rouge fuchsia un tout petit peu plus pétant.

— L'existence est faite de choix, regretta Schneider.

Il lui tendit son verre. Elle en profita pour lui emprisonner les doigts entre les siens. Elle avait une épaule et la gorge à demi nue. Elle lui dit avec dureté :

— Je me fous de Tom. Je me fous de ces conneries de banquise. Je me fous de Paris et des chiens. Je n'aime pas beaucoup les chiens. Dans le temps, j'ai eu un caniche abricot, qui m'a bouffé le volant et les coussins de la voiture, parce que je l'avais laissé dedans pour aller faire des courses. J'étais à l'école d'infirmières. Je n'avais pas beaucoup de sous. La voiture a fini à la ferraille et l'abricot est retourné à la SPA. Je me fous de tout, excepté d'une chose. Vous êtes là, je suis là. Le reste je m'en fous.

Elle aussi, à sa façon, savait être intraitable.

Tard dans la nuit, elle se réveilla en sursaut. La neige emmitouflait les bruits et le silence lui-même avait quelque chose de feutré et de lancinant. Endormi, Schneider la tenait par la taille. Elle se garda bien de bouger. Quelque chose l'avait réveillée en sursaut, comme un appel très ténu et lointain, ou le souvenir d'un appel venu du fond de la nuit, et qu'on n'est pas tout à fait sûr d'avoir entendu. Quelque chose avait tressailli dans son corps. Subitement, elle avait eu la certitude qu'elle portait la vie en elle.

16

– Voilà, annonça Schneider d'une voix atone. On ferme. Il y a eu un règlement de juges hier après-midi au parquet. Qu'on aime ou qu'on n'aime pas, on clôture en l'état et on transmet le dossier.

– Ce qui veut dire que la miss va s'en tirer fleur, observa Charlie Catala avec aigreur.

– Je ne le dirais pas de cette manière, remarqua Schneider, mais c'est le sens général. N'importe quel avocat n'aurait aucun mal à plaider l'irresponsabilité mentale. Manie avec symptômes psychotiques. Tout le monde est d'accord pour estimer qu'un procès d'assises coûte cher. Personne n'est disposé à gaspiller les deniers du contribuable. (Il était difficile de déterminer si son ton tenait ou non du pur persiflage. Il remua les épaules, en insistant.) Dans tous les cas de figure, les instructions sont formelles : clôture et transmission.

Il balaya ses hommes du regard, sans quêter la moindre approbation. Müller lui opposa une face impassible, les pouces dans la ceinture, chevilles croisées. Nello se contenta de hocher lentement la tête, le temps sans doute que la nouvelle parvienne au cerveau. Dumont nettoyait ses lunettes avec un acharnement suspect et son doux regard de myope errait dans le vague. Courapied leva un genou et lâcha un pet parfaitement audible, ce qui était sa manière de manifester sa réprobation. Schneider ne se sentit pas le courage de pousser un coup de gueule. Ses troupes n'étaient pas contentes. Personne n'aurait été content à leur place. L'affaire Meunier avait volé en éclats. D'un autre côté, les flics n'avaient pas pour vocation unique ou même principale d'être contents ou pas contents.

Hors le cas de flagrant délit, qui les contraignait par le poids des faits, ils avaient pour mission d'exécuter les instructions qu'on leur donnait. Le reste n'était que pure poésie. Schneider n'avait que foutre des états d'âme. Il alluma une cigarette, sortit un magnétophone à piles d'un tiroir, puis la cassette qu'il avait dans la poche de sa veste et l'inséra.

– Autre chose, dit-il avant de lancer le son. On dirait que les affaires reprennent.

La voix était claire et distincte, l'enregistrement de bonne qualité. Elle ne chuchotait pas et n'entendait pas se déguiser. Les flics estimèrent que c'était celle d'un individu entre trente et quarante ans, de sexe mâle et sans doute de race caucasienne, et qui s'exprimait sans hâte, posément, sans aucun accent définissable, sur ce qui pouvait passer pour un ton de compte rendu. Ni le texte du message, ni la voix (ni rien du tout) ne ressemblait à l'information communiquée à la sauvette par une balance, au petit bonheur la chance.

Nello intervint. Il était mal à l'aise. Il avait été le premier policier à avoir eu vent de l'affaire. Il était bien implanté. Il avait gratté comme un malade. Il se demandait si en grattant, il n'avait pas mis la puce à l'oreille à quelqu'un. Personne n'en saurait sans doute jamais rien. On en revenait cependant toujours au même. Bubu allait monter sur un coup de transfert. Jusqu'à présent, on ne savait ni où ni comment, mais on savait que Bubu allait monter au braquage. On savait à présent qu'il allait parasiter un coup. Pourtant, il s'était tenu tranquille durant vingt ans. Sa casse sur la zone industrielle était un établissement prospère et qui rapportait gros. Une seule fois en vingt ans, on avait essayé de le redresser sur un vol de trois tonnes de cuivre commis au dépôt SNCF. Le cuivre n'avait jamais été retrouvé, l'affaire n'avait pas abouti. Nello s'inquiéta :

– Comment ça se fait qu'on vous a envoyé cette cassette ?

– Aucune idée, dit Schneider avec réticence. Des comptes qui se règlent en coulisse.

– Qui a intérêt que Bubu capote ? se demanda Dumont.

– Aucune idée, répéta Schneider d'un ton pensif.

Lui non plus n'aimait pas les affaires livrées clés en main. Il n'aimait pas que la mariée fût trop belle. Nello avait sans doute posé la question de trop à la personne à laquelle il ne fallait pas la poser et l'information était remontée en sens inverse. Une seule chose était sûre, aux petites heures le lendemain matin, une voiture (Ford Granada deux litres blanche) allait livrer vingt barres d'or contenues dans deux mallettes en alu sur la casse. Il y aurait trois convoyeurs armés. Les mallettes seraient transférées dans le faux plancher d'un break 504 aménagé dans l'atelier de soudure de Bubu Wittgenstein. Une heure plus tard, les soudures meulées avec soin, le plancher enduit de deux couches de blacson, le tapis de sol remis en place, le break repartirait (en principe) sous la garde des convoyeurs, pour être vendu à Tlemcen. Ou ailleurs. En réalité, Schneider savait à présent que le véhicule de livraison atterrirait directement dans la presse hydraulique de la casse, après qu'on en aurait retiré les pneus et après l'avoir dépouillée de diverses pièces vendables, mais avec les trois convoyeurs dans le coffre.

La Ford Granada blanche présenterait alors l'aspect d'une compression d'environ un mètre cube et serait rapidement expédiée à la fonderie. Peu à peu, au cours des ans, Bubu avait mis au point une entreprise rentable et qui agissait (semblait-il) dans un contexte de transparence et de traçabilité parfaites.

– Ça fait dix fois qu'on entend chanter que Bubu envoie des types au four, grommela Müller. L'ennui, c'est qu'on n'a jamais rien pu prouver.

– On n'a jamais essayé de prouver quoi que ce soit, observa Charles Catala d'un ton acerbe. Bubu rend des services à tout le monde, aux flics pour commencer. En plus, c'est pas un mauvais bougre. Un type qui restaure une Continental de A à

372

Z, de la cave au grenier, ne peut pas être un sale type. Même avec un fusil Remington au poing.

Schneider laissa passer sans relever. Bubu avait toujours été assez malin pour couvrir ses traces. Cette fois, les choses étaient différentes. Il avait été balancé (ou piégé), et par un type qui devait se trouver assis sur ses genoux. Si l'on en croyait la cassette (et il y avait autant de raisons de la croire que de ne pas la croire), Schneider disposait du mode opératoire, ainsi que du timing de l'action, presque à l'heure près. Il ne lui restait qu'à tendre une souricière et à ramasser la donne. Et peu importait qui lui avait guidé la main.

Schneider fumait, le visage fermé.

Quoi qu'il décidât, les autres devraient suivre.

– Selon ce qu'on sait, les convoyeurs seront armés de pistolets-mitrailleurs Uzi, réfléchit Schneider. De son côté, Bubu n'aura aucun mal à trouver des soldats dans la famille pour couvrir le coup. Ils seront armés eux aussi. Bubu n'est pas un comique, les autres non plus. On risque l'artillage, mais en vase clos. Tout devra se passer dans le périmètre de la casse, pour éviter toute perte civile.

– Dans le périmètre de la casse, sous la neige, précisa Dumont.

La neige était une variable dont Schneider se serait bien passé. Parfaite pour les cartes de Noël, beaucoup moins pour les opérations de police. La météo n'annonçait aucune amélioration sensible dans les prochaines heures. Inutile de compter sur l'appoint des hélicoptères de la gendarmerie. Il restait la possibilité de repasser l'enfant au groupe de répression du banditisme, mais rien n'indiquait, vu les conditions météo, qu'il arriverait à temps. Rien n'indiquait non plus que le GRB accepterait de prendre le train en marche, ni même seulement qu'il prît au sérieux les éléments dont Schneider disposait.

Dans leur amertume atavique, les flics se méfient comme de la peste des cadeaux qui semblent tombés du ciel.

– Sous la neige, se répéta Schneider, pensif. Pas question d'opérer une reconnaissance. On a le lieu d'arrivée et son heure probable. On a les protagonistes. Pour des raisons de sécurité, la casse est entourée d'un double rang de grillage de trois mètres de haut. Elle est éclairée jour et nuit par des pylônes à halogènes.

De loin, la nuit, la casse ressemblait à un immense terrain de foot hérissé de squelettes en fer. La question était simple : on y va ou on n'y va pas. On n'y va pas, l'opération a lieu, Bubu enfouille les lingots. Aucune trace ou indice, sinon le long vagissement de la presse le lendemain matin, ce qui, en soi, ne constitue même pas un commencement de preuve. Seuls Schneider et ses hommes étaient au courant de l'existence de la cassette, qui pouvait aussi bien finir à l'incinérateur. Tout se passait entre voyous et le dégât social pouvait passer pour négligeable. Compte tenu des risques réels de fusillade s'il intervenait, personne ne pourrait jamais reprocher à Schneider d'avoir regardé ailleurs.

Personne sauf Schneider.

Charles Catala commença la distribution des chopes de café.

Schneider remercia, les yeux dans le vague. Il se tenait à la porte du C-47 et regardait le sol défiler sous les ailes de l'avion et la petite ombre cruciforme, obstinée, qu'il traînait en bas, bondissant derrière lui de butte en butte, sombrant de ravine en ravine pour reparaître tout aussitôt. Un sol sec et caillouteux, balafré parfois par le lit gris et vide d'un oued, semé ici ou là de buissons de lentisques, de touffes d'épineux et de maigres arbousiers. C'est là-bas que Schneider avait laissé son âme. Il lui revint le feu vert qui s'allumait au-dessus de la porte, le klaxon, et la brève ivresse du saut, comme un brusque silence dans les grands remous d'air des hélices. Le coup brutal de la sangle automatique dans le dos, puis la corolle blanche ouverte au-dessus de la tête plaquée contre le bleu de porcelaine du ciel.

Schneider dit brusquement à Dumont :

– Trouvez-moi un plan détaillé de la casse. Müller, prenez contact avec les gens d'EDF. Je veux savoir de quel transformateur elle dépend.

Le coup était parti. Schneider était redevenu le chef de commando qu'il n'avait peut-être jamais cessé d'être. Il était clairement conscient des risques. Il n'ignorait pas qu'il pourrait y avoir mort d'homme. Il était conscient qu'il ne disposait pas d'hommes entraînés et aguerris : il s'agissait de policiers et non de soldats. Il savait qu'il ne disposait même pas des effectifs suffisants. Néanmoins, il savait qu'il fallait qu'il y aille.

Frêles esquifs, sans cesse rejetés vers le passé.

Pour la régularité des opérations, de même que par courtoisie, Schneider avait avisé Manière de ce qu'il tramait. Le chef de la Sûreté n'avait soulevé aucune objection. En appui, il avait même mis trois équipages de trois hommes à disposition sous l'autorité de Schneider pour verrouiller l'ensemble du périmètre. De même, Schneider avait tenu informé le procureur Gauthier de l'imminence d'un possible flagrant délit impliquant deux bandes de malfaiteurs. Rien ne permettait d'affirmer que les choses auraient lieu, mais rien ne permettait de l'exclure. Il avait obtenu sans coup férir la mise sur écoute judiciaire de la casse. Gauthier avait seulement demandé à être tenu avisé de la suite des événements et pas un mot n'avait été échangé à propos de l'entrevue de la veille.

Si l'on exceptait Schneider, personne n'avait conscience du danger que représentait Bubu à soi tout seul. Bubu faisait partie des meubles. Il passait même à plus ou moins bon droit pour un homme rangé et une sorte de juge de paix local. On avait oublié ses débuts mouvementés chez M. Lafont, rue Lauriston. Beaucoup de gens en ville avaient oublié les services qu'ils avaient rendus à l'occupant. Dumont avait récupéré un plan détaillé de la casse et un ingénieur EDF était passé au milieu de l'après-midi. Il était techniquement possible d'isoler le secteur de toute alimentation électrique, du moins un certain temps. Une heure suffisait à Schneider. Une heure durant laquelle, plus rien ne fonctionnerait dans la casse, ni les barrières ni les gâches et rideaux électriques, plus de serrure ni de pupitre de commande de la presse et des grues. Tout serait entièrement paralysé.

On mettrait ça sur le compte de la neige. On lui avait donc promis son heure.

Une bonne partie de l'après-midi avait été consacrée à l'organisation du dispositif. Qui allait surveiller qui et depuis où. Qui allait barrer quoi. Qui se trouverait en première ligne et qui demeurerait en appui. Les Algeco à usage de bureau se trouvaient au milieu de la casse, en face de la presse hydraulique. Il fallait impérativement isoler cette zone, le reste étant constitué de hangars et de piles de voitures présentant autant de pièges labyrinthiques en cas de poursuite. Il ne voulait pas prendre le risque de la moindre poursuite.

Schneider avait distribué son personnel.

Avec Müller et Charles Catala, il se réservait l'interpellation de Bubu Wittgenstein, qu'il se sentait en mesure de raisonner. Du moins, pensait-il être le seul capable de le faire. Il serait donc en flèche du dispositif et tout devrait se passer en quelques secondes. La Granada arrive, les convoyeurs en descendent. Bubu Wittgenstein sort réceptionner la marchandise, accompagné de ses soldats. Tout ce petit monde se congratule. Le temps de laisser la pression retomber chez l'adversaire, trois voitures de flics déboulent en éventail et crachent leurs troupes. Sommations d'usage. Le saute-dessus classique, précis, efficace. Seul ou accompagné, Bubu comprend qu'il est fait et qu'au fond on n'a pas encore grand-chose à lui reprocher. Il se couche comme un grand en réclamant son avocat à cor et à cri. Les autres suivent son exemple. Moins d'un quart d'heure après, tout est bordé. Interpellation, palpation de sécurité, garde à vue. Personne n'a ouvert le feu sur personne. Les deux mallettes en alu sont dans le coffre de la voiture.

La seule inconnue : la neige qui pouvait tout foutre en l'air.

La neige et Bubu – qui pouvait tout aussi bien décider de ne pas se coucher.

Le soir, Cheroquee vint le récupérer. Sans les chercher, elle avait trouvé les comprimés dans l'armoire de toilette de Schneider. Amphétamines. Elle savait le risque qu'elles présentaient, notamment en matière de passage à l'acte. Elle n'en avait rien dit, mais depuis, elle le surveillait comme le lait sur le feu.

Il lui proposa de l'emmener dîner au Pré aux clercs. Elle lui demanda s'il venait d'hériter ou bien s'il avait décidé de casser son petit cochon rose. Schneider affirma que la jeune femme était son seul petit cochon rose. Elle lui fit une grimace en agitant le derrière sur sa chaise. Elle était très capable d'exprimer beaucoup de choses impertinentes et sensuelles avec une grande économie de moyens.

Durant tout le dîner, elle ne cessa de frotter les genoux contre les siens. Schneider lui trouva la figure un peu chiffonnée. Quelque chose qui n'allait pas ? Elle se borna à rire doucement, comme à une bonne blague strictement à usage interne. Elle se sentait heureuse, paisible, elle toisait les autres femmes avec un contentement manifeste et une certaine arrogance tranquille, surtout les malheureuses qui jetaient un coup d'œil à Schneider, plus ou moins à la dérobée.

– C'est depuis que vous êtes passé dans le journal, sourit-elle lui en tirant un peu la langue. C'est parce qu'elles ont l'impression de vous avoir déjà vu quelque part.

– Impossible, fit Schneider.

– Impossible ?

L'air un peu perdu, les sourcils arqués et le visage interrogatif levé vers lui, la jeune femme lui parut encore plus émouvante que d'habitude. Une petite gosse au doux regard tendre et trouble, et qui tâchait en vain de masquer qu'elle était plus qu'à demi myope. C'était le moment de lui dire. De lui dire. Je vous aime. Tout simplement, je vous aime. Voilà. Je vous aime. Ça ne devait pas être si compliqué, puisque des tas de gens le disaient tout le temps, dans toutes les langues du monde. Je vous aime. Au lieu de quoi, il esquiva, sur le ton de la plaisanterie :

– Quelque part, impossible : je n'y suis jamais allé. Ailleurs, oui. Quelque part, jamais.

Il consulta sa montre, fit signe au serveur en agitant sa carte de crédit.

– Demain, il faut que je sois sur le pont à cinq heures et demie.

– Dangereux ?

Il surprit une brusque souffrance dans les yeux ardoise posés sur lui. Elle avait des cils épais, démesurés, qui lui faisaient comme un battement d'aile effarouché à chaque regard. Ses yeux avaient subitement cessé de rire. Ils étaient remplis de crainte et de douleur. Ils n'étaient pas faits pour ça. Il saisit le poignet de la jeune femme. Il se voulait convaincant mais n'était pas très sûr d'y parvenir. Il affirma à mi-voix :

– Routine.

Plus le temps avançait, et plus il aurait aimé s'en persuader.

17

Par la suite, Schneider devait se souvenir des quarante-huit heures suivantes comme d'un long cauchemar éveillé. Il en avait eu le temps dans sa chambre d'hôpital, puis durant sa convalescence. Il se rappelait tout, dans les moindres détails. De bout en bout, rien ne s'était passé de la façon prévue. La Granada avait quitté Aubervilliers à l'heure dite, avec Chiquito au volant, les deux mallettes et les convoyeurs. Ils étaient tous quatre armés de pistolets-mitrailleurs Uzi et savaient tous s'en servir. La route avait été une vraie galère, l'autoroute était à peine déneigée sur une voie. Chiquito conduisait sans hâte. À un moment, il avait fallu s'arrêter pisser. Il était sorti le dernier, en étouffant le bruit de culasse de l'Uzi et il avait fauché les trois convoyeurs presque à bout touchant. Il les avait ensuite chargés dans le coffre et la Granada était repartie.

Schneider avait prévu un dispositif redondant et minutieux, et qui n'avait servi à rien. Il n'avait même pas été utile de couper le courant de la casse. Tout s'était passé simplement, mécaniquement.

Dès sa sortie d'autoroute, Chiquito avait appelé Bubu en clair, en indiquant que tout s'était passé comme prévu et en donnant une heure d'arrivée approximative. Le fonctionnaire chargé des écoutes avait immédiatement fait part de la communication à Schneider, dans sa voiture. Les abrutis n'avaient même pas pris la peine de coder leur dialogue. Schneider avait consulté sa montre, comparé l'heure à celle du tableau de bord. Elles concordaient.

La neige avait brusquement cessé de tomber au milieu de la nuit. Il se levait un soleil au disque étincelant sur les étendues glacées et vides. La neige avait cessé de tomber, mais la température avait dégringolé. Au loin, sur la rocade, on voyait le trafic s'intensifier peu à peu. Depuis la périphérie du dispositif, on avait annoncé le passage de la Granada.

Puis, l'équipage chargé de la surveillance depuis le deuxième cercle avait émis :

– Une seule personne à bord, Autorité. Je répète : une seule personne à bord.

Autorité (Schneider) avait demandé et obtenu confirmation.

– Une seule personne à bord.

Du regard, Schneider avait consulté Müller dans le rétroviseur. Celui-ci tenait le fusil à pompe debout entre les genoux. Il avait dit, presque sans bouger les lèvres, le regard dehors :

– Mauvais plan.

De toute la bande de Schneider, celui-ci excepté, La Mule était sans doute le plus expérimenté en matière de combat rapproché. Lui aussi avait servi en Algérie, connu les marches de nuit, les planques et les embuscades. Celles qu'on tendait à l'ennemi aussi bien que celles que celui-ci vous tendait. Le grésillement des mouches sur les cadavres aux abdomens gonflés, prêts à éclater. Ce que les flics et quelques autres, dont la Mort est la compagne familière et attentionnée, appellent le Stade Trois : *un tiers solide, un tiers liquide, un tiers gazeux.*

– Si ça se trouve, les trois crétins se sont déjà fait liquider, ajouta Müller.

– Si ça se trouve, avait déclaré Schneider d'un ton d'appréhension.

Si les convoyeurs avaient été liquidés, cela voulait dire que Bubu avait prévu le coup. Cela voulait dire qu'il était d'ores et déjà suspect de complicité d'homicide volontaire. Un homme qui a pour perspective le choix entre la peine capitale et la perpète a moins tendance à se coucher que celui qui risque une peine de dix à vingt ans, avocat ou pas avocat.

Plus question de laisser refroidir, comme Schneider l'avait souhaité. Il allait falloir taper tout de suite, à chaud, dès que la Granada serait dans la cour et Bubu sorti de l'Algeco. C'est ainsi que les choses s'étaient produites, du moins au départ. La Granada était arrivée, avait stoppé plus ou moins en travers en glissant. Bubu était apparu à la porte de son bureau, la main en visière devant les yeux. À l'instant où Chiquito avait mis pied à terre en levant le pouce en signe de victoire, les trois voitures de flics avaient surgi. Les arrêter avait été une autre paire de manches et l'une d'elles avait virevolté sans fin avant de finir contre le flanc de la presse dans un grand bruissement de tôles froissées. Schneider avait bondi de la sienne, storno dans le poing gauche, avec Müller en appui-feu, fusil braqué. Bubu avait disparu un court instant à l'intérieur, tandis que Chiquito tentait de prendre la fuite entre les piles de voitures. Bubu était ressorti avec le Remington tenu des deux mains à l'horizontale, prêt à faire feu. Quant à lui, Schneider avait sorti son arme qu'il tenait le long de la cuisse, le canon vers le sol. De la main gauche, il leva son storno. Tout le monde voyait bien qu'il portait des gants de cuir.

– On ne tire pas, avait-il ordonné à ses troupes.

Il s'était avancé d'un ou deux pas, un simple pas de balade. Il portait des bottillons de saut aux semelles crantées, fermement plantées dans la neige. Il avait le soleil dans le dos. Bubu se trouvait à moins de dix mètres. Il avait dit, il s'en souvenait :

– Laisse tomber, Bubu. La fête est finie. Baisse ton arme. À quoi ça servirait ?

Des propos de bon sens, tenus d'une voix sourde et neutre. Un instant, Schneider avait cru que son numéro de charmeur de serpents, déjà bien rodé, allait marcher une fois de plus. La fête était finie. Ni l'un ni l'autre n'avait plus rien à espérer. Bubu avait le soleil dans les yeux. De Schneider, il ne distinguait qu'une silhouette en parka qui pouvait être celle de n'importe qui. Il ne pouvait même pas voir ses yeux. Peut-être que s'il les avait vus, gris, calmes, presque suppliants, peut-être aurait-il agi autrement.

Tout se passa en quelques secondes. Bubu tira une première fois, la balle fredonna au passage et alla se perdre au loin, et il réarma en hâte. La seconde balle traversa de part en part la parka de Schneider, sans le toucher. Il n'y en eut pas de troisième. Comme au stand, Schneider avait levé le bras tendu à la perpendiculaire du corps, sans même prendre la peine d'effacer le torse. Il avait tiré deux fois coup sur coup. La première balle avait frappé Bubu à l'œil droit, la seconde en plein front.

Un silence strident avait succédé au grondement du lourd automatique.

Schneider s'était avancé en remettant le pistolet à l'étui, avait écarté du pied le Remington de Bubu. Sans avoir besoin de se pencher, il savait que l'homme était mort.

Sans désemparer, il avait passé au storno le message réglementaire de fin d'opération et sans ajouter un mot, il était retourné à sa voiture de commandement. Dans l'habitacle silencieux et glacé, il avait allumé une cigarette. Ses doigts tremblaient tellement qu'il avait dû s'y reprendre à plusieurs fois avant d'y parvenir.

Il avait ensuite dirigé les investigations avec sa précision et sa froideur habituelles. Chiquito avait été stoppé par une jambe de pantalon à mi-hauteur du grillage. Charles Catala l'avait fait descendre sans rudesse, l'avait palpé, retourné et menotté dans le dos. Chiquito avait aussitôt demandé son avocat. On avait sorti les mallettes de photographe et constaté la présence des lingots, que Schneider avait comptés en présence *effective et constante* de deux témoins, Dumont et Courapied.

On avait étendu une bâche sur le corps de Bubu et laissé ceux des convoyeurs dans le coffre ouvert, dans l'attente des techniciens de l'Identité judiciaire. Le commissaire Manière avait fait une brève apparition sur le coup des onze heures. Il avait déclaré que la station météo locale avait annoncé moins dix-sept à son relevé d'informations du matin. De son côté, Schneider avait rendu compte avec laconisme.

Au cours de l'interpellation, il avait dû faire usage de son arme. Manière s'était approché du corps, avait soulevé un pan de bâche. Il avait constaté le groupement parfait, les deux balles dans un rayon de dix centimètres – parfait pour un tir de police sur un individu armé, et qui venait lui-même d'ouvrir le feu par deux fois sur un fonctionnaire d'autorité. Manière avait déclaré, en laissant retomber la bâche :

– Je n'en attendais pas moins de vous, Schneider.

Quatre hommes étaient morts et personne n'en voulait à personne. Schneider se rappela ce qu'il avait déclaré lui-même la veille à la jeune femme : *routine*.

Avant de retourner à sa voiture où le chauffeur attendait sans impatience, Manière dit :

– Vous voudrez bien remettre votre arme à la balistique pour examen.

Schneider avait acquiescé en silence. Il connaissait la règle. Lorsqu'un policier est contraint de tirer, son arme passe à la balistique, comme toute arme ayant contribué à la commission d'un crime. Il avait regardé la voiture de Manière s'en aller. C'était un véhicule à traction avant bardé d'antennes et qui tenait sur la glace du chemin. Puis Müller était apparu en annonçant d'un ton très distant qu'au cours de la perquisition, dans le bureau de Bubu, on venait de faire ce qui s'apparentait à la découverte du siècle. Pas moins d'une dizaine d'armes de poing et d'épaule, avec les munitions équivalentes, plusieurs pains de penthrite, des détonateurs. Une collection de papiers d'identité concernant aussi bien des mâles que des femelles.

En passant les détenteurs aux fichiers, les policiers avaient eu la surprise (mesurée) de constater que la plupart d'entre eux figuraient sur celui des Personnes disparues. Il s'agissait donc de documents « en instance de réaffectation », avait conclu Schneider dans son rapport final. Sans toujours l'apprécier outre mesure, le parquet connaissait l'humour sarcastique du policier. Lequel avait laissé l'adversaire lui tirer dessus deux fois avant de l'abattre.

La parka traversée de part en part avait fait elle-même partie des saisies, établissant sans conteste le *péril imminent* auquel Schneider avait dû faire face, ainsi que *la réalité de la menace* à laquelle il avait été contraint de réagir. En droit, en cas *de légitime défense de soi-même et des autres*, la riposte doit être *strictement proportionnée à l'attaque*.

Tous les témoins en étaient convenus : Schneider avait agi en état de légitime défense. Nul ne pouvait le contester. Seuls les plus pinailleurs auraient été en droit d'observer que Schneider aurait pu opter pour un tir incapacitant, plutôt que de viser (et toucher) la tête. On ne pouvait que constater que Schneider avait tiré pour tuer. Deux choses modéraient cette objection. D'abord, il avait bel et bien tenté de parlementer, le pistolet tenu le long de la cuisse, le doigt le long du pontet, ce qui indiquait qu'il n'était pas disposé à faire immédiatement usage de son arme. Un instant, tout le monde avait bel et bien cru qu'il était en passe de réussir, mais les choses avaient tourné autrement. Ensuite, en retirant les cartouches restantes du Remington, on s'était rendu compte que les cartouches non percutées étaient toutes chargées à la chevrotine. Les chevrotines double zéro sont des projectiles mortels, de grosses billes de plomb, qui s'écartent presque dès la sortie du canon et peuvent faucher, pratiquement sans viser, tout ce qui se trouve à moyenne distance. Le *riot-gun*, ou fusil antiémeute, avait été conçu et réalisé à cet usage par les Américains, faucher la foule – noire de préférence.

En d'autres termes, si Bubu avait rempli tout le magasin de son arme à la double zéro, au lieu de faire une sorte de tir de sommation avec les deux premières balles à sanglier, Schneider avait toutes les chances d'être mort. Et dans la foulée, deux ou trois autres flics auraient pu y passer aussi. Légalement, Schneider avait donc fait ce qu'il devait faire.

Chacun avait encore en tête le fracas du fusil, deux coups lourds parfaitement espacés, puis les deux grondements du Colt qui n'en faisaient presque qu'un seul. Après qu'on eut emporté le corps, Schneider était resté à contempler silencieusement la neige sale à ses pieds, puis il avait tourné les talons et regagné sa voiture. La fête était finie.

C'était devenu une sorte de rituel. Si Schneider ne l'attendait pas sous l'auvent en haut des marches, Cheroquee laissait la voiture au parking et allait l'attendre aux Abattoirs. Dagmar l'accueillait toujours avec une certaine chaleur. Elle allait prendre place à une table d'où elle le verrait arriver. Dagmar lui apportait un martini blanc. La jeune femme défaisait son manteau, secouait sa lourde crinière. Elle remerciait, elles échangeaient quelques mots. Elles auraient dû se faire la guerre, mais toutes deux savaient que ce serait une guerre inutile. On ne se disputait pas Schneider. Schneider n'était à personne. Ce soir-là, Dagmar se pencha.

C'était vrai qu'elle avait une poitrine assez exceptionnelle – des seins durs et fermes en forme d'obus. Elle avait déclaré dans un souffle :

– Vous avez appris la fusillade, ce matin ?

Aussitôt, le visage de Cheroquee avait pris un teint terreux. Tout de suite, Dagmar avait posé la main sur son avant-bras.

– Vous inquiétez pas, il n'a rien.

Dagmar avait ri doucement et déclaré avec une sorte de fierté, le majeur et l'index plantés en ciseaux au milieu du front :

– C'est le clampin d'en face, qui y est resté. Deux balles, direct.

Cheroquee avait alors aperçu la silhouette de Schneider. Il tâchait d'avancer aussi rapidement que le lui permettait la neige glacée. Il était entré en coup de vent. Il s'était assis en face d'elle, avec un geste de la tête. *Long time no see.* Dagmar avait posé un scotch devant lui et s'était éclipsée. Cheroquee avait saisi ses doigts glacés.

– C'est vrai, ce matin, la fusillade ?

Il avait acquiescé en silence, sans la regarder, puis avait déclaré avec gêne :

– Vous vous rappelez la Lincoln, la première fois qu'on s'est rencontrés.

– Je me rappelle. Je me rappelle que c'est bien la première fois que j'ai failli faire l'amour dans une Lincoln. Faire l'amour dans une Lincoln avec un inconnu que je venais de rencontrer à peine deux heures avant.

Elle avait réfléchi une seconde, puis ajouté pensivement, le regard grave :

– Ça restera un des grands regrets de ma vie. De ne pas l'avoir fait.

– C'est lui qui me l'avait prêtée, dit Schneider.

– Lui ?

– Le type de ce matin.

– C'est vous qui l'avez abattu ?

Schneider n'avait pas touché à son verre.

– Qui vous l'a dit ?

– Dagmar.

Si Dagmar savait, toute la ville savait. Tous les flics savaient. Tout le monde savait. Schneider avait pratiquement bordé l'essentiel de la procédure et le reste pouvait attendre le lendemain. Il avait remis son arme à la balistique. Compte tenu de la charge de travail induite par l'affaire Wittgenstein, le technicien avait regretté de ne pas pouvoir lui restituer le Colt avant quarante-huit heures. Schneider avait déclaré qu'il n'entendait pas s'en servir de nouveau dans les quarante-huit heures.

Ils auraient pu se lever tous les deux et s'en aller, peut-être dîner quelque part, mais Schneider s'était penché brusquement :

– Rentrez seule, il me reste des trucs à faire. Pas la peine d'attendre ici. Je n'en ai pas pour longtemps.

Il n'avait toujours pas touché à son verre. Il s'était levé. Dans le mouvement, la jeune femme s'était aperçue qu'il ne portait pas d'arme. Au moment de s'en aller, il s'était penché sur ses lèvres. Puis il avait approché la bouche de son oreille et soufflé en hâte :

– Je vous aime.

Le cœur subitement serré, Cheroquee l'avait regardé s'en aller.

Pour elle, à cet instant, l'aveu avait sonné comme un adieu.

Schneider était repassé à l'Usine. Durant un grand moment, il avait relu l'ensemble des actes de procédure. Il était descendu en geôle, contrôler le livre de garde à vue. Assis sur son bat-flanc, la tête dans les mains, Chiquito ne dormait pas. Schneider était entré dans la cellule, s'était assis en face de lui. Ils avaient fumé une cigarette ensemble. Chiquito avait remarqué :

– Je vais prendre grave.

Il allait prendre grave. Il ne se plaignait pas. Il ne manifestait ni crainte ni animosité. Il avait commencé par nier, et brusquement il avait lâché et reconnu les faits. Les trois types dans la malle de la Granada. Des inconnus exécutés comme des inconnus. Ensuite, ils seraient passés à la presse et ni vu ni connu. Chiquito n'éprouvait ni haine ni regret, et pas le moindre remords. Chiquito n'était qu'un soldat : il avait fait ce qu'on lui avait dit de faire. Schneider lui aussi n'était qu'un soldat. Ils avaient fini leur cigarette, ils avaient écrasé les mégots, Schneider les avait récupérés dans sa paume (il était strictement interdit de fumer en cellule), et les avait jetés à la poubelle.

Dans son local éclairé *a giorno,* le garde-détenu dormait, la tête entre les bras sur *Paris-Turf.* Un garde est censé garder, mais Schneider ne s'était pas senti le courage de le secouer. Il était remonté, avait annoncé à la permanence qu'il sortait sur zone. Puis il était retourné dans son bureau, prendre des clés de voiture et un storno sur le rack de chargement. Même dans la pénombre des couloirs vides, le froid était saisissant – ou alors il le portait déjà en lui.

Schneider avait ressenti le besoin de se ressaisir. Il ne pouvait parler à personne de ce qui s'était produit le matin. Il ne pouvait confier à personne qu'au moment où il était parti, Bubu avait aussi emporté avec lui un morceau de l'homme qui l'avait tué. Certaines choses ne se disaient pas, parce que personne ne pouvait les comprendre. Parce qu'on ne parvient jamais à les dire comme il faut. À personne.

Schneider avait arrêté la voiture au ras de la barrière, dans la lumière verte du phare. Un phare de comédie au bout d'un chenal de comédie qui ne menait à rien. La surface du lac était terne et vitreuse, le ciel brillait de milliards d'étoiles à l'éclat minutieux et implacable. Le vent était tombé, tout reposait dans cette sorte de tranquillité du verre près de se briser. La neige glacée reflétait une sorte de lumière plate et qui semblait ne provenir de nulle part. Un mince croissant de lune paraissait au loin, au ras de l'horizon.

Le moteur craquait en se refroidissant, la radio de bord se tenait silencieuse.

Une paix précaire semblait s'être établie.

Schneider avait entrebâillé sa vitre pour ne pas embuer. Schneider était tissé de précautions et de manies, pour la plupart inutiles. Il avait devant les yeux le beau visage de la jeune femme. Sa lourde chevelure. Son expression inquiète et douloureuse, ou moqueuse et sournoise lorsqu'elle venait ramper sur lui, en ne cachant pas ce qu'elle voulait. Ses sourcils en aile de mouette, son nez droit, sa mâchoire volontaire et sa grande bouche, qui savait être aussi bien tendre et démunie, que grave et boudeuse et parfaitement insolente. Ses yeux ardoise. En pièces détachées, rien n'expliquait rien. Il lui trouvait un air de star de cinéma, avec une sorte de beauté froide et classique, arrogante les sourcils levés. Elle n'était ni froide ni classique. Ni arrogante. Il allait mettre le contact, manœuvrer en marche arrière, retourner près d'elle comme on marche vers la terre promise.

Il se rappela la femme de la grotte, avec l'enfant dans ses bras.

Elle se tenait assise contre la paroi, avec l'air d'attendre et de vouloir crier.

Dans l'ovale des lèvres momifiées, on lui voyait des dents noires acérées.

Prêtes à mordre.

Schneider alluma une cigarette, avec un coup d'œil machinal dans le rétroviseur.

Puis la fatigue et le froid le prirent en douce et il lui sembla s'engourdir.

Ce fut le crissement des pneus sur la glace qui lui fit relever la tête. Une masse sombre obstruait à présent la lunette arrière. Schneider distingua la silhouette carrée d'un gros 4 × 4 qui s'était avancé en courant sur l'erre, tous feux éteints. Au même instant, un autre véhicule était venu bloquer la portière droite. Schneider avait compris instantanément. Sa main droite s'était portée à la hanche, mais il s'était rappelé qu'il avait remis son arme à la balistique. À proprement parler, il n'avait pas eu peur, il avait seulement ressenti de la rage. Une rage foudroyante et glacée d'animal pris au piège.

Deux hommes étaient sortis de chacun des deux véhicules. Quatre silhouettes cagoulées en tenue ardoise. Ils s'approchaient sans hâte, comme pour faire durer un suspens quelque peu théâtral et parfaitement inutile. Schneider savait qu'il n'aurait pas le temps de passer le message *fonctionnaire en difficulté*, et que, s'il le faisait, les gens de la brigade de nuit n'auraient pas le temps de lui porter secours. Il pouvait essayer de rester à l'intérieur, mais les vitres ne résisteraient pas longtemps sous les coups d'une clé à molette, d'un démonte-pneu ou d'une batte de base-ball. Il savait aussi qu'un homme qu'on tire de force d'un véhicule est toujours plus vulnérable que celui qui se rue dehors et définit ainsi lui-même sa zone de mort – ou son périmètre de survie. Schneider se jeta dehors en aspirant une grande bouffée d'air glacé, boula deux fois pour prendre de la distance, tout en arrachant les menottes de sa ceinture. À quatre contre un, l'affaire était jouable. Ça allait faire mal des deux côtés, mais c'était jouable. Schneider enfila les menottes en poing américain. Il ne chercha pas à se défiler. Les types en face commencèrent à se déployer en tenaille. Schneider bougeait sans arrêt, en cherchant l'angle d'attaque. Ils s'approchaient, Schneider cogna deux fois, écrasa un visage sous son poing. Le type tomba sur le dos en agitant les jambes et en gueulant.

Schneider se déplaçait toujours, à toute allure. Un instant, on put même se demander qui chassait qui et si ses agresseurs n'allaient pas rompre. Et brusquement, un coup qu'il n'avait ni vu ni entendu venir le faucha au niveau du haut des reins. Batte de base-ball, matraque de CRS, peu importait. Le moyen idéal qu'employaient les flics pour faire tomber un mec à genoux. Scheider tomba à genoux, d'un bloc, comme paralysé du bas. Il avait manqué de vigilance et perdu de vue un court instant l'un de ses agresseurs.

Il avait joué, il avait perdu. Tant pis pour sa gueule.

Il eut la certitude qu'il avait affaire à des flics, ou assimilés, gardiens de prison, agents de surveillance privée, et qu'il allait manger grave. Il eut l'espoir qu'ils ne le finiraient pas. Une grêle de coups s'abattit sur lui. Recroquevillé en position fœtale, il tâcha de se protéger le visage et les couilles. Trop d'information tue l'information. Trop de douleur tue la douleur et il finit rapidement par ne plus rien sentir. Il avait cessé d'être là. Plus les autres cognaient, plus Schneider se retirait dans une grotte sans fond, dans des abîmes connus de lui seul.

Subitement, il sentit qu'on le retournait sur le dos et qu'il ne pouvait rien faire. La lumière aveuglante d'une torche électrique l'éblouit. Il eut l'impression de rire, et peut-être après tout riait-il. Quelqu'un le prit par le col, le souleva de force. Il entendit une voix affirmer de manière risible :

– Crève, salope.

Il allait donc crever. La chose n'avait rien d'inadmissible. Il rit pour de bon, s'étrangla en avalant du sang. Au même instant, il y eut une grande déflagration, une lame d'acier portée au rouge sembla lui traverser le côté droit de la tête et ce fut le noir.

18

Il était une heure du matin, quand Charlie Catala était venu la chercher. Il lui avait seulement dit que Schneider venait d'avoir un accident et qu'il était au Samu. Il n'en savait pas plus, ou ne voulait pas en dire plus. Elle s'était habillée en hâte. Malgré l'heure, Charlie Catala avait conduit au gyrophare dans les rues désertes. Elle avait franchi le sas en courant et s'était heurtée à l'interne de garde qui l'avait arrêtée au vol et l'avait emmenée dans un box. On ne savait rien, sinon que le policier avait été battu avec une certaine sauvagerie et qu'on lui avait tiré une balle dans la bouche.

Une patrouille de la brigade de nuit avait repéré un véhicule garé tous feux éteints à proximité du phare. La vérification radio au fichier des cartes grises avait établi qu'il s'agissait d'une voiture de l'Usine. Il n'avait pas été compliqué ensuite de déterminer qu'il s'agissait d'un des véhicules affectés au groupe criminel. En s'approchant, les flics de la BSN avaient constaté que la portière du conducteur était entrouverte et que les voyants du tableau de bord étaient allumés et les clés sur le contact. Un peu plus loin, ils avaient découvert un corps étendu sur le dos. Samu demandé.

Cheroquee tremblait de manière convulsive. Elle ne parvenait pas à s'empêcher de trembler. Elle avait les mâchoires tellement contractées qu'elle ne pouvait même pas parler. L'interne de garde savait la relation qu'elle entretenait avec le policier. Tout le monde le savait. Elle ne s'en cachait pas. Elle ne parvenait pas à parler. Elle ne parvenait pas à bouger. Le jeune interne lui prit le bras, la conduisit dans la salle de garde. Il la fit asseoir dans l'un des fauteuils. C'était pour elle un lieu familier. Elle y travaillait depuis des années. Tous ceux qui étaient de service cette nuit-là la connaissaient et elle les connaissait tous. Pourtant, elle balayait les lieux et les visages d'un regard absent, comme déconnecté de tout, à la fois vide et interrogateur. On lui parlait presque au visage, on se penchait sur elle. Rien que des lieux et des êtres familiers.

Elle ne s'était pas peignée, elle avait enfilé un jean et un chandail à même la peau. Elle n'avait même pas pris le temps d'enfiler un soutien-gorge et portait de vieilles baskets défraîchies. Elle n'arrivait pas à penser, à aligner deux idées de suite. Elle regardait en dedans et ne voyait rien. Elle regardait alentour. Elle ne voyait rien de plus. Elle trouva le moyen de demander d'un trait :

– Est-ce qu'il va s'en tirer ?

Elle n'entendit pas ce qu'on lui répondait. Elle sentit qu'on s'activait autour d'elle. Elle avait bondi sur ses pieds. Elle voulait le voir. Tout de suite. Un animal déchaîné. Des griffes et des dents, avec une force décuplée par la commotion. Tout de suite, elle avait senti qu'on la maîtrisait – qu'on la plaquait au sol et qu'on la piquait dans la fesse à travers la toile de jean.

Presque aussitôt, elle avait sombré dans l'inconscience.

Schneider avait mis un peu moins de quatre jours à revenir du royaume des ombres. Pendant les quatre jours, Cheroquee avait vécu comme un zombie, la journée à faire son boulot, la nuit à demeurer assise dans un fauteuil au pied du lit, à surveiller les écrans et la face du blessé. Il avait la moitié droite du visage et l'œil couvert de bandages. Il était transfusé en permanence. Cheroquee le veillait avec une sorte de férocité muette. Elle travaillait sans prononcer un mot le jour, elle veillait sans proférer une parole la nuit. Le personnel avait commencé à s'inquiéter lorsqu'on s'était aperçu que la jeune femme ne touchait même plus à ses plateaux-repas. Elle n'emmerdait personne. Elle somnolait par intermittence.

La deuxième nuit, on lui avait annoncé qu'une personne voulait lui parler aux Entrées. Elle avait abandonné Schneider quelques instants. Monsieur Tom était assis sur l'un des sièges étroits fixés au mur, coudes aux genoux et la tête entre les mains. En entendant battre les portes, il avait aussitôt relevé le front. Il s'était levé lentement.

– Vous avez des nouvelles ?

Elle avait des nouvelles. Schneider tardait à revenir. On ne savait pas s'il reviendrait. Le scanner avait montré une commotion cérébrale, mais qui n'avait pas nécessité d'intervention chirurgicale. Il pouvait aussi bien se laisser glisser (Cheroquee avait connu des cas semblables où le patient s'enfonce sans un mot, sans le moindre espoir de retour, sans la moindre raison apparente) que remonter à la surface. Ensuite se posait la question de l'état dans lequel il reviendrait, ce qui était une tout autre paire de manches.

Cheroquee s'était rendu compte qu'elle parlait d'un strict point de vue professionnel, avec une sorte d'écho, comme dans une chambre de réverbération. Des mots précis et qui ne voulaient rien dire du tout au fond. Monsieur Tom acquiesçait de temps à autre. Subitement, il avait tourné la tête et dévisagé la jeune femme. Elle avait perdu beaucoup de son insolente beauté et de sa superbe. Elle lui parut vieillie, affaissée. Elle était au bout du rouleau. Il avait déclaré d'un ton brutal :

– Vous et moi, nous avons un point commun. Nous aimons le même homme.

À son tour, elle avait acquiescé et gardé le silence un long moment. Ils aimaient le même homme et cet homme allait peut-être partir. Elle savait que s'il partait, il ne partirait pas entièrement. Elle savait qu'il lui avait laissé un être en garde, un être qu'elle portait en elle. Elle souffrait comme une damnée, mais en même temps elle savait qu'elle ne serait jamais seule, comme elle avait pu l'être avant de le rencontrer.

Monsieur Tom ne le savait pas. Personne n'avait à le savoir. Ils s'étaient rassis côte à côte.

Monsieur Tom portait une vieille veste de chasse, un pull-over à col roulé et des bottillons encore lourds de neige boueuse. Il se passa les mains sur la figure. Cheroquee s'aperçut avec surprise qu'il avait les yeux d'un assez beau vert pailleté de jaune. Elle s'aperçut avec surprise qu'il avait deux yeux, deux yeux remplis de détresse et d'amertume. Il murmura pour le sol :

– Vous ne savez pas qui est Schneider. Personne ne sait qui est Schneider. Ce que je sais, c'est ce qu'il a fait. Un jour, il vous la montrera peut-être. Cette femme dans la grotte.

Elle inclina le front. Schneider la lui avait montrée, il lui avait montré le bijou qui lui pendait sur l'épaule. Il avait même déplié le papier de soie qui contenait le bijou que la morte avait porté. C'était un temporal typique de l'art du Hoggar, un bijou d'argent, de cuivre et de fer-blanc, fait d'un carré puis de trois triangles suspendus l'un à l'autre, de taille décroissante, chacun décoré à son tour de six triangles de métal plus petits encore.

Schneider lui avait donné le bijou. Il l'avait gardé pour elle, et pour elle seule, depuis le début. Il l'avait attendue depuis toujours pour le lui donner, à elle.

– La pacification de l'Algérie n'a été qu'un génocide, dit Monsieur Tom d'une voix très sourde. Je parle des débuts, entre 1830 et 1850, lorsqu'il s'agissait d'éradiquer les populations indigènes, au nom du Progrès et de la République. Les sinistres colonnes Bugeaud, Lamoricière, le grand sabreur. Les villages incendiés, les populations massacrées. Les gens qu'on poussait dans les grottes, morts ou vivants, où on mettait le feu.

Monsieur Tom se tut un instant, puis reprit d'un débit lent et pénible.

– Schneider est tombé sur une de ces grottes. Il est tombé sur ses occupants. Il y avait un photographe de l'armée. Ce que, par dérision, Schneider appelait la *Propagandastaffel*. Il l'a obligé à prendre des photos, dont celles de la femme avec son enfant, ce qui était déjà une grave entorse aux règles militaires.

Monsieur Tom remontait pas à pas le chemin. Son propre chemin.

– Ensuite, avec son poignard de combat, il a déchiré son parachute pour fabriquer un linceul. Et avec la pelle-bêche d'un de ses hommes, il a creusé une tombe, dans laquelle il a inhumé les restes. La femme et son enfant, qui ne devait pas avoir plus de trois ans. Seulement eux deux et personne d'autre. Allez savoir pourquoi.

Cheroquee avait reçu de plein fouet son regard désespéré.

– Nous ne savions pas, affirma Tom. Aucun d'entre nous n'avait jamais soupçonné de pareilles atrocités de notre part. Schneider les a enterrés en direction du levant, ce qui était une connerie. (Il eut un rire amer.) Cette peuplade isolée n'était pas musulmane. Elle avait survécu aux cimeterres arabes pour tomber sous les sabres français.

Il s'était tu. Il avait cessé de la regarder en face.

– C'est à partir de là que Schneider a commencé à sortir de la route. Il avait voulu faire paraître les photos dans un journal. L'état-major l'a su. Il a été rapatrié à Alger par hélicoptère et placé aux arrêts. Il y avait déjà eu cette Légion d'honneur qu'il avait refusée après avoir été blessé dans les Aurès. Schneider a trouvé le moyen d'aggraver le score en cassant la gueule d'un officier supérieur au bar de l'Aletti, au motif que celui-ci avait proclamé que la seule manière de se tirer du merdier algérien était de casser du bougnoule, jusqu'à ce qu'il n'y en ait plus. Motif futile, évidemment.

– Pourquoi me dites-vous cela ? demanda Cheroquee.

– Je veux que vous sachiez qui il est.

Il poursuivit, avec un accablement qui ne lui ressemblait pas :

– Ensuite, vous ferez de lui ce que vous voudrez.

Elle faillit dire : j'attends un enfant. Schneider ne le sait pas encore et peut-être ne le saura-t-il jamais, mais j'attends un enfant de lui. Elle faillit le dire, mais elle jugea que ce n'était pas à un tiers de l'apprendre en premier. quelle que soit la réaction qu'il aurait, seul Schneider devait le savoir en premier. Elle ne portait pas le bijou qu'il lui avait offert, mais elle l'avait en permanence sur elle dans son sac, serré dans une vieille pochette de cuir pourpre. Elle aurait aimé croire en Dieu pour le supplier de l'épargner, mais elle ne croyait pas en Dieu – en aucun Dieu, seulement en des forces secrètes qui menaient sans explication là où elles voulaient bien nous conduire. Monsieur Tom reprit à regret :

– Je ne compte pas trop sur les confidences de Schneider. Il faut que vous sachiez autre chose. Sa mère vit toujours, dans la maison de famille près de Villefranche-sur-Mer. Ils ne se sont plus parlé depuis que Schneider est entré dans l'armée, début 57. Quand il a été blessé, j'étais son chef d'unité. J'ai écrit à sa mère pour lui annoncer la nouvelle. Je lui ai proposé de venir le voir à Alger. Elle n'a jamais répondu.

– Pourquoi me dites-vous tout cela ? répéta Cheroquee, désemparée.

Monsieur Tom remua les épaules. Elle le trouva subitement vieilli. Il demeurait un homme dangereux et sans scrupule, mais semblait avoir perdu de son mordant, de la détermination sans faille qui avait fait de lui un redoutable chef de meute.

– Vous ne m'aimez pas, je le sais. Marina me l'a dit. Je ne vous demande pas de m'aimer. Je n'ai jamais demandé à personne de m'aimer. Même pas à Schneider. Je voulais juste que vous sachiez qui il est. Que vous ne vous trompiez pas.

Monsieur Tom s'était levé et était sorti sans se retourner. Il n'était pas homme à se retourner. Quant à elle, Cheroquee était revenue monter la garde près du lit de Schneider. Au passage, elle avait récupéré son sac dans les vestiaires. Hébétée de fatigue, au bord de perdre conscience, elle avait sorti la pochette de cuir et avait porté le bijou à ses lèvres. Puis, avec un frisson, elle l'avait brusquement passé autour du cou à même la peau, sous son pull. Aussi longtemps qu'elle le porterait, il vivrait. En silence, elle avait ensuite imploré le hideux visage de la morte de lui rendre Schneider. *Si elle ne le faisait pas pour elle, au moins qu'elle le fasse pour l'enfant.*

19

Schneider avait fini par sortir du trou. Il avait d'abord passé une semaine en chambre individuelle, puis on l'avait autorisé à sortir. Tout le temps, Cheroquee était restée à ses côtés. Monsieur Tom était venu pour la levée d'écrou. Avec la jeune femme, ils avaient reconduit Schneider chez lui. De l'avis général, le policier avait eu une chance hors du commun. La balle qu'on lui avait tirée dans la bouche (la punition réservée aux balances) s'était contentée de suivre l'extérieur du maxillaire droit sans rien abîmer au passage. Elle était sortie sous l'oreille. Le froid avait limité l'épanchement de sang.

Schneider avait eu beaucoup de chance. Il avait remarqué avec amertume :

– Le même jour, deux types m'ont eu dans la ligne de mire. Ils m'ont manqué tous les deux. C'est à désespérer de tout.

Rentré chez lui, il avait demandé à rester allongé sur le canapé. Cheroquee était repartie travailler. Il avait somnolé des jours entiers, se déplaçant avec difficulté, oubliant sans cesse ce qu'il avait fait ou dit l'instant d'avant. Il ne souffrait pas à proprement parler. Il avait juste l'impression d'être défoncé en permanence. Il avait jeté les amphétamines dans les cabinets. Il n'en avait plus besoin, maintenant. Il l'avait, elle. Il lui arrivait de divaguer. Il lui fallait beaucoup de temps pour allumer une cigarette, qu'il oubliait régulièrement au bord du cendrier. Et puis, c'était le soir, elle revenait et s'asseyait près de lui, un peu de travers. Il la regardait comme s'il ne l'avait jamais vue auparavant, sept ou huit heures plus tôt. Il regardait ses paupières un peu lasses, ses pommettes hautes. La jeune femme avait les yeux à la fois très durs, comme soupçonneux, et empreints en même temps d'une étrange douceur pleine de tendresse un peu triste. Il la détaillait du bout des doigts, frôlait lentement sa lèvre inférieure, toujours gonflée comme un sanglot qui tarderait à éclater.

Le commissaire Manière était passé un après-midi, avec une bouteille de Chivas et un bouquet de roses.

– Les roses, c'est pour votre tigresse. Le scotch, pour qui vous voulez.

Schneider l'avait invité à s'asseoir. Il avait sorti deux verres.

Manière était plus ou moins en service commandé. Comme bien des policiers, c'était un homme systématique. Il avait commencé par le commencement.

– Votre agression, on sait qui et pourquoi. L'un des types que vous avez amochés a eu l'idée saugrenue de se rendre dans une clinique, plutôt qu'aux urgences, persuadé que ça ne se saurait pas. On a une idée exacte de l'équipe et du meneur de jeu. Escobar s'était bourré la gueule le jour de sa révocation. Il avait parlé à des copains à lui. Ils s'étaient monté le bourrichon de bar en bar. De biture en biture. Le cercueil « Honneur de la police » c'était eux, et seulement eux. Quand ils ont su que vous aviez été désarmé, ils ont décidé de sauter sur l'occasion. Courageux, mais pas téméraires. Ils vous ont pris en filature à la sortie du Central.

Schneider avait gardé le silence. Il buvait à petites gorgées, pensivement.

– On sait tout, de là à le prouver... Vous avez l'intention de déposer plainte ?

– Non, avait déclaré Schneider.

Il s'en foutait de déposer plainte. Il revenait de très loin, et de là où il revenait, les plaintes n'avaient pas cours. Il se sentait groggy et comme handicapé. Il attendait seulement qu'elle revienne. Le bruit de la petite Austin. Il y avait une plaquette qui frottait, selon lui à la roue avant droite. Sa façon rageuse de serrer le frein à main, comme si elle entendait l'arracher du châssis. Ensuite, le mécanisme de l'ascenseur qui se mettait en branle. Compter les claquements étouffés à chaque étage. Sans regarder Manière, il avait demandé :

– Tigresse ? Pourquoi avez-vous dit tigresse ?

Manière avait ri sans réserve.

– Ses collègues ont essayé de la virer dix fois de votre chambre. Elle ne tenait plus debout d'épuisement, mais ils ont eu tellement peur de se faire mordre, qu'ils ont fini par lui foutre la paix. (Il secoua la tête.) Certainement l'une des plus belles femmes de la ville. Je l'avais repérée avant vous, à cause de ses flotteurs et de son air de pimbêche.

– Vous ne parleriez pas d'elle comme ça, si j'étais en mesure de vous foutre sur la gueule, observa Schneider.

– Même dans votre état, vous êtes tout à fait apte à me foutre sur la gueule. Je ne sais pas pourquoi je ne l'ai jamais attaquée. Peut-être parce qu'elle ne regardait jamais personne. Elle donnait toujours l'impression d'attendre quelqu'un, tout le temps. Et ce quelqu'un, ce n'était pas moi.

Il avait semblé effacer un souvenir importun de son esprit. Il avait ajouté, un demi-ton plus bas :

– Elle traînait tout le temps à la Concorde avec la femme à Thomassot. Il se disait même que les deux étaient gouines et qu'elles faisaient des parties à quatre ou plus, avec la bénédiction du maître de maison.

Schneider pensa avec amusement que si Cheroquee était gouine, elle cachait bien son jeu. Quant aux parties à quatre ou plus, il s'en foutait. Il savait ce qui se racontait et il s'en foutait, que ce soit vrai ou pas vrai. Il attendait juste qu'elle rentre, qu'elle pose sa besace à ses pieds dans l'entrée, qu'elle envoie balader ses talons dans un soupir et qu'elle s'approche pieds nus avec son sourire un peu tremblé, en remuant les épaules, coudes en arrière pour dégrafer son soutien-gorge. Il avait besoin d'elle comme de l'air qu'il respirait.

Avant de s'en aller (la nuit avait fini par tomber) Manière avait finalement déclaré, au tout dernier moment :

– Vos récents exploits ont attiré l'attention du ministère. Il y a déjà pas mal de temps que vous êtes accroché au tableau de divisionnaire. On parle avec insistance d'un poste-valise pour vous dans le Sud. Vous acceptez une mutation pour Toulon ou Nice et vous passez tout de suite au grade supérieur. En somme, on serait très content que vous alliez vous faire voir ailleurs.

– Pas preneur, avait refusé Schneider en se levant lentement.

Il avait raccompagné Manière sur le seuil. Ils s'étaient serré la main et Schneider avait refermé la porte avant même que l'autre n'eût atteint l'ascenseur.

En rentrant, Schneider lui avait raconté l'entrevue. Stern était en désintoxication alcoolique et Schneider n'enviait pas l'enfer qu'il vivait. Escobar avait été radié. Bubu était mort. Pour égaliser le score, l'administration, dans son immense mansuétude, aurait aimé que Schneider s'en allât, et peu importait que ce fût en promotion, du moment qu'il dégageât le terrain. Cheroquee avait répondu qu'elle s'en fichait pas mal et qu'où il irait, elle irait avec lui. Une infirmière diplômée d'État pouvait trouver du boulot partout. Son père comprendrait : il était temps que sa fille fasse sa vie.

Elle lui avait relaté son entrevue avec Tom, aux urgences. Tom lui avait tout dit, à propos de la morte et de l'enfant. Et du bijou touareg que Cheroquee portait à présent en sautoir entre les seins, tout le temps, avec une sorte de fierté non révocable. Schneider s'était souvenu, sur un ton de souffrance :

– Une fissure dans la falaise. Il y avait des jujubiers, et quand on est entré, il y a eu un grand envol de pigeons. Comme un grand drapeau blanc et gris qui se déployait contre le ciel.

Un ciel bleu et dur qui paraissait tout proche. Aucun ciel n'est jamais tout proche. Il lui avait demandé :

– Tom vous a parlé d'autre chose ?

– De votre mère.

– Ah.

– Elle vit encore ?

– Oui, dit Schneider avec effort. Elle avait suivi mon père à Londres. Elle a donné des concerts aux armées durant toute la guerre. À la Libération, elle a voulu avoir des nouvelles de sa famille. Son père, sa mère et ses deux oncles. Une jeune sœur. Ils avaient jugé bon se réfugier à Belleville. Des voisins les ont donnés aux gendarmes. Le Vél'd'Hiv', Drancy. Mauthausen. Personne n'est revenu.

Il avait gardé le silence, en fumant. Puis il avait ajouté avec un étrange détachement, en frôlant le bijou entre les seins de Cheroquee du bout des doigts :

– Longtemps, elle a cherché leur trace. Elle avait cessé ses concerts. Elle ne jouait plus. Elle n'a plus joué. Elle n'a pas souhaité revoir son mari. Puis, lorsque le commandant Schneider a disparu en Indochine, elle s'est enfermée dans sa maison, près de Villefranche. Elle donne sur une crique avec une petite plage de sable fin et ce sont tout de suite des fonds abrupts de plus de deux cents mètres, avec une eau claire et glacée.

– Vous ne l'avez jamais revue ?

– Jamais, avait murmuré Schneider.

Quelques jours plus tard, Cheroquee lui avait annoncé comme incidemment qu'elle avait droit à une dizaine de jours de congé. En réalité, elle y avait eu droit parce qu'elle les avait demandés. Elle avait envie de rester avec lui, rien qu'avec lui. Elle ne prenait jamais de vacances et ne partait presque jamais. Elle avait envie d'être avec lui et de partir un peu. Elle avait envie qu'ils soient ensemble, ailleurs. Quelques jours. Schneider allait mieux. Elle lui avait retiré les fils sous l'oreille. Il fumait beaucoup moins et parvenait à dormir sans cachets. Sous réserve que le médecin chef l'autorise, il ne devait pas reprendre son service avant une vingtaine de jours. Ils avaient donc un peu de temps devant eux.

Cheroquee se tenait blottie contre lui. Il lui trouvait toujours un drôle d'air chiffonné et soucieux, mais n'osait pas poser de questions. Il ne comprenait pas très bien pourquoi elle s'était mise à porter ce bijou sur elle – ce bijou qui venait d'une morte. Il n'avait jamais réellement vécu avec une femme, il ne savait pas trop comment s'y prendre. Pour rien au monde, il n'aurait voulu être blessant. Il ne posait pas de questions. Il se bornait à lui tenir la main autant qu'il le pouvait et à poser les lèvres dans ses cheveux à tout bout de champ.

Ils avaient un peu de temps à eux.

Cheroquee en avait parlé à Marina. Marina en avait parlé à Monsieur Tom. Le couple possédait une villa au-dessus de Nice, une grande villa à flanc de colline avec une piscine, un champ d'oliviers et un bungalow qu'ils réservaient aux invités. Le bungalow était à leur disposition, quand ils voulaient.

– Pas besoin de Tom, avait coupé Schneider, en la serrant plus fort.

– Nice ou ailleurs.

Nice ou ailleurs, elle s'en foutait du moment qu'ils s'en allaient ensemble quelque part. Elle voulait lui parler, elle avait besoin de lui parler, mais pour d'obscures raisons qu'elle ne pouvait démêler, elle voulait que ce fût ailleurs.

– D'accord pour Nice, avait déclaré Schneider. Mais pas besoin de Tom pour ça.

Elle l'avait enlacé avec beaucoup de douceur. Elle avait très envie de pleurer. Elle n'avait jamais rien connu de comparable. Elle avançait à découvert, nue et en terre étrangère. Elle avait pensé qu'il ne reviendrait jamais et il était revenu. Elle s'était toujours considérée comme une personne saine, équilibrée et peu émotive. Une jeune femme libre et raisonnable. Et tout cela avait volé en éclats à cause d'un type qu'elle n'attendait pas. Qu'elle n'avait jamais attendu.

Qu'elle pensait n'avoir jamais attendu. Ou encore qu'elle avait trop attendu, tout le temps. Un homme qui la regardait comme personne ne l'avait jamais regardée, comme si elle ne se résumait pas à une grosse paire de seins, à des fesses dures et potelées et des jambes de danseuse, même s'il lui prouvait sans difficulté qu'il était très capable de la faire hurler comme une folle, elle qui n'avait jamais été une crieuse. Un homme qui la prenait comme un soudard, qu'il n'était pas, et la caressait ensuite avec une tendresse déchirante, comme une enfant qu'elle avait cessé d'être.

Elle avait murmuré pensivement, contre sa poitrine :

– Oui, Nice, ça serait bien.

Ils étaient partis le lendemain matin, par la route, dans la petite Austin bondée de bagages à elle et dont le volant tirait exagérément à gauche. Ils avaient roulé à tour de rôle toute la journée et une partie de la nuit. Lorsque Schneider conduisait, la jeune femme lui posait les doigts sur la cuisse, ou nettement plus haut, toujours prête à défendre son bien. Lorsqu'elle était au volant, Schneider gardait la main sur son épaule. Ils avaient assisté au lever du soleil sur la mer. Ils avaient erré le long de la côte sans se presser, d'hôtel en hôtel, de bar en bar. Ils avaient laissé filer le temps comme s'il ne devait jamais s'arrêter. Schneider ne portait ni arme ni carte de police. Un homme comme les autres avec une femme comme les autres. Un soir, Cheroquee avait été prise de nausées et avait conclu elle-même à une intoxication alimentaire. Depuis deux ou trois jours, elle se sentait un peu patraque. Elle savait très bien de quoi il s'agissait, et que ce n'était pas une intoxication alimentaire. Elle avait l'aveu au bord des lèvres et en même temps, elle mourait de peur.

Deux ou trois fois, Schneider n'avait pu s'empêcher d'appeler l'Usine, pour prendre la température. Il avait appris que l'avocat de Francky Reinart avait obtenu sa levée d'écrou. Du fait que le jeune homme s'était accusé d'un crime qu'il n'avait pas commis, le parquet avait eu l'intention de le poursuivre pour outrage à magistrat et entrave au cours de la justice. Mᵉ Thomassot avait obtenu sa remise en liberté provisoire sous contrôle judiciaire. On avait procédé à la levée d'écrou. Francky était sorti et avait disparu aussitôt, sans même venir récupérer sa Harley au sous-sol de l'hôtel de police. Quant au contrôle judiciaire, il ne s'était jamais présenté. Adieu Francky.

Au moment de raccrocher, la dernière fois, Schneider avait confié à Catala :

– C'est fini, Charles. Faites savoir à Manière que je ne reviendrai pas.

Il avait raccroché et quitté en hâte la cabine. Le beau visage grave et carré de Cheroquee était tourné vers lui et son regard un peu interrogatif était lourd d'une tendresse éperdue.

Et puis, par un après-midi gris et froid au ciel immobile et à la mer étale couleur de plomb, Schneider avait arrêté la petite Austin devant une vieille maison plate de style Le Corbusier, dont le crépi de la façade s'écaillait par places. Des herbes sèches se hérissaient sur le toit en terrasse. Il y avait des aloès et un palmier, et des plantes grasses qui rampaient dans le sable gris jusque sur le trottoir, et tout semblait se trouver à l'état d'abandon. Schneider n'avait pas coupé le moteur. Il s'était penché sur le pare-brise.

– C'est là qu'elle habite, avait-il dit d'un ton distant.

Cheroquee avait frissonné, les coudes dans les paumes.

– Vous croyez ?

Tout semblait tellement désert. Dans un coin du jardin, la carcasse d'un tricycle renversé sur le côté achevait de rouiller. Au loin, par-delà la maison, un vraquier peinait le long de l'horizon. Son mince plumet de fumée grasse couché sur la poupe montrait qu'un vent faible soufflait au large.

– J'en suis sûr, avait affirmé Schneider avec plusieurs temps de retard.

Il allait repartir. Il avait déjà les doigts sur le levier de vitesse. Cheroquee avait posé la main sur la sienne.

— Vous devriez aller la voir.

Et elle avait ajouté en hâte, la gorge serrée :

— Si vous voulez, je viendrai avec vous.

Une femme d'une cinquantaine d'années était venue ouvrir et Schneider s'était présenté. Il avait présenté Cheroquee comme sa femme. La femme s'était présentée comme assistante de vie. Elle s'occupait de Marie Grantz depuis plus de vingt ans. Elle les avait laissés lambiner dans le hall sans les prier de s'asseoir, le temps d'aller voir si on accepterait de les recevoir.

On avait accepté.

Ils avaient traversé une longue pièce, où il n'y avait qu'un Steinway blanc et des portraits photographiques au mur. Ils représentaient une belle femme très brune aux yeux sombres chargés de khôl et qui semblait considérer le spectacle de la vie et des hommes avec une réticence marquée. À présent, la femme brune avait cessé de l'être. Elle avait les cheveux très blancs et les portait en chignon sur la nuque. Un châle d'indienne sur les épaules, elle se tenait assise très droite sur un fauteuil d'osier dans une vaste loggia très claire qui donnait par ses trois côtés sur la mer.

Du bout des doigts, elle fumait une cigarette américaine.

Elle avait les yeux et le front de Schneider. Elle paraissait tout aussi distante.

Elle n'avait eu ni un mot ni un regard pour lui.

Schneider, à ses yeux, avait cessé d'exister.

À travers la fumée de sa cigarette, elle avait longuement examiné Cheroquee, puis observé d'une belle voix rauque et très calme :

— Vous attendez un enfant.

Et tout, aussitôt, comme pour manifester que l'incident était clos, elle était retombée dans son mutisme. Elle avait retourné lentement les yeux vers la mer.

– J'ai appelé. Je vais quitter l'Usine, lui avait déclaré Schneider.

– Quelque chose à voir avec moi ?

– Oui. Je ne veux plus rien que vous et moi. Et rien d'autre. Plus rien de moche et de sale. Seulement vous et moi.

Elle lui avait pris le bras sans un mot. Elle n'aurait rien pu dire, tant l'émotion la submergeait. Un homme seulement capable de tout lui donner sans rien demander en retour, un loup gris efflanqué, affamé d'elle. Ils étaient descendus jusqu'à la crique. Ils avaient marché sur la plage en silence. La mer bruissait avec douceur, un simple ressac qui venait lécher le sable, comme s'il se sentait à bout de force et plus très capable de convaincre quiconque. Cheroquee s'était plantée devant Schneider en lui saisissant le coude. Fini de rire : il fallait qu'à son tour elle se jette dans le vide. Elle murmura brusquement :

– Votre mère a raison.

– Raison ?

– J'attends un enfant.

– Ah, fit Schneider.

– Seulement ah ? C'est tout l'effet que ça vous fait ?

Brusquement, elle avait ressenti une violente douleur. Tant pis. Qu'il en veuille ou pas, elle le garderait pour elle toute seule. C'était décidé. Il pourrait dire et faire ce qu'il voulait. Elle le garderait. Il serait à elle. Vague après vague, la mer venait lentement mourir presque à leurs pieds. Schneider avait saisi la jeune femme aux épaules, la considérant avec gravité.

– Qu'est-ce qu'il fallait que je dise ?

– Je ne sais pas, avait murmuré Cheroquee en détournant le regard.

– Que je suis surpris ?

Il avait approché le visage du sien. Il adorait ses sourcils levés. Elle ne savait pas si elle avait envie de rire ou de pleurer. Il avait souri, l'air goguenard et fier d'elle et de lui :

408

– Il me semblait bien que depuis quelque temps, vous et moi nous faisions tout pour en arriver là. Non ?

Il lui avait caressé la joue et les paupières, l'avait attirée par la taille avec beaucoup de douceur et de fermeté. Quinine et tourbe. Il avait confié à sa lourde tignasse :

– Vos histoires d'intoxication alimentaire. Une grande fille comme vous. Vous pensiez réellement que j'allais y croire ? Non, j'attendais seulement que vous me le disiez. De toute façon, un jour ou l'autre, ça aurait fini par se voir.

Contre lui, la jeune femme pesait incroyablement lourd. Il avait eu une violente érection. Elle l'avait senti.

– Je suppose que maintenant, dit Schneider contre sa bouche, il va falloir faire très attention.

Elle avait ri doucement, en se frottant à lui avec lascivité :

– Vous savez, la grossesse n'est pas une maladie.

Au loin, le vraquier n'en finissait pas de peiner en direction du couchant, sur la ligne d'horizon, très basse, rectiligne et sans vie, et qu'on eût dite tracée d'un trait au crayon gras.

Glossaire

Assiettes : cour d'assises.

Avoir une trique au cul : faire l'objet d'une mesure de sursis.

Bascule à Charlot : la guillotine.

Bavard : avocat.

Bécaner : taper à la machine à écrire.

BSN : Brigade spéciale de nuit, l'ancêtre des fameuses BAC.

Caisse de choure : véhicule volé.

Carlingue : Gestapo française, dont le siège social se trouvait rue Lauriston, à Paris, et dont Henri Lafont était le chef, avec pour principal second un flic du nom de Pierre Bonny.

Challe : l'un des quatre généraux dits « félons » avec Salan, Jouhaud et Zeller, lors du putsch manqué d'Alger, en avril 1961.

Chargé : dans ce cas précis, armé. Peut aussi avoir le sens de drogué.

Chaouche : esclave.

Chouille : cuite, biture carabinée.

Choure : vol.

Chouf : guetteur.

CNI : carte nationale d'identité.

Copier : en termes radio militaires : vous m'appelez ou on trafique.

Cousin, ou tonton : informateur.

Crever : arrêter.

Crystal : méthamphétamine dérivée de la pervitine allemande et revenue à la mode dans les années 1970 à New York, en particulier dans le petit monde de Wall Street, mais pas seulement.

Delta-Charlie-Delta : décédé.

DCD, acronyme codé pour « décédé ».

Djounoud : combattant du FLN.

Falot : tribunal, en particulier correctionnel.

Framac : franc-maçon.

Kébours : képis, flics en tenue, rien de péjoratif.

Margoulin : patron malhonnête.

Misrep : *mission report*, rapport de mission en français.

Pichet : alcoolique d'habitude, par opposition au biturin, alcoolique occasionnel.

Piège : parachute, ce qui veut tout dire.

Porter le deuil : déposer plainte.

Ravito : ravitaillement.

Remington : fusil à pompe calibre 12, dit riot-gun ou fusil anti-émeute.

Rouler sur les jantes : pratiquer l'abstinence sexuelle ou user de manœuvres solitaires.

Saute-dessus : arrestation, si possible par surprise.

Saxo (se faire passer un) : prendre une engueulade carabinée.

S'en tirer fleur : s'en sortir indemne.

SGDG : sans garantie du gouvernement.

SOS : anciennement police-secours.

Storno : émetteur-récepteur portable.

TGI : tribunal de grande instance.

Tourniquet : tribunal.

édition pré-presse
livres numériques

44400 Rezé

Achevé d'imprimer en février 2017
sur les presses de Normandie Roto Impression s.a.s.
61250 Lonrai
pour le compte des Éditions Payot & Rivages
18, rue Séguier – 75006 Paris
N° d'imprimeur : 1700507
Dépôt légal : mars 2017

Imprimé en France

manouche
extracible
attelles
1947 repetitions
monter le bouchnichon